रामधारी सिंह 'दिनकर' रचनावली-2

[स्फुट काव्य : प्रेम और श्रृंगार/अन्यान्य विषय]

रामधारी सिंह 'दिनकर' रचनावली

2

संपादक
नंदकिशोर नवल
तरुण कुमार

लोकभारती प्रकाशन

लोकभारती प्रकाशन
पहली मंजिल, दरबारी बिल्डिंग, महात्मा गांधी मार्ग
प्रयागराज-211 001
वेबसाइट : www.lokbhartiprakashan.com
ईमेल : info@lokbhartiprakashan.com
शाखाएँ : 1-बी, नेताजी सुभाष मार्ग, दरियागंज
नई दिल्ली-110 002
अशोक राजपथ, साइंस कॉलेज के सामने
पटना-800 006
36 ए, शेक्सपियर सरणी, कोलकाता-700 017

पहला संस्करण : 2011
दूसरा संस्करण : 2021

मूल्य : ₹5000
(14 खंडों का पूरा सेट)

बी.के. ऑफसेट
नवीन शाहदरा, दिल्ली-110 032 द्वारा मुद्रित

RAMDHARI SINGH DINKAR
RACHNAWALI-2
Edited by Nandkishor Nawal, Tarun Kumar

ISBN : 978-81-8031-590-9

धर्मपत्नी श्यामवती और छोटी पुत्री विभा के साथ

दिनकर जी (मध्य में) साथ में श्री कमलापति त्रिपाठी व अन्य

भोजन की मेज पर भवानी प्रसाद मिश्र व अन्य साथियों के साथ।

तत्कालीन राष्ट्रपति डॉ. राधाकृष्णन का विदेश यात्रा से लौटने पर स्वागत करते हुए दिनकर जी, मैथिलीशरण गुप्त (दद्दा) एवं हुमायूँ कबीर

पोलैण्ड यात्रा से लौटने के बाद पटना आगमन पर दिनकर जी, प्राचार्य कपिल (मध्य में) व अन्य

रामधारी सिंह 'दिनकर'

भूमिका

कुछ विद्वानों ने आधुनिक हिन्दी कविता में एक राष्ट्रीय धारा की कल्पना की है और उसमें मैथिलीशरण के बाद माखनलाल चतुर्वेदी, बालकृष्ण शर्मा नवीन, सुभद्रा कुमारी चौहान तथा दिनकर-जैसे कवियों को रखा है। यह कल्पना काफी कुछ असंगत है, क्योंकि गुप्तजी को छोड़ भी दें, तो शेष कवि ऐसे नहीं हैं, जिन्होंने सिर्फ राष्ट्रीय कविताएँ ही लिखी हों। माखनलाल और नवीन राष्ट्रीय कविताओं के साथ-साथ रहस्यात्मक कविताएँ भी लिखते थे। माखनलाल का रहस्यवाद कृष्णभक्ति से विचित्र प्रकार से मिला हुआ था और नवीन रहस्यवादी होने के साथ-साथ प्रेम के भी कवि थे। इसी प्रकार सुभद्रा कुमारी में भी देश-भक्ति के साथ-साथ विलक्षण वात्सल्य-भावना देखने को मिलती है। जहाँ तक दिनकरजी की बात है, उनका काव्य-संसार इतना विस्तृत है कि उसे कभी भी केवल राष्ट्रीयता में निःशेष नहीं किया जा सकता। ये सारे कवि, एक हद तक मैथिलीशरण सहित, वस्तुतः उस स्वच्छन्द-धारा के कवि हैं, जिसका प्रवर्तन पं. श्रीधर पाठक ने किया था। राष्ट्रीयता इस कविता की सिर्फ एक प्रवृत्ति है, जिसके साथ उसमें रहस्य, प्रकृति, प्रेम आदि तमाम चीजें भी हैं। इस कविता की शैली मूलतः व्यावहारिक भाषा की शैली है, जो छायावादी लाक्षणिकता से मुक्त है। इसकी रहस्य-भावना स्वाभाविक है, प्रकृति-चित्रण में प्रचुर ऐंद्रियता है और इसका प्रेम भी देहातीत नहीं। इस स्वच्छन्द-काव्य-धारा ने जो सबसे बड़ा कवि पैदा किया है, वे दिनकर हैं।

दिनकरजी ने अपने रचनात्मक संघर्ष के बारे में कई स्थलों पर चर्चा की है। वे कविता में सुस्पष्टता के बहुत ज्यादा कायल थे, लेकिन वे छायावाद में अस्पष्टता या स्वप्निलता का सौन्दर्य भी देखते थे, सो उनकी समस्या सरल नहीं थी। उन्हीं के शब्द लेकर कहें तो

वे 'स्वप्न की भाषा में वास्तविकता का आख्यान' करना चाहते थे, या फिर 'पंत के सपने को मैथिलीशरण की सफाई से' लिखना चाहते थे। उन्होंने इस समस्या का समाधान द्विवेदी-युग और छायावाद के बीच से रास्ता निकालकर किया और सच्चे स्वच्छन्दतावादी कवि की तरह कविता के विषयों की सीमा तोड़ दी। स्वभावतः उन्होंने राष्ट्रीय और सामाजिक कविताओं के समानान्तर प्रेम और शृंगार की भी प्रचुर कविताएँ लिखीं। इस बात को दुहराने की जरूरत नहीं है कि जैसे उनकी समाजोन्मुख कविता का शीर्ष-बिन्दु 'कुरुक्षेत्र' है, वैसे ही उनकी प्रेम-शृंगारपरक कविताओं का शीर्ष-बिन्दु 'उर्वशी'। छायावादी प्रेम और शृंगारपरक कविताएँ अमूर्तीकरण का शिकार हैं, लेकिन दिनकर की ऐसी कविताएँ भरपूर चित्रात्मक होते हुए भी द्विवेदी-युगीन स्पष्टता से युक्त हैं। कहना चाहिए कि उनकी नई भाषा की परीक्षा प्रेम और शृंगार-विषयक कविताओं में ही होनी थी, जिसमें निस्संदेह वे पूर्णतः सफल हुए।

प्रेम के अन्तर्गत दोनों ही प्रेम आते हैं—प्रकृति-प्रेम भी और मानव-प्रेम भी। दिनकर की प्रकृति भी उतनी ही मूर्त है, जितना उनका प्रेम। इस दृष्टि से 'निर्झरिणी', 'अमा-संध्या' और 'जागरण' शीर्षक कविताएँ द्रष्टव्य हैं, जिनमें प्रकृति का ही चित्रण हुआ है। बाद में भी उन्होंने 'चन्द्राह्वान', 'ओ नदी!' और 'बादलों की फटन'-जैसी मोहक प्रकृति-कविताएँ लिखीं, जिनमें से अन्तिम दो कविताओं में अभिव्यक्ति की भंगिमा बिलकुल बदली हुई है। जहाँ तक मानव-प्रेम की बात है, शुरू में ही उन्होंने 'प्रीति'-जैसी कविता लिखी थी, जिसमें प्रेम का गहरा दर्द लेकर प्रेम को परिभाषित किया गया था। इसी के आस-पास उन्होंने प्रेम की दो विलक्षण कविताएँ लिखीं—'दाह की कोयल' और 'अन्तर्वासिनी', जिन्हें पढ़कर मन भावाभिभूत हो जाता है। अपनी काव्य-रचना के आखिरी दौर में भी उन्होंने 'आज शाम को' और 'धन्यवाद, मैं, सचमुच, नहीं मरूँगा'-जैसी प्रेम-कविताएँ लिखीं, जिनकी नवीनता मन को मुग्ध कर लेती है। इसके पहले वाले दौर की उनकी कविता 'नील कुसुम' तो निर्विवाद रूप से प्रेम की एक असाधारण कविता है, जिसका लहजा नाटकीय और नया होने के कारण अतिशय प्रभावशाली है। कहने की आवश्यकता नहीं कि दिनकर जी की प्रेम-भावना का सर्वाधिक

उदात्त रूप उर्वशी और पुरूरवा के प्रेम में व्यक्त हुआ है, जो पूर्वोल्लिखित 'उर्वशी' काव्य में ही दृष्टिगत होता है।

सौन्दर्य प्रेम से अलग नहीं है। वह तो प्रेम को जन्म देता ही है, प्रेम भी सौन्दर्य को जन्म देता है, जिसका प्रमाण यह है कि प्रेम में पड़ा हुआ व्यक्ति असुन्दर को भी सुन्दर रूप में देखता है। और तो और, उस समय प्रकृति भी अतिरिक्त रूप से सुन्दर दिखलाई पड़ती है। कालिदास के कुमारसम्भव में परिणयोपरांत एक चाँदनी रात में शिव और पार्वती वन में एक वृक्ष के नीचे बैठे हैं। चाँदनी वृक्ष के पत्तों से छन-छनकर नीचे बिखरी हुई थी। उसे देखकर पार्वती कहती हैं कि ऐसा प्रतीत होता है कि धरती पर सफेद फूल बिखरे हुए हैं। इस पर शिव उनसे कहते हैं कि कहो तो उन्हें चुनकर तुम्हारे बालों में सजा दूँ! दिनकर जी की मानवीय सौन्दर्य-भावना उनकी स्फुट कविताओं में विस्तार से चित्रित है। एक उदाहरण 'रास की मुरली' शीर्षक कविता से यह है–

ठगी-सी रुकी नयन के पास
लिए अंजन उँगली सुकुमार।
अचानक लगे नाचने मर्म,
रास की मुरली उठी पुकार।

दिनकर जी ने यह भी लिखा है कि उनके भीतर देश-भक्ति और प्रेम-शृंगार को लेकर तीव्र द्वन्द्व की स्थिति थी, जिसका चित्रण बहुत ही सशक्त रूप में उनकी 'हुंकार' की 'असमय आह्वान' शीर्षक कविता में हुआ है। उसमें उन्होंने देश-भक्ति को चुन लिया है, लेकिन उनकी प्रेम और सौन्दर्य की भावना रह-रहकर बहुत ही सशक्त और प्रभावशाली ढंग से अभिव्यक्त होती रही। थोड़े अफसोस के साथ उन्होंने यह भी लिखा है कि ख्याति तो मुझे 'हुंकार' से मिली, लेकिन मेरी आत्मा 'रसवन्ती' में बसती है। प्रेम और शृंगार के प्रति आत्मिकता ने उनकी एतद्-विषयक कविताओं को अकूत प्रभावोत्पादकता प्रदान की है, उसने पुनः कहूँ, तो 'उर्वशी'-जैसी कृति को भी सम्भव बनाया है, जिसने उनकी ख्याति को आसमान पर पहुँचा दिया, सो अफसोस की कोई बात नहीं। दिनकर जी की प्रेम-शृंगार-परक कविताओं के सम्बन्ध में एक खास बात यह है कि कवि-स्वभाव की ओजस्विता ने उन्हें एक नया

लावण्य प्रदान कर दिया है। पाश्चात्य विद्वानों का यह निश्चित मत है कि किसी रचनाकार के श्रेष्ठ होने का लक्षण यह है कि उसमें 'ऑल स्ट्रगल' ही नहीं होता, 'एरियाज ऑफ पीस' भी होते हैं। इस कसौटी पर दिनकर-जैसा कवि पूरा खरा उतरता है।

प्रस्तुत खंड के द्वितीय उपखंड में दिनकर जी की वैसी कविताएँ संकलित हैं, जो राष्ट्र-समाज तथा प्रेम-शृंगार को छोड़कर अन्यान्य विषयों से सम्बन्धित हैं। काव्य-खंडों की 'ज्ञप्ति' शीर्षक सामान्य भूमिका में कहा गया है कि यही वे कविताएँ हैं, जो कवि को सही माने में बड़ा बनाती हैं। बात सही है, क्योंकि इन कविताओं का पहले से कोई ढाँचा बना हुआ नहीं है, न भावात्मक, न वैचारिक और न भाषाई, जिसका कवि को अनुसरण करना हो या जिसे उसे तोड़ना हो। ऐसी कविताएँ शुद्ध रूप में कवि की सर्जनात्मक प्रतिभा की देन हैं। यहाँ विषयों का अपरिमित विस्तार है। नमूने के तौर पर 'परदेशी', 'सपनों का धुआँ', 'व्याल-विजय', 'शबनम की जंजीर', 'तुम क्यों लिखते हो?', 'स्वप्न और सत्य' और 'नर्तकी'-जैसी कविताओं को देखा जा सकता है, जिनमें गजब की विविधता है। इन कविताओं की शैली में वक्तृता से भिन्न नाटकीयता या संवाद का गुण है, जो त्वरित गति से पाठकों से आत्मीयता स्थापित कर लेता है। स्वभावतः इनमें कवि की भाषा भी निरन्तर निखरती गई है, वाक्य-रचना की गद्यात्मकता इनके सौन्दर्य को एक नई दीप्ति से भरती गई है, जो देश-विदेश की आधुनिक कविता से छनकर उस तक पहुँची है।

इस खंड के परिशिष्ट में क्रमशः दिनकर जी की किशोरोपयोगी और बालोपयोगी कविताएँ दी गई हैं, जो इस बात की सूचक हैं कि कवि भावी पीढ़ी के प्रति भी अपने दायित्व को समझता था। वह जानता था कि अभी उसे कविता का रस और आनन्द अनुभव नहीं कराया गया, तो उसका सांस्कृतिक विकास कदापि अपेक्षित रूप में न हो सकेगा।

18 अगस्त, 2008

—नंदकिशोर नवल

अनुक्रम

परिशिष्ट : *किशोरोपयोगी कविताएँ*

बालोपयोगी कविताएँ

हो जहाँ कहीं भी नील कुसुम की फुलवारी,
मैं एक फूल तो किसी तरह ले जाऊँगा,
जूड़े में जब तक भेंट नहीं यह बाँध सकूँ,
किस तरह प्राण की मणि को गले लगाऊँगा?

दूर ही रहो अय चाँद! आदमी बड़े-बड़े
आगे-पीछे भी नहीं सोचने पाएँगे,
पीयूष तुम्हारे मरने का कारण होगा,
प्याले पर धर कर तुम्हें चाट ही जाएँगे।

प्रेम और शृंगार

निर्गन्ध फूल

सुरभि-रहित, मकरन्दहीन हूँ,
मुझ में कान्ति-पराग नहीं।
मधु-लोभी मधुकर-वृन्दों का
मुझे प्राप्त अनुराग नहीं।

रसिक पिरोते दया-दृष्टि कर
मुझ-जैसों का हार नहीं।
बाल-युवतियाँ इधर भूल कर
आतीं करने प्यार नहीं।

सब का भाव यही कि
रंक जीवन में कोई सार नहीं।
अरे, बना था क्या दुखियों के—
लिए निठुर संसार नहीं?

निठुर देवता, तुम क्यों सुनते
मेरी करुण पुकार नहीं?
तोड़ अग्नि में फेंक जला दो,
होगा कम उपकार नहीं।

(प्रण-भंग तथा अन्य कविताएँ, 1927)

पुष्प-विलाप

मधुप विमोहित हुआ न लख कर,
देख न गये रसिक जन भूल।

सका न कर सुरभित कानन को,
व्यर्थ कहाया जग में फूल।

बिखर पड़ा, लो बिछुड़ डालियों
से पाने पृथ्वी का प्यार।
पिघल न पड़ी किन्तु वह लख कर
मेरी धर्म-व्यथा का सार।

निठुर! सजाए किन हाथों से,
हा, ये परिवर्तन के साज?
खिला विहँस कर था उपवन में,
रो कर मुरझाता हूँ आज।

(प्रण-भंग तथा अन्य कविताएँ, अनुमानतः 1927-28)

विदा

किसने कहा—दूज के विधु की क्षणभंगुर मुस्कान, विदा।
रोती वनदेवी अधीर, ॠतुपति के कुसुम-वितान, विदा।

कलिके, अब अलियों से चुम्बन का आदान-प्रदान, विदा।
अरी कोकिले, सँभल, माँगती तेरी पंचम तान, विदा।

मेरे क्षणिक विभव की मादक घड़ियों के सामान, विदा।
'आओ' सुनते ही 'वन्दे' कहने वाले मेहमान, विदा।

विदा, अधखिले ही मुरझाने वाले मिलन-कुंज के फूल।
संध्या के अंचल में छिपने वाले स्वर्ण-विहान, विदा।

विदा, प्राण-वंशी से गाने वाले आकुलता के राग।
एक साथ देने वाले अभिशाप और वरदान, विदा।

विदा, उमंगों की तरंग, मादकता के आख्यान, विदा।
आहों के मिस उमड़-उमड़ कर उड़ने वाले गान, विदा।

उत्सुकता की आग, लालसा की उत्फुल्ल उफान, विदा।
सभी जाएँ, पर, तू न माँग, मेरे घायल अरमान, विदा।

(प्रण-भंग तथा अन्य कविताएँ, अनुमानतः 1927-28)

करुण कहानी

दिनमणि खड़ा पतन-पथ पर
था अस्ताचल की ओर।
ममतावश पकड़े था संध्या
के अंचल का छोर।
धूमलोक में खड़ी प्रकृति
पश्चिम की ओर निहार
उमड़ी आँखें देख रही थीं
निज सुवर्ण-संसार।

मैं था उलझ रहा जगती के
सरस रूप चिन्तन में।
नीरवता के वर-स्वरूप थी
उलझन मेरे मन में।
इतने में रोता-गाता आ
गया वहाँ अलि एक
उठा देख कर उसे हृदय में
करुणा का उद्रेक।

मैंने कहा "मधुप मतवाले,
क्यों रोते जाते हो?
मर्मवेदना के गीले क्यों
दुखद गान गाते हो?"

ठहर गया वह मुझे देख,
सुन मेरी रसमय वाणी।
फिर बोला, "क्या सुनी न तुमने
मेरी राम-कहानी?

"मैं हूँ वह, जिसने सुख-नभ—
पर देखा नहीं सबेरा।
किसी वेदना का अक्षर है
श्वास-श्वास यह मेरा।
उपवन वही उधर का है
अति सुन्दर सदन हमारा।
इसी विपद-नभ बीच उगा था
प्रथम-प्रथम यह तारा।

"बचपन का आनन्द कहूँ क्या?
हरी-भरी थी क्यारी।
खिल-खिल कर हँसती थी उसमें
कलिका एक दुलारी।
हे कवि! मैंने किसी बुरी
सायत में उसको देखा।
वही देखना बना आज
मेरी ललाट की रेखा।

"देखा उसे, स्नेह से देखा,
हृदय लुटाया, प्यार किया।
एक बार का उसे देखना
ने मेरा संहार किया।
जीवन में उस उषःकाल में
ही विनष्ट संसार किया।
उसे प्यार करने को ही मैंने
अपने को क्षार किया।

"मुझे याद है, बाल्य काल का
वह अपना हिलना-मिलना।
गुन-गुन-गुन कर मेरा गाना,
हँस-हँस कर उसका खिलना।
पर, ज्यों, बड़े हुए, त्यों मेरा
उदित पूर्व का पाप हुआ।
विधि ने विलग किया दोनों को,
यह कैसा सन्ताप हुआ?

"मधु के हित उपवन में जाकर
गरल कुसुम-दल में पाया।
अरे, कहूँ क्या सरस प्रेम ही
सर्वनाश मेरा लाया।"
यों कह चला मधुप मतवाला
उड़ कर कुंज-कुटीरे।
मैं भी उठा, चला मन ही मन
रोता धीरे-धीरे।

सुन्दर था निशि के अंचल में
संध्या का मुरझाना।
सुन्दर था उस व्यथित मधुप का
दुखमय रोना-गाना।
किन्तु, आह कितनी सुन्दर थी,
उसकी अन्तिम वाणी।
"अमर छन्द में लिख देना कवि।
मेरी करुण कहानी।"

(प्रण-भंग तथा अन्य कविताएँ, 1928)

गीत

गगन में आकुल घन छाये
जल में भींग सजल मोती चुनने के दिन आये।

(1)

रस की धार भुवन में छूटी,
निद्रा बीज कणों की टूटी।
रसा-कोष में अमृत, हमारे सपने लहराये।

(2)

सुरधनु की सतरंगी छाया
पड़ी, ताल की चमकी काया।
मेरे अश्रु कणों में सातों रंग उतर आये।

(3)

सफल मेघ का जीवन झरझर,
रस से तृषित भूमि को भरकर।
कब होगा वह सफल, स्वप्न से हम जो द्रुम लाए?

(प्रण-भंग तथा अन्य कविताएँ, अनुमानतः 1929-30)

विदाई

कली, अब वन तज चला वसन्त।

(1)

चिर-वियोग-भय से अति कातर
कोयल कलप रही डालों पर।
ऋृतुपति के पट-पीत सँजोकर
बिलख रही विक्षिप्त वन-श्री विदा माँगते कन्त।
कली, अब वन तज चला वसन्त।

(2)

मानिनि! सुरभि-मरन्द छिपा कर
रही कृपण-सी आँख बचाकर,

व्यर्थ चूमने को ललचाकर
अति उदास अलि चले निराशामय है अखिल दिगन्त।
कली, अब वन तज चला वसन्त।

(प्रण-भंग तथा अन्य कविताएँ, अनुमानत : 1929-30)

आह्वान

(1)

आ, इस उजड़े-से उपवन में
मेघपरी मतवाली, आ।
आ, मेरे उदास नभ पर
संध्या की हल्की लाली, आ।

(2)

आ, मेरे इस अंधकारमय
जग में राकापति सुकुमार!
आ, अपने प्यारे अतीत की—
याद दिलाने वाली, आ।

(3)

बरस रही आँखें जीवन में
वर्षा ॠतु लाने वाली!
आ, जा, अरी, व्यथित उर
के घावों की प्यारी, हरियाली!

(प्रण-भंग तथा अन्य कविताएँ, अनुमानतः 1929-30)

विचित्र प्रेम

यह प्रेम-भीख पाने की
आशा धर-धर कर मन में।
खिल-खिल पड़ती हँस-हँस कर
रवि के स्वागत-चिन्तन में।

झुलसा देता ज्वाला से
नलिनी को वह अभिमानी।
फिर छोड़ चला जाता है
आशा पर देकर पानी।

उत्सुक हो शशि आते हैं
ले कान्त किरण की माला
नलिनी सकुचा जाती है,
कैसा यह प्रेम निराला?

(प्रण-भंग तथा अन्य कविताएँ, अनुमानतः 1930-31)

विश्व-छवि

मैं तुझे रोकता हूँ पल-पल, तू और खिंचा-सा जाता है,
मन, जिसे समझता तू सुन्दर, उस जग से कब का नाता है?
कुछ विस्मृत-सा परिचय है क्या जिससे बढ़ता है प्यार?
कण-कण में कौन छिपा अपना जो मुझको रहा पुकार?

मधुर कैसी है यह नगरी!
धन्य री जगती पुलक-भरी!

चन्द्रिका-पट का कर परिधान,
सजा नक्षत्रों से शृंगार,
प्रकृति पुलकाकुल आँखें खोल
देखती, निज सुवर्ण-संसार।

चमकते तरु पर झिलमिल फूल,
बौर जाता है कभी रसाल,
अंक में लेकर नीलाकाश
कभी दर्पण बन जाता ताल।

चहकती चित्रित मैना कहीं,
कहीं उड़ती कुसुमों की धूल,
चपल तितली सुकुमारी कहीं
दीखती, फुदक रहे ज्यों फूल।

हरे वन के कंठों में कहीं
स्रोत बन जाते उज्ज्वल हार।
पिघलकर चाँदी ही बन गयी
कहीं गंगा की झिलमिल धार।

उतरती हरे खेत में इधर
खींचकर सन्ध्या स्वर्ण-दुकूल,
व्योम की नील वाटिका-बीच
उधर हँस पड़ते अगणित फूल।

वन्य तृण भी तो पुलक-विभोर
पवन में झूम रहे स्वच्छन्द;
प्रकृति के अंग-अंग से अरे,
फूटता है कितना आनन्द!

देख मादक जगती की ओर
झनकते हृत्तन्त्री के तार,
उमड़ पड़ते उर के उच्छवास,
धन्य स्रष्टा! तेरा व्यापार।

स्रष्टा धन्य, विविध सुमनों से सजी धन्य यह फुलवारी।
पा सकतीं क्या इन्द्रपुरी में भी आँखें यह छवि प्यारी?

फूलों की क्या बात? बाँस की हरियाली पर मरता हूँ।
अरी दूब, तेरे चलते जगती का आदर करता हूँ।

किसी लोभ से इसे छोड़ दूँ, यह जग ऐसा स्थान नहीं;
और बात क्या? बहुधा मैं चाहता मुक्ति-वरदान नहीं।

इस उपवन की ओर न आऊँ, ऐसी मुक्ति न मैं लूँगा,
अपने पर कृतघ्नता का अपराध न लगने मैं दूँगा।

इच्छा है, सौ-सौ जीवन पा इस भूतल पर आऊँ मैं,
घनी पत्तियों की हरियाली से निज नयन जुड़ाऊँ मैं।

तरु के नीचे बैठ सुमन की सरस प्रशंसा गाऊँ मैं,
नक्षत्रों में हँसूँ, ओस में रोऊँ और रुलाऊँ मैं।

मेरे काव्य-कुसुम से जग का हरा-भरा उद्यान बने,
मेरी मृदु कविता भावुक परियों का कोमल गान बने।

विधि से रंजित पंख माँग मैं उड़-उड़ व्योम-विहार करूँ,
गगनांगन के बिखरे मोती से माला तैयार करूँ।

किसी बाल-युवती की ग्रीवा में वह हार पिन्हाऊँ मैं,
हरी दूब पर चन्द्र-किरण में सम्मुख उसे बिठाऊँ मैं।

श्वेत, पीत, बैगनी कुसुम से मैं उसका शृंगार करूँ,
कविता रचूँ, सुनाऊँ उसको, हृदय लगाऊँ, प्यार करूँ।

मलयानिल बन वन-गुलाब की मादक सुरभि चुराऊँ मैं,
विधु का बन प्रतिबिम्ब सरित के उर-भीतर छिप जाऊँ मैं।

किरण-हिंडोरे पर चढ़कर मैं बढ़ूँ कभी अम्बर की ओर,
करूँ कभी प्लावित वन-उपवन बन खग की स्वर-सरित-हिलोर।

इच्छा है, मैं बार-बार कवि का जीवन लेकर आऊँ,
अपनी प्रतिभा के प्रदीप से जग की अमा मिटा जाऊँ।

नाथ, मुझे भावुकता-प्रतिभा का प्यारा वरदान मिले,
हरी तलहटी की गोदी में सुन्दर वासस्थान मिले।

उधर झरे भावुक पर्वत-उर से निर्झरिणी सुकुमारी,
शत स्रोतों में इधर हृदय से फूट पड़े कविता प्यारी।

कुसुमों की मुसुकान देखकर,
उज्ज्वल स्वर्ण-विहान देखकर,
थिरक उठे यह हृदय मुग्ध हो,
बरस पड़े आनन्द;

अचानक गूँज उठे मृदु छन्द
"मधुर कैसी है यह नगरी!
धन्य री जगती पुलक-भरी!"

(रेणुका, 1931)

कविता

अरूणोदय से प्रथम चमक
उठता प्राची का स्वर्ण-सुहाग।
वर्षागम से प्रथम गगन में
उठता गूँज जलद का राग।

फल से प्रथम मंजरी से
झुक जाती आमों की डाली।

प्रथम मिलन की उत्सुकता से
भर जाती हिय की प्याली।

मेरे मानस के प्रदेश में
उठता भावों का तूफान।
उर का बाँध तोड़ बहती
कविता बन भावुकता अनजान।

(प्रण-भंग तथा अन्य कविताएँ, 1932)

निर्झरिणी

मधु-यामिनी-अंचल-ओट में सोई थी,
बालिका-जूही उमंग-भरी;
विधु-रंजित ओस-कणों से भरी
थी बिछी वन-स्वप्न-सी दूब हरी;
मृदु चाँदनी-बीच थी खेल रही
वन-फूलों से शून्य में इन्द्र-परी,
कविता बन शैल-महाकवि के
उर से मैं तभी अनजान झरी।

हरिणी-शिशु ने निज लास दिया,
मधु राका ने रूप दिया अपना,
कुमुदी ने हँसी, परियों ने उमंग,
चकोरी ने प्रेम में यों तपना।
नभ नील ने जन्म-घड़ी ही में नील
समुद्र का भव्य दिया सपना,
'पी कहाँ' कह प्रेमी पपीहरे ने
सिखलाया मुझे 'पी कहाँ' जपना।

गति-रोध किया गिरि ने, पर, मैं
द्रुत भाग चली घहराती हुई,
सरकी उपलों में भुजंगिनी-सी
मैं शिला से कहीं टकराती हुई;
जननी-गृह छोड़ चली, मुड़ देखा
कभी न उसे ललचाती हुई,
गिरि-शृंग से कूद पड़ी मैं अभय
'पी कहाँ?' 'पी कहाँ?' धुन गाती हुई।

वनभूमि ने दूब के अंचल में
गिरि से गिरते मुझे छान लिया,
गिरि-मल्लिका कुन्तल-बीच पिरो
मुझको निज बालिका मान लिया;
कलियों ने सुहाग के मोती दिये,
नव ऊषा ने सेंदुर-दान दिया,
जगती को हरी लख मैंने हरी-हरी
दूबों का ही परिधान लिया।

तट की हिमराशि की आरसी में
अपनी छवि देख दीवानी हुई।
प्रिय-दर्शन की मधु लालसा में
पिघली, पल में घुल पानी हुई।
टकराने चली मैं असीम के वक्ष से,
रूप के ज्वार की रानी हुई।
उन्माद की रागिनी, बेकली की
अपनी ही मैं आप कहानी हुई।

जननी-धरणी मुझे गोद लिये
थी सचेत कि मैं भग जाऊँ नहीं,
वन-जन्तुओं के शिशु आन जुटे
कि सखा बिन मैं दुख पाऊँ नहीं।
थी डरी मैं, पड़ी ममता में कहीं

इस देश में ही रह जाऊँ नहीं,
प्रिय देखे बिना झर जाऊँ न व्यर्थ,
कहीं छवि यों ही गँवाऊँ नहीं।

एक रोज उनींदी हुई जो धरा,
द्रुत भागी मैं आँख बचाती हुई,
वन-वल्लरी-अंचल-बीच कहीं
तृण-पुंज में वेश छिपाती हुई।
निकली द्रुम-कुंज की छाँह से तो
मैं चली फिर से घहराती हुई,
सिकता-से पिपासित विश्व के कंठ में
स्वर्ग-सुधा सरसाती हुई।

वनदेवि! द्रुमांचल श्याम हिला
फिरने का करो न इशारा मुझे,
उपलो! पद यों न गहो, भुज खोल
न बाँध, तू हाय! किनारा! मुझे।
किसकी ध्वनि दूर से आयी? पुकार
रहा, सुन, अम्बुधि प्यारा मुझे,
जननी धरणी! तिरछी हो जरा,
अरी! वेग से खींच तू धारा मुझे।

अभिसारिका मैं मिलने हूँ चली,
प्रिय-पन्थ रे, कोई बताना जरा,
किस शूली पै 'मीरा'-पिया की है सेज?
इशारों से कोई दिखाना जरा।
पथ-भूली-सी कुंज में राधिका के
हित श्याम! तू वेणु बजाना जरा,
तुझमें प्रिय! खोने को तो आ रही
पर तू भी गले से लगाना जरा।

(रेणुका, 1933)

कोयल

कैसा होगा वह नन्दन-वन?
सखि! जिसकी स्वर्ण-तटी से तू स्वर में भर-भर लाती मधुकण।
कैसा होगा वह नन्दन-वन?

कुंकुम-रंजित परिधान किये,
अधरों पर मृदु मुसकान लिये,
गिरिजा निर्झरिणी को रँगने
कंचन-घट में सामान लिये।

नत नयन, लाल कुछ गाल किये,
पूजा-हित कंचन-थाल लिये,
ढोती यौवन का भार, अरुण
कौमार्य-विन्दु निज भाल दिये।

स्वर्णिम दुकूल फहराती-सी,
अलसित, सुरभित, मदमाती-सी,
दूबों से हरी-भरी भू पर
आती षोडशी उषा सुन्दर।

हँसता निर्झर का उपल-कूल
लख तृण-तरु पर नव छवि-दुकूल;
तलहटी चूमती चरण-रेणु,
उगते पद-पद पर अमित फूल।

तब तृण-झुरमुट के बीच कहाँ देते हैं पंख भिंगो हिमकन?
किस शान्त तपोवन में बैठी तू रचती गीत सरस, पावन?
यौवन का प्यार-भरा मधुवन
खेलता जहाँ हँसमुख बचपन,
कैसा होगा वह नन्दन-वन?

गिरि के पदतल पर आस-पास
मखमली दूब करती विलास।
भावुक पर्वत के उर से झर
बह चली काव्यधारा (निर्झर)

हरियाली में उजियाली-सी,
पहने दूर्वा का हरित चीर
नव चन्द्रमुखी मतवाली-सी;

पद-पद पर छितराती दुलार,
बन हरित भूमि का कंठ-हार।

तनता भू पर शोभा-वितान,
गाते खग द्रुम पर मधुर गान।
उन्मुख हो उठती चकित दिशा,
चुप हो सुनते गिरि लगा कान।

रोमन्थन करती मृगी कहीं,
कूदते अंग पर मृग-कुमार,
स्वर्णातप में निर्झर-तट-पर
लेते हैं कुछ मृग पद पसार।

टीलों पर चरती गाय सरल,
गो-शिशु पीते माता का थन,
ऋषि-बालाएँ ले-ले लघु घट
हँस-हँस करतीं द्रुम का सिंचन।

तरु-तल सखियों से घिरी हुई, वल्कल से कस कुच का उभार,
बिरहिनि शकुन्तला आँसू से लिखती मन की पीड़ा अपार,
ऊपर पत्तों में छिपी हुई तू उसका मृदु हृदयस्पन्दन,
अपने गीतों की कड़ियों में भर-भर करती कूजित कानन।
वह साम-गान-मुखरित उपवन!

जगती की बालस्मृति पावन!
वह तप-कानन! वह नन्दन-वन!

किन कलियों ने भर दी श्यामा,
तेरे सु-कंठ में यह मिठास?
किस इन्द्र-परी ने सिखा दिया
स्वर का कम्पन, लय का विलास?

भावों का यह व्याकुल प्रवाह,
अन्तरतम की यह मधुर तान,
किस विजन वसन्त-भरे वन में
सखि! मिला तुझे स्वर्गीय गान?

थे नहा रहे चाँदनी-बीच जब गिरि, निर्झर, वन विजन, गहन,
तब वनदेवी के साथ बैठ कब किया कहाँ सखि! स्वर-साधन?
परियों का वन शृंगार-सदन!
कवितामय है जिसका कन-कन!
कैसा होगा वह नन्दन-वन!

(रेणुका, 1933)

अमा-सन्ध्या

नीरव, प्रशान्त जग, तिमिर गहन।
रुनझुन रुनझुन किसका शिंजन?

किसकी किंकिणि-ध्वनि? मौन विश्व में झनक उठा किसका कंकण?
झिल्ली-स्वन? सन्ध्या श्याम परी की हृदय-शिराओं का गुंजन?
रुनझुन रुनझुन किसका शिंजन?

अन्तिम किरणें भर गईं ऊर्मि-
अधरों में मोती के चुम्बन,

वन-कुसुम वृन्त पर ऊँघ रहे,
दूर्वा-मुख सींच रहे हिम-कण।
रुनझुन रुनझुन किसका शिंजन?

नीलिमा-सलिल में अमा खोल
कलिका-गुम्फित कबरी-बन्धन,
लहरों पर बहती इधर-उधर
कर रही व्योम में अवगाहन।
रुनझुन रुनझुन किसका शिंजन?

मुक्ता कुन्तल में गूँथ, शुक्र का
पहन कुसुम-कर्णाभूषण
दिग्वधू क्षितिज पर बजा रही
मंजीर, चपल कँप रहे चरण।
रुनझुन रुनझुन किसका शिंजन?

यह भुवन-प्राण-तन्त्री का स्वन?
लघु तिमिर-वीचियों का कम्पन?
यह अमा-हृदय का क्या गुनगुन?
किस विरह-गीत का स्वर उन्मन?
रुनझुन रुनझुन किसका शिंजन?

(रेणुका, 1933)

फूल

अवनी के नक्षत्र! प्रकृति के उज्ज्वल मुक्ताहार!
उपवन-दीप! दिवा के जुगनू! वन के दृग सुकुमार!
मेरी मृदु कल्पना-लहर-से पुलकाकुल, उद्भ्रान्त!
उर में मचल रहे लघु-लघु भावों-से कोमल-कान्त!
वृन्तों के दीपाधारों पर झिलमिल ज्योति पसार,
आलोकित कर रहे आज क्यों अमा-पूर्ण संसार?

कहो, कहो, किन परियों की मुसकानों में कर स्नान,
कहाँ चन्द्र-किरणों में धुल-धुल बने दिव्य, अम्लान?
किस रुपहरी सरित में धो-धो किया वस्त्र परिधान?
चले ज्योति के किस वन को हे परदेशी अनजान?

मलयानिल के मृदु झोंकों में तनिक सिहर झुक-झूल,
मन-ही-मन क्या सोच मौन रह जाते मेरे फूल?
निज सौरभ से सुरभित, अपनी आभा में द्युतिमान,
मुग्धा-से अपनी ही छवि पर भूल पड़े छविमान!

अपनी ही सुन्दरता पर विस्मित नव आँखें खोल,
हँसते झाँक-झाँक सरसी में निज प्रतिछाया लोल।
रच-से रहे स्वर्ग भूतल पर लुटा मुक्त आनन्द,
कवि को स्वप्न, अनिल को सौरभ, अलि को दे मकरन्द।

नभ के तारे दूर, अलभ इस अतल जलधि के सीप,
देव नहीं, हम मनुज, इसी से, प्रिय तुम भूमि-प्रदीप।
गत जीवन की व्यथा न भावी का हो चिन्ता-क्लेश,
घाटी में रच दिया तुम्हीं से प्रभु ने मोहक देश।

करो, करो, ऊषा के कंचन-सर में वारि-विहार,
सोओ, रजनी के अंचल में सोओ, हे सुकुमार!
मादक! उफ! कितनी मादक हैं ये कड़ियाँ, ये छन्द!
कुसुम, कहाँ जीवन में पाया यह अक्षय आनन्द?

जग के अकरुण आघातों से जर्जर मेरा तन है,
आँसू, दर्द, वेदना से परिपूरित यह जीवन है।
सूख चुका कब का मेरी कलिकाओं का मकरन्द,
क्या जानूँ जीवन में कैसा होता है आनन्द?
उर की दैवी व्यथा कहाती जग में आज प्रलाप,
कविता ही बन रही हाय! मेरे जीवन का शाप।

आशा के इंगित पर घूमा, दर-दर हाथ पसार,
पर, अंजलि में दिया किसी ने भी न तृप्ति-उपहार।
इस लघु जीवन के कण-कण में लेकर हाहाकार
सुन्दरता पर भूल खड़ा हूँ सुमन! तुम्हारे द्वार।
पल भर तो मधुमय उत्सव में सकूँ वेदना भूल,
ऐसी हँसी हँसो, निशि-दिन हँसनेवाले ओ फूल!

(रेणुका, 1933)

गा रही कविता युगों से

गा रही कविता युगों से मुग्ध हो,
मधुर गीतों का न पर, अवसान है।
चाँदनी की शेष क्यों होगी सुधा,
फूल की रुकती न जब मुसकान है?

चन्द्रिका किस रूपसी की है हँसी?
दूब यह किसकी अनन्त दुकूल है?
किस परी के प्रेम की मृदु कल्पना
व्योम में नक्षत्र, वन में फूल है?

नत-नयन, कर में कुसुम-जयमाल ले,
भाल में कौमार्य की बेंदी दिये,
क्षितिज पर आकर खड़ी होती उषा
नित्य किस सौभाग्यशाली के लिए?

धान की पी चन्द्रधौत हरीतिमा
आज है उन्मादिनी कविता-परी,
दौड़ती तितली बनी वह फूल पर,
लोटती भू पर जहाँ दूर्वा हरी।

(रेणुका, 1934)

जागरण

[वसन्त के प्रति शिशिर की उक्ति]

मैं शिशिर-शीर्णा चली, अब जाग ओ मधुमासवाली!

खोल दृग, मधु नींद तज, तन्द्रालसे, रूपसि विजन की!
साज नव शृंगार, मधु-घट संग ले, कर सुधि भुवन की।
विश्व में तृण-तृण जगी है आज मधु की प्यास आली!
मैं शिशिर-शीर्णा चली, अब जाग ओ मधुमासवाली।

वर्ष की कविता सुनाने खोजते पिक मौन भोले,
स्पर्श कर द्रुत बौरने को आम्र आकुल बाँह खोले;
पन्थ में कोरकवती जूही खड़ी ले नम्र डाली।
मैं शिशिर-शीर्णा चली, अब जाग ओ मधुमासवाली।

लौट जाता गन्धवह सौरभ बिना फिर-फिर मलय को,
पुष्पशर चिन्तित खड़ा संसार के उर की विजय को।
मौन खग विस्मित, 'कहाँ अटकी मधुर उल्लासवाली?'
मैं शिशिर-शीर्णा चली, अब जाग ओ मधुमासवाली।

मुक्त करने को विकल है लाज की मधु-प्रीति कारा;
विश्व-यौवन की शिरा में नाचने को रक्तधारा।
चाहती छाना दृगों में आज तजकर गाल लाली।
मैं शिशिर-शीर्णा चली, अब जाग ओ मधुमासवाली।

है विकल उल्लास वसुधा के हृदय से फूटने को,
प्रात-अंचल-ग्रन्थि से नव रश्मि चंचल छूटने को।
मद्य पीने को खड़े हैं भृंग ले कर रिक्त प्याली।
मैं शिशिर-शीर्णा चली, अब जाग ओ मधुमासवाली।

इन्द्र की धनुषी बनी तितली पवन में डोलती है;
अप्सराएँ भूमि के हित पंख-पट निज खोलती हैं।

आज बन साकार छाना चाहते कवि-स्वप्न आली!
मैं शिशिर-शीर्णा चली, अब जाग ओ मधुमासवाली।

(रेणुका, 1934)

मिथिला में शरत्

किस स्वप्न-लोक से छवि उतरी?

ऊपर निरभ्र नभ नील-नील,
नीचे घन-विम्बित झील-झील।
उत्तर किरीट पर कनक-किरण,
पद-तल मन्दाकिनि रजत-वरण।
छलकी कण-कण में दिव्य सुधा,
बन रही स्वर्ग मिथिला-वसुधा।

तन की साड़ी-द्युति सघन श्याम,
तरु, लता, धान, दूर्वा ललाम।
दाएँ कोशल ले अर्घ्य खड़ा,
आरती बंग ले वाम-वाम।

दूबों से लेकर बाँसों तक,
गृह-लता, सरित-तट कासों तक,
हिल रही पवन में हरियाली;
वसुधा ने कौन सुधा पा ली?
गाती धनखेतों-बीच परी,
किस स्वप्न-लोक से छवि उतरी?

क्या शरत्-निशा की बात कहूँ?
जो कुछ देखा था रात, कहूँ?
निर्मल ऋतु की मुख-भरी हँसी,
चाँदनी बिसुध भू आन खसी;

मदरसा, विकल, मदमाती-सी,
अपने सुख में न समाती-सी।

गंडकी सुप्त थी रेतों में,
पंछी चुप नीड़-निकेतों में;
था रोर सुप्त वन में, घर में;
चाँदनी सजग थी जग भर में,
हाँ, कम्प जरा हरियाली में,
थी आहट कुछ वैशाली में।

इतने में (उफ! कविता उमड़ी)
खँडहर से निकली एक परी;
गंडकी-कूल खेतों में आ
हरियाली में हो गयी खड़ी।
लट खुली हुई लहराती थी,
मुख पर आवरण बनाती थी;

सपनों में भूल रहा मन था,
उन्मन दृग में सूनापन था।
धानी दुकूल गिर धानों पर
मंजरी-साथ कुछ रहा लहर।
लम्बी बाँहें गोरी-गोरी
उँगलियाँ रूप-रस में बोरी।

कर कभी धान का आलिंगन
लेती मंजरियों का चुम्बन।
गंडकी-ओर फिर दृष्टि फेर
देखती लहर को बड़ी देर।
हेरती मर्म की आँखों से
वह कपिलवस्तु-दिशि बेर-बेर।

शारद निशि की शोभा विशाल,
जगती, ज्योत्स्ना का स्वर्ण-ताल,

श्यामल, शुभ शस्यों का प्रसार,
गंडक, मिथिला का कंठहार।
चन्द्रिका-धौत वालुका-कूल,
कम्पित कासों के श्वेत फूल;
वह देख-देख हर्षाती है,
कुछ छिगुन-छिगुन रह जाती है।

मिथिला विमुक्त कर हृदय-द्वार
है, लुटा रही सौन्दर्य प्यार;

कोई विद्यापति क्यों न आज
चित्रित कर दे छवि गान-व्याज?
कोई कविता मधु-लास-मयी,
अविछिन्न, अनन्त विलास-मयी,
चाँदनी धुली पी हरियाली
बनती न हाय, क्यों मतवाली?
शेखर की याद सताती है,
वह छिगुन-छिगुन रह जाती है।

मैं नहीं चाहता चिर-वसन्त,
जूही-गुलाब की छवि अनन्त।
ग्रीष्म हो, तरु की छाँह रहे;
पावस हो, प्रिय की बाँह रहे;
हो शीत या कि ऊष्मा ज्वलन्त,
मेरे गृह में अक्षय वसन्त।

औ' शरत्, अभी क्या गम है?
तू ही वसन्त से क्या कम है?
है बिछी दूर तक दूब हरी,
हरियाली ओढ़े लता खड़ी।
कासों के हिलते श्वेत फूल,
फूली छतरी ताने बबूल;

अब भी लजवन्ती झीनी है,
मंजरी बेर रस-भीनी है।

कोयल न (रात वह भी कूकी,
तुझपर रीझी, बंसी फूँकी।)
कोयल न, कीर तो बोले हैं,
कुररी-मैना रस घोले हैं।
कवियों की उपमा की आँखें;
खंजन फड़काती है पाँखें।

रजनी बरसाती ओस ढेर,
देती भू पर मोती बिखेर;
नभ नील, स्वच्छ, सुन्दर तड़ाग;
तू शरत् न, शुचिता का सुहाग।
औ' शरत्-गंग! लेखनी, आह!
शुचिता का यह निर्मल प्रवाह;
पल-भर निमग्न इसमें हो ले,
वरदान माँग, किल्विष धो ले।

गिरिराज-सुता सुषमा-भरिता,
जल-स्रोत नहीं, कविता-सरिता।
वह कोमल कास-विकासमयी,
यह बालिका पावन हासमयी;
वह पुण्य-विकासिनि, दिव्य-विभा,
यह भाव-सुहासिनि, प्रेम-प्रभा।

हे जन्मभूमि! शत बार धन्य!
तुझ-सा न **'सिमरियाघाट'** अन्य।
तेरे खेतों की छवि महान,
अनिमन्त्रित आ उर में अजान,
भावुकता बन लहराती है,
फिर उमड़ गीत बन जाती है।

'बाया' की यह कृश, विमल धार,
गंगा का यह दुर्गम कछार,
कूलों पर कास-परी फूली,
दो-दो नदियाँ तुझपर भूलीं।
कल-कल कर प्यार जताती हैं,
छू पार्श्व सरकती जाती हैं।

शारद सन्ध्या, यह उगा सोम,
बन गया सरित में एक व्योम,
शेखर-उर में अब बिंधें बाण,
सुन्दरियाँ यह कर रहीं स्नान।
आग्रीव, वारि के बीच खड़ी,
गा रही मधुर प्रत्येक परी।
बिछली पड़तीं किरणें जल पर,
नाचती लहर पर स्वर-लहरी।

यह वारि-वेलि फैली अमूल,
खिल गये अनेकों कंज-फूल;
लट नहीं, मुग्ध अलिवृन्द श्याम
कंजों की छवि पर रहे भूल।
डुबकी रमणियाँ लगाती हैं,
लट ऊपर ही लहराती है;
जल-मग्न कमल को खोज-खोज
मधुपावलियाँ मँडराती हैं।

लेकिन, नालों पर कंज कहाँ,
ऐसे, जैसे ये खिले यहाँ?
नीचे आने विधु ललक रहा,
मृदु चूम परी की पलक रहा;
वह स्वर्ग-बीच ललचाता है,
भू पर रस-प्याला छलक रहा।

परियाँ अब जल से चलीं निकल
तन से लिपटे भींगे अंचल;
चू रही चिकुर से वारि-धार,
मुख-शशि-भय रोता अन्धकार।
विद्यापति! सिक्त वसन तन में,
मन्मथ जागे न मुनी-तन में।

कवि! शरत्-निशा का प्रथम प्रहर,
कल्पना तुम्हारी उठी लहर,
कविता कुछ लोट रही तट में,
लिपटी कुछ सिक्त परी-पट में;
कुछ मैं स्वर में दुहराता हूँ;
निज कविता मधुर बनाता हूँ।

गंगा-पूजन का साज सजा,
कल कंठ-कंठ में तार बजा;
स्वर्गिक उल्लास, उमंग यहाँ;
पट में सुर-धुन के रंग यहाँ;
तुलसी-दल-सा परिपूत हृदय,
अति पावन पुण्य-प्रसंग यहाँ।
तितलियाँ प्रदीप जलाती हैं,
शेखर की कविता गाती हैं।

गंगे! ये दीप नहीं बलते,
लघु पुण्य-प्रभा-कण हैं जलते;
अन्तर की यह उजियाली है;
भावों की यह चिनगारी है।

(रेणुका, 1934)

प्रेम का सौदा

सत्य का जिसके हृदय में प्यार हो,
एक पथ, बलि के लिए तैयार हो।

फूँक दे सोचे बिना संसार को,
तोड़ दे मँझधार जा पतवार को।

कुछ नयी पैदा रगों में जाँ करे,
कुछ अजब पैदा नया तूफाँ करे।

हाँ, नयी दुनिया गढ़े अपने लिए,
रैन-दिन जागे मधुर सपने लिए।

बे-सरो-सामाँ रहे, कुछ गम नहीं,
कुछ नहीं जिसको, उसे कुछ कम नहीं।

प्रेम का सौदा बड़ा अनमोल रे!
निःस्व हो, यह मोह-बन्धन खोल रे!

मिल गया तो प्राण में रस घोल रे!
पी चुका तो मूक हो, मत बोल रे!

प्रेम का भी क्या मनोरम देश है!
जी उठा, जिसकी जलन निःशेष है।

जल गये जो-जो लिपट अंगार से,
चाँद बन वे ही उगे फिर क्षार से।

प्रेम की दुनिया बड़ी ऊँची बसी,
चढ़ सका आकाश पर विरला यशी।

हाँ, शिरीष के तन्तु का सोपान है,
भार का पन्थी! तुम्हें कुछ ज्ञान है?

है तुम्हें पाथेय का कुछ ध्यान भी?
साथ जलने का लिया सामान भी?

बिन मिटे, जल-जल बिना हलका बने,
एक पद रखना कठिन है सामने।

प्रेम का उन्माद जिन-जिन को चढ़ा,
मिट गये उतना, नशा जितना बढ़ा।

मर-मिटो, यह प्रेम का शृंगार है।
बेखुदी इस देश में त्योहार है।

खोजते-ही-खोजते जो खो गया,
चाह थी जिसकी, वही खुद हो गया।

जानती अन्तर्जलन क्या कर नहीं?
दाह से आराध्य भी सुन्दर नहीं।

'प्रेम की जय' बोल पग-पग पर मिटो,
भय नहीं, आराध्य के मग पर मिटो।

हाँ, मजा तब है कि हिम रह-रह गले,
वेदना हर गाँठ पर धीरे जले।

एक दिन धधको नहीं, तिल-तिल जलो,
नित्य कुछ मिटते हुए बढ़ते चलो।

पूर्णता पर आ चुका जब नाश हो,
जान लो, आराध्य के तुम पास हो।

आग से मालिन्य जब धुल जाएगा,
एक दिन परदा स्वयं खुल जाएगा।

आह! अब भी तो न जग को ज्ञान है,
प्रेम को समझे हुए आसान है।

फूल जो खिलता प्रलय की गोद में,
ढूँढते फिरते उसे हम मोद में।

बिन बिंधे कलियाँ हुईं हिय-हार क्या?
कर सका कोई सुखी हो प्यार क्या?

प्रेम-रस पीकर जिया जाता नहीं।
प्यार भी जीकर किया जाता कहीं?

मिल सके निज को मिटा जो राख में,
वीर ऐसा एक कोई लाख में।

भेंट में जीवन नहीं तो क्या दिया?
प्यार दिल से ही किया तो क्या किया?

चाहिए उर-साथ जीवन-दान भी,
प्रेम की टीका सरल बलिदान ही।

(रेणुका, परवर्ती संस्करण)

रसवन्ती

(1)

अरी ओ रसवन्ती सुकुमार!

लिए क्रीड़ा-वंशी दिन-रात
पलातक शिशु-सा मैं अनजान,

कर्म के कोलाहल से दूर
फिरा गाता फूलों के गान।

कोकिलों ने सिखलाया कभी
माधवी-कुंजों का मधु राग,
कंठ में आ बैठी अज्ञात
कभी बाड़व की दाहक आग।

पत्तियाँ फूलों की सुकुमार
गईं हीरे-से दिल को चीर,
कभी कलिकाओं के मुख देख
अचानक ढुलक पड़ा दृग-नीर।

तृणों में कभी खोजता फिरा
विकल मानवता का कल्याण,
बैठ खँडहर में करता रहा
कभी निशि-भर अतीत का ध्यान।

श्रवण कर चलदल-सा उर फटा
दलित देशों का हाहाकार,
देखकर सिर पर मारा हाथ
सभ्यता का जलता शृंगार।

शाप का अधिकारी यह विश्व,
किरीचों का जिसको अभिमान,
दीन-दलितो के क्रन्दन-बीच
आज क्या डूब गए भगवान्?

तप्त मरु के सिंचन के हेतु
टटोला निज उर का रस-कोष;
आसे के पीने से पर हाय,
विश्व क्या पा सकता सन्तोष!

बिन्दु या सिन्धु चाहिए उसे,
हमें तो निज पर ही अधिकार;
मुरलिका के रन्ध्रों के लिए
चला निज प्राणों का उपहार।

साधना की ज्वाला जब बढ़ी,
गया वासव का आसन डोल,
पूछने लगी मुझे पथ रोक
ठगिनि माया जीवन का मोल।

प्रिये रसवन्ती! जग है कठिन,
मनुज दुर्बल, मानव लाचार,
परीक्षा को आया जब विश्व,
गया जीवन की बाजी हार।

द्वार कारा का बीचों-बीच
इधर मैं बन्दी, तुम उस ओर,
प्रिये! तब भी ममता से हाय,
खींचती क्यों मेरे पट-छोर?

प्रणय उससे कैसा यह, जो कि
गया पहली ही बाजी हार?
चीखती क्यों ले-लेकर नाम
अरी ओ रसवन्ती सुकुमार?

(2)

दुखों की सुख में स्मृतियाँ मधुर,
सुखों की दुख में स्मृतियाँ शूल;
विरह में किन्तु, मिलन की याद
नहीं मानव-मन सकता भूल।

याद है वह पहला मधुमास,
कोरकों में जब भरा पराग,

शिराओं में जब तपने लगी
अर्द्ध-परिचित-सी कोई आग।

एक क्षण कोलाहल के बीच
पुलक की शीतलता में मौन,
सोचने लगा हृदय में आज
हुआ नूपुर मुखरित यह कौन?

खोल दृग देखा प्राची-ओर
अलक्तक-चरणों का शृंगार,
तुम्हारा नव, उद्वेलित रूप,
व्योम में उड़ता कुन्तल-भार।

उठा मायाविनि! अन्तर-बीच
कल्पना का कल्लोलित ज्वार,
लगा सद्यःस्फुट पाटल-सदृश
दृगों को मोहक यह संसार।

लगी पृथ्वी आँखों को देवि!
सिक्त सरसीरुह-सी अम्लान;
कूल पर खड़ी हुई-सी निकल
सिन्धु में करके सद्यःस्नान।

ग्रहण कर उस दिन ही सुकुमारि,
तुम्हारे स्वर्णांचल का छोर,
खोजने तृषितों का कल्याण
चला मैं अमृत-देश की ओर।

गिरे थे जहाँ धर्म के बीज,
उगा था जहाँ कभी भी ज्ञान,
वहाँ की मिट्टी पर हम चले
प्रणति में झुकते एक-समान

पंथ में सजा दूब से तुम्हें
पिन्हाया गंगा का गलहार,
सीस पर हिम-किरीट रख किया
देश की मिट्टी से शृंगार।

विमूर्च्छित हुई तपोवन-बीच,
कराया निर्झर का जल पान;
बोधि-तरु की छाया में बाँह
हुई शुचि बनकर तव उपधान।

धरा का जिस दिन सौरभ-कोष
खोलने लगी प्रथम बरसात,
न जानें, क्यों नालन्दा-बीच
रहे रोते हम सारी रात।

प्रेम-बिरवा आँगन में रोप
रहे थे हम जब हिल-मिल सींच,
अचानक कुटिल नियति ने मुझे
लिया उस दिव्य लोक से खींच।

अचानक हम दोनों के बीच
पड़ा आकर माया-व्यवधान;
रचा मेरे बन्धन के हेतु
भीषिकाओं ने दुर्ग महान

प्रकम्पित कर सारा ब्रह्मांड
किया प्राणों ने जब चीत्कार;
विहँसने लगा व्यंग्य से विश्व
अरी ओ रसवन्ती सुकुमार!

(३)

बन्धनों से हो कर भयभीत
किन्तु क्या हार सका अनुराग?
मानकर किस बन्धन का दर्प
छोड़ सकती ज्वाला को आग?

पुष्प का सौरभ से सम्बन्ध,
छुड़ा सकता कोई व्यवधान?
कौन सत्ता वह जिनको देख
रश्मि को तज सकता दिनमान?

आपदाएँ सौ बन्धन डाल
प्रेम का कर सकतीं अपमान?
यहाँ शापित यक्षों के रोज
उड़ा करते अम्बर में गान।

उठेगा व्याकुल, दुर्दमनीय
क्षुब्ध होकर जब पारावार,
रुद्ध होगा कैसे हे देवि!
धृष्ट शैलों से कंठद्वार?

फोड़ दूँगा माया का दुर्ग,
तोड़ दूँगा यह वज्र-कपाट,
व्योम में गाने को जिस रोज
बुलाएगा निर्बन्ध विराट।

मिटा दूँगा ब्रह्मा का लेख,
फिरा लूँगा खोया निज दाँव,
चलूँगा निज बल हो निःशंक
नियति के सिर पर दे कर पाँव।

तरंगित सुषमाओं पर खेल
करूँगा देवि! तुम्हारा ध्यान;
दुखों की जलधारा में भींग
तुम्हारा ही गाऊँगा गान।

सजेगा जिस दिन उत्सव-हेतु
देश-माता का तोरण-द्वार;
करेंगे हम ले मंगल-शंख
उदय का स्वागत-मन्त्रोच्चार।

निखिल जन्मों में जिस पर देवि!
चढ़ाए हमने तन, मन, प्राण,
सुनेंगे हवन-हेतु इस बार
एक दिन फिर उसका आह्वान।

काल-नौका पर हो आरूढ़
चलेंगे जिस दिन प्रभु के देश,
विश्व की सीमा पर सुकुमारि,
करेंगे हम तुम संग प्रवेश।

चकित होंगे सुन कर गन्धर्व
तुम्हारी दूरागत मृदु तान,
श्रवण कर नूपुर की झंकार
भग्न होगा रम्भा का मान।

'स्वर्ग से भी सुन्दर यह कौन?'
करेंगे सुर जब चकित पुकार,
कहूँगा मैं, "दिव से भी मधुर
विश्व की रसवन्ती सुकुमार।"

(रसवन्ती, 1935)

अश्रु-गीत

बीन तो दे दी, कहो, पर, आज मैं क्या गीत गाऊँ?
गान से पहले हृदय का भार कुछ रोकर बहाऊँ।

उर से उमड़ती आ रहीं,
दृग में घटाएँ छा रहीं,
छू दो, अगर चाहो, पदों पर आज ये निधियाँ चढ़ाऊँ
बीन तो दे दी, कहो पर, आज मैं क्या गीत गाऊँ?

तुमको मिली सित चाँदनी,
पावस-अमा मुझको घनी,
तुम व्योम-कलियों में हँसो, मैं ओस में रोऊँ, रुलाऊँ।
बीन तो दे दी, कहो पर, आज मैं क्या गीत गाऊँ?

वह स्वप्न अब गोतीत है,
क्रन्दन यहाँ संगीत है,
ठहरो, ज़रा दिल थाम कर मैं तार पर आँसू बजाऊँ।
बीन तो दे दी, कहो पर, आज मैं क्या गीत गाऊँ?

वाणी शिथिल ठहरी हुई,
मन की कथा गहरी हुई,
रस से लबालब मौन उर, जादू कहो मैं क्या बताऊँ।
बीन तो दे दी, कहो पर, आज मैं क्या गीत गाऊँ?

सहना कठिन अब हूक री!
कोयल हमारी कूक री!
सीना फटे दो टूक, शर-सी तान बन नभ में समाऊँ।
बीन तो दे दी, कहो पर, आज मैं क्या गीत गाऊँ?

(प्रण-भंग तथा अन्य कविताएँ, 1935)

फूल की जंजीर

फूल की जंजीर देना।
तोड़ते मधु-भिक्षु कब बंधन सुमुकुलित पद्‌म का?
प्रेम के वन्दी भ्रमर को फूल की ज़ंजीर देना।

शल्य हो स्मृति का हृदय में, दर्द यह जीता रहे,
जो रहे युग-युग अमर, वह प्रेम की मधु पीर देना।

अश्रु-सर-हिय से उठे रोती-विलपती रागिनी,
आह भी हो लयवती, दिल की रगें यों चीर देना।

प्राण-मावस भर जलो उर-पद्‌म पर तुम वर्तिके!
विश्व से माँगूँ विदा, तब साथ निज तस्वीर देना।

फूल तो अलि के लिए अब तक कभी रोया नहीं,
तब कहूँ कैसे, विदा दिन लोचनों का नीर देना।
फूल की जंजीर देना।

(प्रण-भंग तथा अन्य कविताएँ, 1935)

सूखे विटप की सारिके!

उजड़ी-कटीली डार से
मैं देखता किस प्यार से
पहला नवल पुष्पाभरण
तृण, तरु, लता, वनराजि को
हैं जा रहे विहसित-वदन
ऋतुराज मेरे द्वार से।

मुझ में जल है, प्यास है,
रस का नहीं आभास है,

यह देख हँसती वल्लरी,
हँसता निखिल आकाश है।
जग तो समझता है यही,
पाषाण में कुछ रस नहीं,
पर, गिरि-हृदय में क्या न
व्याकुल निर्झरों का वास है?

बाकी अभी रसनाद हो,
पिछली कथा कुछ याद हो,
तो कूक पंचम तान में,
संजीवनी भर गान में,
सूखे विटप की डार को
कर दे हरी करुणामयी;
पढ़ दे ऋचा पीयूष की,
उग जाय फिर कोंपल नयी;
जीवन-गगन के दाह में
उड़ चल सजल नीहारिके!
सूखे विटप की सारिके!

(रसवन्ती, 1936)

प्रीति

(1)

प्रीति न अरुण साँझ के घन सखि!
पल-भर चमक बिखर जाते जो
मना कनक-गोधूलि-लगन सखि!
प्रीति नील, गम्भीर गगन सखि!
चूम रहा जो विनत धरणि को
निज सुख में नित मूक-मगन सखि!

(2)

प्रीति न पूर्ण चन्द्र जगमग सखि!
जो होता नित क्षीण, एक दिन
विभा-विक्त करके अग-जग सखि!
दूज-कला यह लघु नभ-नग सखि!
शीत, स्निग्ध, नव रश्मि छिड़कती
बढ़ती ही जाती पग-पग सखि!

(3)

मन की बात न श्रुति से कह सखि!
बोले प्रेम विकल होता है,
अनबोले सारा दुख सह सखि!
कितना प्यार? जान मत यह सखि!
सीमा, बन्ध, मृत्यु से आगे
बसती कहीं प्रीति अहरह सखि!

(4)

तृणवत् धधक-धधक मत जल सखि!
ओदी आँच धुनी बिरहिन की,
नहीं लपट की चहल-पहल सखि!
अन्तर्दाह मधुर मंगल सखि!
प्रीति-स्वाद कुछ ज्ञात उसे, जो
सुलग रहा तिल-तिल, पल-पल सखि!

(रसवन्ती, 1936)

नारी

खिली भू पर जब से तुम नारि,
कल्पना-सी विधि की अम्लान,
रहे फिर तब से अनु-अनु देवि!
लुब्ध भिक्षुक-से मेरे गान।

तिमिर में ज्योति-कली को देख
सुविकसित, वृन्तहीन, अनमोल;
हुआ व्याकुल सारा संसार,
किया चाहा माया का मोल।

हो उठी प्रतिभा सजग, प्रदीप्त,
तुम्हारी छवि ने मारा बाण;
बोलने लगे स्वप्न निर्जीव,
सिहरने लगे सुकवि के प्राण।

लगे रचने निज उर को तोड़
तुम्हारी प्रतिमा प्रतिमाकार,
नाचने लगी कला चहुँ ओर
भाँवरी दे-दे विविध प्रकार।

ज्ञानियों ने देखा सब ओर
प्रकृति की लीला का विस्तार;
सूर्य, शशि, उडु जिनकी नख-ज्योति,
पुरुष उन चरणों का उपहार।

अगम 'आनन्द'-जलधि में डूब
तृषित 'सत्-चित्' ने पाई पूर्त्ति;
सृष्टि के नाभि-पद्म पर नारि!
तुम्हारी मिली मधुर रस-मूर्त्ति।

कुशल विधि के मन की नवनीत,
एक लघु दिव-सी हो अवतीर्ण,
कल्पना-सी, माया-सी, दिव्य
विभा-सी भू पर हुई विकीर्ण।

दृष्टि तुमने फेरी जिस ओर
गयी खिल कमल-पंक्ति अम्लान;
हिंस्र मानव के कर से स्रस्त
शिथिल गिर गए धनुष औ' बाण।

हो गया मदिर दृगों को देख
सिंह-विजयी बर्बर लाचार,
रूप के एक तन्तु में नारि,
गया बँध मत्त गयन्द-कुमार

एक चितवन के शर ने देवि!
सिन्धु को बना दिया परिमेय,
विजित हो दृग-मद से सुकुमारि!
झुका पद-तल पर पुरुष अजेय।

कर्मियों ने देखा जब तुम्हें,
टूटने लगे शम्भु के चाप।
बेधने चला लक्ष्य गांडीव,
पुरुष के खिलने लगे प्रताप।

हृदय निज फरहादों ने चीर
बहा दी पय की उज्ज्वल धार,
आरती करने को सुकुमारि!
इन्दु को नर ने लिया उतार!

एक इंगित पर दौड़े शूर
कनक-मृग पर होकर हत-ज्ञान,
हुई ऋषियों के तप का मोल
तुम्हारी एक मधुर मुस्कान।

विकल उर को मुरली में फूँक
प्रियक-तरु-छाया में अभिराम,

बजाया हमने कितनी बार
तुम्हारा मधुमय 'राधा' नाम।

कढ़ीं यमुना से कर तुम स्नान,
पुलिन कर खड़ी हुईं कच खोल,
सिक्त कुन्तल से झरते देवि!
पिये हमने सीकर अनमोल!

तुम्हारे अधरों का रस प्राण!
वासना-तट पर पिया अधीर;
अरी ओ माँ, हमने है पिया
तुम्हारे स्तन का उज्ज्वल क्षीर।

पिया शैशव ने रस-पीयूष,
पिया यौवन ने मधु-मकरन्द;
तृषा प्राणों की पर, हे देवि!
एक पल को न सकी हो मन्द।

पुरुष पँखुड़ी को रहा निहार
अयुत जन्मों से छवि पर भूल,
आज तक जान न पाया नारि!
मोहिनी इस माया का मूल!

न छू सकते जिसको हम देवि!
कल्पना वह तुम अगुण, अमेय;
भावना अन्तर की वह गूढ़,
रही जो युग-युग अकथ, अगेय।

तैरतीं स्वप्नों में दिन-रात
मोहिनी छवि-सी तुम अम्लान,
कि जिसके पीछे-पीछे नारि!
रहे फिर मेरे भिक्षुक गान।

(रसवन्ती, 1936)

संध्या

जीर्णवय अम्बर-कपालिक शीर्ण, वेपथुमान,
पी रहा आहत दिवस का रक्त मद्य-समान।
शिथिल, मद-विह्वल, प्रकंपित-वपु, हृदय हतज्ञान,
गिर गया मधुपात्र कर से, गिर गया दिनमान।

खो गई चूकर जलद के जाल में मद-धार;
नीलिमा में हो गया लय व्योम का शृंगार।
शान्त विस्मित भूमि का गति-रोर;
एक गहरी शान्ति चारों ओर।

कौन तम की आँख-सा कढ़कर प्रतीची-तीर
दिग्विदिक् निस्तब्धता को कर रहा गम्भीर?
ज्योति की पहली कली, तम का प्रथम उडु-हंस
यह उदित किस अप्सरी का एक श्रुति-अवतंस?

व्योम के उस पार अन्तर्धान,
श्याम संध्या का निवास-स्थान।
दिवस-भर छिपकर गगन के पार
साजती अभिसार के शृंगार;
और ज्यों होता दिवा का अन्त,
जोहती आकर किसी का पंथ।
एक अलका व्योम के उस ओर;
यक्षिणी कोई विषाद-विभोर;
खोजती फिरती, न मिलते कान्त,
बीतते जाते अमित कल्पान्त;
वेदना बजती कठिन मन-माँझ;
पल गिना करती कि हो कब साँझ;
अश्रु से भींगी, व्यथा से दीन;
ऊँघती प्रिय-स्वप्न में तल्लीन।

षोडशी, तिमिराम्बरा सुकुमार;
भूलुंठित, पुष्पित लता-सी म्लान, छिन्नाधार।
सिक्त पलदल, मुक्त कुन्तल-जाल;
ग्रीव से उतरी, अचुम्बित, त्यक्त पाटल-माल।

एक अलका व्योम के उस ओर,
यक्षिणी कोई विषाद-विभोर।
खोजती फिरती, न मिलते कान्त,
बीतते जाते अमित कल्पान्त।

दीप्ति खोई, खो गया दिनमान;
व्योम का सारा महल सुनसान;
शून्य में हो, स्यात्, खोया प्यार;
विजन नभ में इसलिए अभिसार।

उडु नहीं, तम में न उज्ज्वल हंस,
शुक्र, संध्या का कनक-अवतंस।
शान्त! पृथ्वी! रोक ले निज रोर,
शान्ति! गहरी शान्ति हो सब ओर।

नीलिमा-पट खोलकर सायास
आ रही संध्या मलीन, उदास।
देखती अवनत धरणि की ओर,
वेदना-पूरित, विषाद-विभोर।
शून्य की अभिसारिका अति दीन,
शून्य से ही प्राण-सी रवहीन।

उठ रहे पल मन्दगति निस्पन्द,
जा रहे बिछते गगन पर अश्रु-बिन्दु अमन्द।
साधना-सी मग्न, स्वप्न-विलीन,
निःस्व की आराधना-सी शून्य, वेगविहीन।

पर्ण-कुंजों में न मर्मर-गान;
सो गया थककर शिथिल पवमान।
अब न जल पर रश्मि विम्बित लाल;
मूँद उर में स्वप्न सोया ताल।
सामने द्रुमराजि तमसाकार,
बोलते तम में विहग दो-चार;
झींगुरों में रोर खग के लीन,
दीखते ज्यों एक रव अस्पष्ट, अर्थविहीन।

दूर-श्रुत अस्फुट कहीं की तान
बोलते मानो, तिमिर के प्राण।

व्योम से झरने लगा तमचूर्ण-संग प्रमाद,
तारकों से भूमि को आने लगा सम्वाद।
सघन, श्याम विषाद का अंचल तिमिर पर डाल
शान्त कर से छू रही संध्या भुवन का भाल।

सान्त्वना के स्पर्श से श्रम भूल,
सो रहे द्रुम पर उनींदे फूल।
झुक गए पल्लव शिथिल, साभार;
ऊँघने अलसित लगा संसार।

शान्ति, गहरी शान्ति चारों ओर।
एक मेरे चित्त में कल रोर :—

भूमि से आकाश तक जिसका अनन्त प्रसार,
बाँध लूँ उसको भुजा में युग्म बाँह पसार।

मैं बढ़ाता बाहुओं का पाश,
व्यंग्य से हँसता निखिल आकाश।

बन्ध से बाहर खड़ा निस्सीम का विस्तार,
भुज-परिधि का कुछ तिमिर, कुछ शून्य पर अधिकार।

याद कर, जानें न, किसका प्यार,
गिर गए दो अश्रु-कण सुकुमार।

आँसुओं की दो कनी, इस साँझ का वरदान,
अश्रु के दो बिन्दु, पिछली प्रीति की पहचान।
अश्रु दो, निस्सीम के पद पर हृदय का प्यार,
शान्त का स्मृति-चिह्न पावन, क्षुद्रतम उपहार।

(रसवन्ती, 1936)

प्रतीक्षा

अयि संगिनी सुनसान की!

(1)

मन में मिलन की आस है,
दृग में दरस की प्यास है,
पर, ढूँढ़ता फिरता जिसे,
उसका पता मिलता नहीं,
झूठे बनी धरती बड़ी,
झूठा बृहत् आकाश है।
मिलती नहीं जग में कहीं
प्रतिमा हृदय के गान की
अयि संगिनी सुनसान की

(2)

तुम जानती सब बात हो,
दिन हो कि आधी रात हो,
मैं जागता रहता कि कब

मंजीर की आहट मिले,
मेरे कमल-वन में उदय
किस काल पुण्य-प्रभात हो।
किस लग्न में हो जाए कब
जानें कृपा भगवान की।
अयि संगिनी सुनसान की!

(3)

मुख में हँसी, मन म्लान है,
उजड़े घरों में गान है,
जग ने सिखा रक्खा, गरल
पीकर सुधा-वर्षण करो,
मन में पचा ले आह जो,
सब से वही बलवान है।
उर में पुरातन पीर, मुख
पर द्युति नई मुस्कान की।
अयि संगिनी सुनसान की!

(रसवन्ती, 1936)

गीत-अगीत

गीत, अगीत, कौन सुन्दर है?

(1)

गाकर गीत विरह के तटिनी
वेगवती बहती जाती है,
दिल हलका कर लेने को
उपलों से कुछ कहती जाती है।
तट पर एक गुलाब सोचता,
"देते स्वर यदि मुझे विधाता,

अपने पतझर के सपनों का
मैं भी जग को गीत सुनाता।"

गा-गा कर बह रही निर्झरी,
पाटल मूक खड़ा तट पर है।
गीत, अगीत कौन सुन्दर है?

(2)

बैठा शुक उस घनी डाल पर
जो खोंते पर छाया देती,
पंख फूला नीचे खोंते में
शुकी बैठ अंडे है सेती।

गाता शुक जब किरण बसन्ती
छूती अंग पर्ण से छन कर,
किन्तु, शुकी के गीत उमड़कर
रह जाते सनेह में सनकर।

गूँज रहा शुक का स्वर वन में,
फूला मग्न शुकी का पर है।
गीत, अगीत कौन सुन्दर है?

(3)

दो प्रेमी हैं यहाँ, एक जब
बड़े साँझ आल्हा गाता है,
पहला स्वर उसकी राधा को
घर से यहाँ खींच लाता है।
चोरी-चोरी खड़ी नीम की
छाया में छिपकर सुनती है,
'हुई न क्यों मैं कड़ी गीत की
बिधना?', यों मन में गुनती है।

वह गाता, पर किसी वेग से
फूल रहा इसका अन्तर है।
गीत, अगीत, कौन सुन्दर है?

(रसवन्ती, 1937)

रास की मुरली

अभी तक कर पाई न सिंगार,
रास की मुरली उठी पुकार!

(1)

गई सहसा किस रस में भींग
वकुल-वन में कोकिल की तान?
चाँदनी में उमड़ी सब ओर
कहाँ के मद की मधुर उफान?
गिरा चाहता भूमि पर इन्दु
शिथिलवसना रजनी के संग;
सिहरते पग सकता न सँभाल
कुसुम-कलियों पर स्वयं अनंग।
ठगी-सी रुकी नयन के पास
लिए अंजन उँगली सुकुमार।
अचानक लगे नाचने मर्म,
रास की मुरली उठी पुकार।

(2)

रास की मुरली उठी पुकार।
साँझ तक तो पल गिनती रही,
कहीं तब डूब सका दिनमान;
आँजने जिस क्षण बैठी आँख,
मधुर वेला पहुँची यह आन।
सुहागिनियों में चुनकर एक

मुझे ही भूल गए क्या श्याम?
बुलाने को न बजाया आज
बाँसुरी में दुखिया का नाम।
बिताऊँ आज रैन किस भाँति?
पिन्हाऊँ किसे यूथिका-हार!
धरूँ कैसे घर बैठे धीर?
रास की मुरली उठी पुकार।

(3)

रास की मुरली उठी पुकार।
उठी उर में कोमल हिल्लोल
मोहिनी मुरली का सुन नाद,
लगा करने कैसे तो हृदय,
पड़ी, जानें, कैसी कुछ याद!
सकूँगी कैसे स्वयं सँभाल
तरंगित यौवन का रसवाह?
ग्रन्थि के ढीले कर सब बन्ध
नाचने को आकुल है चाह।
डोलती श्लथ कटि-पट के संग,
खुली रशना करती झनकार,
न दे पाई कंकन में कील,
रास की मुरली उठी पुकार।

(4)

साज-शृंगार?
छोड़ दौड़ो सब साज-सिँगार,
रास की मुरली रही पुकार।
अरी भोली मानिनि! इस रात
विनय-आदर का नहीं विधान,
अनामन्त्रित अर्पण कर देह
पूर्ण करना होगा वलिदान।

आज द्रोही जीवन का पर्व,
नग्न उल्लासों का त्यौहार;
आज केवल भावों का लग्न,
आज निष्फल सारे श्रृंगार।

अलक्तक-पद का आज न श्रेय,
न कुंकुम की बेंदी अभिराम,
न सोहेगा अधरों में राग,
लोचनों में अंजन घनश्याम।

हृदय का संचित रंग उँड़ेल
सजा नयनों में अनुपम राग,
भींगकर नख-शिख तक सुकुमारि,
आज कर लो निज सुफल सुहाग।

पहन कर केवल मादक रूप
किरण-वसना परियों-सी नग्न,
नीलिमा में हो जाओ बाल,
तारिकामयी प्रकृति-सी मग्न।

यूथिका के ये फूल बिखेर
पुजारिन! बनो स्वयं उपहार,
पिन्हा बाँहों के मृदुल मृणाल
देवता की ग्रीवा का हार।

खोल बाँहें आलिंगन-हेतु
खड़ा संगम पर प्राणाधार;
तुम्हें कंकन-कुंकुम का मोह,
और यह मुरली रही पुकार।

(5)

रास की मुरली रही पुकार!
महालय का यह मंगल-काल,

आज भी लज्जा का व्यवधान?
तुम्हें तनु पर यदि नहीं प्रतीति,
भेज दो अपने आकुल प्रान।

कहीं हो गया द्विधा में शेष
आज मोहन का मादक रास,
सफल होगा फिर कब सुकुमारि!
तुम्हारे यौवन का मधुमास?

रही बज आमन्त्रण के राग
श्याम की मुरली नित्य-नवीन,
विकल-सी दौड़-दौड़ प्रति काल
सरित हो रही सिन्धु में लीन।

रहा उड़ तज फेनिल अस्तित्व
रूप पल-पल अरूप की ओर,
तीव्र होता ज्यों-ज्यों जय-नाद,
बढ़ा जाता मुरली का रोर।

सनातन महानन्द में आज
बाँसुरी-कंकन एकाकार,
बहा जा रहा अचेतन विश्व,
रास की मुरली रही पुकार।

(रसवन्ती, 1937)

अगेय की ओर

गायक, गान, गेय से आगे
मैं अगेय स्वन का श्रोता मन।

(1)

सुनना श्रवण चाहते अब तक
भेद हृदय जो जान चुका है,
बुद्धि खोजती उन्हें, जिन्हें जीवन
निज को कर दान चुका है।

खो जाने को प्राण विकल हैं
चढ़ उन पद-पद्मों के ऊपर;
बाहु-पाश से दूर जिन्हें विश्वास
हृदय का मान चुका है।

जोह रह उनका पथ दृग,
जिनको पहचान गया है चिन्तन।
गायक, गान, गेय से आगे
मैं अगेय स्वन का श्रोता मन।

(2)

उछल-उछल बह रहा अगम की
ओर अभय इन प्राणों का जल
जन्म-मरण की युगल घाटियाँ
रोक रहीं जिसका पथ निष्फल।

मैं जल-नाद श्रवण कर चुप हूँ;
सोच रहा यह खड़ा पुलिन पर;
है कुछ अर्थ, लक्ष्य इस रव का।
या 'कुल-कुल, कल-कल' ध्वनि केवल?

दृश्य, अदृश्य कौन सत् इनमें?
मैं या प्राण-प्रवाह चिरन्तन?
गायक, गाय, गेय से आगे
मैं अगेय स्वन का श्रोता मन।

(3)

जलकर चीख उठा वह कवि था,
साधक जो नीरव तपने में;
गाए गीत खोल मुँह क्या वह
जो खो रहा स्वयं सपने में?

सुषमाएँ जो देख चुका हूँ
जल-थल में, गिरि, गगन, पवन में,
नयन मूँद अन्तर्मुख जीवन
खोज रहा उनको अपने में!

अन्तर्-बहिर् एक छवि देखी,
आकृति कौन? कौन है दर्पण?
गायक, गान, गेय से आगे
मैं अगेय स्वन का श्रोता मन।

(4)

चाह यही छू लूँ स्वप्नों की
नग्न कान्ति बढ़कर निज कर से;
इच्छा है, आवरण स्रस्त हो
गिरे दूर अन्तःश्रुति पर से।

पहुँच अगेय-गेय-संगम पर
सुनूँ मधुर वह राग निरामय,
फूट रहा जो सत्य, सनातन
कविर्मनीषी के स्वर-स्वर से।

गीत बनी जिनकी झाँकी,
अब दृग में उन स्वप्नों का अंजन।
गायक, गान, गेय से आगे
मैं अगेय स्वन का श्रोता मन।

(रसवन्ती, 1937)

बालिका से वधू

माथे में सेंदुर पर छोटी
दो बिन्दी चमचम-सी,
पपनी पर आँसू की बूँदें
मोती-सी, शबनम-सी।

लदी हुई कलियों से मादक
टहनी एक नरम-सी,
यौवन की बिनती-सी भोली,
गुमसुम खड़ी शरम-सी।

पीला चीर, कोर में जिसकी
चकमक गोटा-जाली,
चली पिया के गाँव उमर के
सोलह फूलों वाली।

पी चुपके आनन्द, उदासी
भरे सजल चितवन में,
आँसू में भींगी माया
चुपचाप खड़ी आँगन में।

आँखों में दे आँख हेरती
हैं उसको जब सखियाँ,
मुस्की आ जाती मुख पर,
हँस देतीं रोती अँखियाँ।

पर, समेट लेती शरमाकर
बिखरी-सी मुसकान,
मिट्टी उकसाने लगती है
अपराधिनी - समान।

भींग रहा मीठी उमंग से
दिल का कोना-कोना,
भीतर-भीतर हँसी देख लो,
बाहर-बाहर रोना।

तू वह, जो झुरमुट पर आई
हँसती कनक-कली-सी,
तू वह, जो फूटी मदिरा की
निर्झरिणी पतली-सी।

तू वह, रच कर जिसे प्रकृति
ने अपना किया सिंगार,
तू वह, जो धूसर में आई
सबुज रंग की धार।

माँ की ढीठ दुलार! पिता की
ओ लजवन्ती भोली,
ले जाएगी हिया की मणि को
अभी पिया की डोली।

कहो, कौन होगा इस घर की
तब शीतल उजियारी?
किसे देख हँस-हँस कर
फूलेगी सरसों की क्यारी?

वृक्ष रीझ कर किसे करेंगे
पहला फल अर्पण-सा?
झुकते किसको देख पोखरा
चमकेगा दर्पण-सा?

किसके बाल ओज भर देंगे
खुलकर मन्द पवन में?

पड़ जाएगी जान देखकर
किसको चन्द्र-किरण में?

मँह-मँह कर मंजरी गले से
मिल किसको चूमेगी?
कौन खेत में खड़ी फसल
की देवी-सी झूमेगी?

बनी फिरेगी कौन बोलती
प्रतिमा हरियाली की?
कौन रूह होगी इस धरती
फल-फूलों वाली की?

हँसकर हृदय पहन लेता जब
कठिन प्रेम-जंजीर,
खुलकर तब बजते न सुहागिन,
पाँवों के मंजीर।

घड़ी गिनी जाती तब निशिदिन
उँगली की पोरों पर,
प्रिय की याद झूलती है
साँसों के हिंडोरों पर।

पलती है उर का रस पीकर
सबसे प्यारी पीर,
बनती और बिगड़ती रहती
पुतली में तसवीर।

पड़ जाता चस्का जब मोहक
प्रेम-सुधा पीने का,
सारा स्वाद बदल जाता है
दुनिया में जीने का।

मंगलमय हो पंथ सुहागिन,
यह मेरा वरदान।
हरसिंगार की टहनी-से
फूलें तेरे अरमान।

जगे हृदय को शीतल करने-
वाली मीठी पीर,
निज को डुबो सके निज में,
मन को इतना गम्भीर।

छाया करती रहे सदा
तुझको सुहाग की छाँह,
सुख-दुख में ग्रीवा के नीचे
हो प्रियतम की बाँह।

पल-पल मंगल-लग्न, जिन्दगी
के दिन-दिन त्योहार,
उर का प्रेम फूटकर हो
आँचल में उजली धार।

(रसवन्ती, 1938)

दाह की कोयल

दाह के आकाश में पर खोल,
कौन तुम बोली पिकी के बोल?

(1)

दर्द में भींगी हुई-सी तान,
होश में आता हुआ-सा गान;
याद आई जीस्त की बरसात,
फिर गई दृग में उजेली रात;

काँपता उजली कली का वृन्त,
फिर गया दृग में समग्र बसन्त।
मुँद गईं पलकें, खुले जब कान,
सज गया हरियालियों का ध्यान।

मुँद गईं पलकें कि जागी पीर,
पीर, बिछुड़ी चीज की तसवीर।
प्राण की सुधि-ग्रन्थि भूली खोल,
कौन तुम बोली पिकी के बोल?

(2)

दूर छूटी छाँहवाली डाल,
दूर छूटी तरु-द्रुमों की माल;
दूर छूटा पत्तियों का देश,
तलहटी का दूर रम्य प्रदेश;
कब सुना, जानें न, जल का नाद,
कब मिलीं कलियाँ, नहीं कुछ याद।
ओस-तृण को आज सिर्फ बिसूर
चल रहा मैं बाग-वन से दूर।
सीस पर जलता हुआ दिनमान,
और नीचे तप्त रेगिस्तान।
छाँह-सी मरु-पंथ में तब डोल?
कौन तुम बोली पिकी के बोल

(3)

बालुओं का दाह मेरे ईश!
ओ' गुमरते दर्द की यह टीस!
सोचता विस्मित खड़ा मैं मौन,
खोजती आई मुझे तुम कौन?
कौन तुम, ओ कोमले अनजान?
कौन तुम, किस रोज की पहचान?
हाँ, जरा-सी याद भूली बात,

दूध की धोई उजेली रात;
जब किरण-हिंडोर पर सामोद
स्यात, झूली बैठ मेरी गोद।
या कहीं ऊषा-गली में प्रान!
घूमते तुमसे हुई पहचान।
तारकों में या नियति की बात
पढ़ रहा था जब कि पिछली रात,

तुम मिली ओढ़े सुवर्ण-दुकूल
भोर में चुनते विभा के फूल।
भूमि में, नभ में कहीं ओ प्रान!
याद है, तुमसे हुई पहचान।

(4)

याद है तुम तो सुधा की धार,
याद है, तुम चाँदनी सुकुमार।
याद है, तुम तो हृदय की पीर,
याद है, तुम स्वप्न की तसवीर।
याद है, तुम तो कमल की नाल,
मंजरी के पासवाली नर्म कोंपल लाल।
इन्द्र की धनुषी, सजल रंगीन,
खोजती किसको दहकती वायु में उड्डीन?
दाह के आकाश में पर खोल
बोलने आई पिकी के बोल।

(5)

चिलचिलाती धूप का यह देश,
कल्पने! कोमल तुम्हारा वेश।
लाल चिनगारी यहाँ की धूल,
एक गुच्छा तुम जुही के फूल।
दाह में यह ब्याह का संगीत!
भूल क्या सकती न पिछली प्रीत?

पड़ चुका है आग में संसार,
आज तुम असमय पधारी, क्या करूँ सत्कार?
मेरी बावली मेहमान!
शेष जो अब भी, उसे निज को समर्पित जान।
लूह में आशा हरी सुकुमार;
दाह के आकाश में मन्दाकिनी की धार;
धूप में उड़ती हुई शबनम अरी अनमोल!
कौन तुम बोली पिकी के बोल?

(रसवन्ती, 1938)

अगुरु-धूम

कल मुझे पूज कर चढ़ा गया,
अलि, कौन अपरिचित हृदय-हार?
मैं समझ न पायी गूढ़ भेद,
भर गया अगुरु का अन्धकार।

(1)

श्रुति को इतना भर याद, भिक्षु
गुन-गुना रहा था मर्म-गान,
"आ रहा दूर से मैं निराश,
तुम दे पाओगी तृप्ति-दान?
यह प्रेम-बुद्ध के लिए भीख,
चाहिए नहीं धन, रूप, देह,
मैं याच रहा बलिदान पूर्ण,
है यहाँ किसी में सत्य स्नेह?

पुरनारि! तुम्हारे ग्राम-बीच
भगवान पड़े हैं निराहार।"
मैं समझ न पायी गूढ़ भेद,
भर गया अगुरु का अन्धकार।

(2)

सेहरा, जानें, क्यों मुझे देख,
बोला, "पूजेगी आज आस;
पहचान गया मैं सिद्धि देवि!
हो तुम्हीं यज्ञ का शुचि हुताश।
मैं अमित युगों से हेर रहा,
देखी न कभी यह विमल कान्ति,
ऐसी स्व-पूर्ण भ्रू-बँधी तरी,
ऐसी अमेय, निर्मोघ शान्ति।

नभ-सदृश चतुर्दिक् तुम्हें घेर
छा रहे प्रेम-प्रभु निराकार।"
मैं समझ न पायी गूढ़ भेद,
भर गया अगुरु का अन्धकार।

(3)

अपनी छवि में मैं आप लीन
रह गयी विमुख करते विचार,
'वाणी प्रशस्ति की नयी सीख
आया फिर कोई चाटुकार।'
पर, वीतराग-निभ चला भिक्षु
रचकर मेरा अर्चन-विधान;
कह, "चढ़ा चुका मैं पुष्प, अधिक
अब और सिद्धि क्या मूल्यवान?

फिर कभी खोजने आऊँगा, पद
पर जो रख जा रहा प्यार।"
मैं समझ न पाई गूढ़ भेद,
भर गया अगुरु का अन्धकार।

(4)

"अब और सिद्धि क्या मूल्यवान?"
मैं चौंक उठी सहसा अधीर;
फट गया गहन मन का प्रमाद,
आ लगा वह्नि का प्रखर तीर।
उठ विकल धूम के बीच दौड़
बोलूँ जबतक, "ठहरो किशोर!"
तब तक स्व-सिद्धि को शिला जान
था चला गया साधक कठोर।

मैंने देखा वह धूम-जाल,
मैंने पाया वह सुमन-हार;
पर, देख न पायी उन्हें सजनि!
भर गया अगुरु का अन्धकार।

(5)

तुम तो पथ के चिर-पथिक देव!
कब ले सकते किस घर विराम?
मैं ही न हाय, पहचान सकी
करगत जीवन का स्वर्ण-याम।
है तृषित कौन? है जलन कहाँ?
मेघों को इसका नहीं ध्यान;
यह तो मिट्टी का भाग्य, कभी
मिल जाता उसको अमृत-दान।

फिरता न कभी मधुमास वही
शत हृदय खिलाकर एक बार;
मैं समझ न पायी गूढ़ भेद,
भर गया अगुरु का अन्धकार।

(6)

चरणों पर कल जो चढ़ा गये
तुम देव! हृदय का मधुर प्यार,

मन में, पुतली में उसे सजा
मैं आज रही धो बार-बार;
जो तुम्हें एक दिन देख नहीं
पायी अपने भ्रम में विभोर,
आकर सुन लो टुक आज उसी
पाषाणी का क्रन्दन किशोर!

छिपकर तुम पूज गये उस दिन,
छिपकर उस दिन मैं गयी हार;
पर छिपा सकेगा अश्रु-ज्योति
क्या आज अगुरु का अन्धकार?

(7)

कल छोड़ गये जो दीप द्वार पर,
उर पर वह आसीन आज;
साधना-चरण की रेणु-हेतु
है विकल सिद्धि अति दीन आज।
मन की देवी को फूल चढ़ा,
चाहिए तुम्हें कुछ नहीं और;
पर, विजित सिद्धि के लिए कहाँ
साधक-चरणों के सिवा ठौर?

मैं भेद न सकती तिमिर-पुंज,
तुम सुन सकते न करुण पुकार;
साधना-सिद्धि के बीच हाय,
छा रहा अगुरु का अन्धकार।

(8)

मैं रह न गयी मानवी आज,
देवी कह तुमने की न भूल;
अन्तर का कंचन चमक उठा,
जल गयी मैल, झर गई धूल।
नव दीप्ति लिये नारीत्व जगा
यह पहन तुम्हारी विजय-माल;

कुछ नयी विभा ले फूल उठी
जीवन-विटपी की डाल-डाल।
देखे जग मुझमें आज स्त्रीत्व
का महामहिम पूर्णावतार,
मैं खड़ी, चतुर्दिक् मुझे घेर
छा रहा अगुरु का अन्धकार।

(9)

कल सौंप गए जो मुझे प्रेम,
देखो उसका शृंगार आज;
मैं कनक-थाल भर खड़ी, बुद्ध-
हित ले जाओ उपहार आज;
सब भूल गयी, कुछ याद नहीं
तरुणी के मद की बात आज;
आओ, पग छू हो जाऊँगी
रमणी मैं रातों-रात आज।
माँ की ममता, तरुणी का व्रत,
भगिनी का लेकर मधुर प्यार,
आरती त्रिवर्तिक सजा करूँगी
भिन्न अगुरु का अन्धकार।

बह रही हृदय-यमुना अधीर
भर, उमड़ लबालब कोर-कोर,
आओ, कर लो नौका-विहार,
लौटो भिक्षुक, लौटो किशोर!

(रसवन्ती, 1939)

पुरुष-प्रिया

मैं तरुण भानु-सा अरुण भूमि पर
उतरा रुद्र-बिषाण लिये,

सिर पर ले वह्नि-किरीट, दीप्ति का
तेजवन्त धनु-बाण लिये।

स्वागत में डोली भूमि, त्रस्त
भूधर ने हाहाकार किया,
वन की विशीर्ण अलकें झकोर
झंझा ने जयजयकार किया।

नाचती चतुर्दिक् घूर्णि चली,
मैं जिस दिन चला विजय-पथ पर'
नीचे धरती निर्वाक् हुई,
सिहरा अशब्द ऊपर अम्बर।

मुक्ता ले सिन्धु शरण आया,
मैंने जब किया सलिल-मन्थन।
मेरे इंगित पर उगल दिये
भू ने उर के फल, फूल, रतन।

दिग्विदिक् सृष्टि के पर्ण-पर्ण पर
मैंने निज इतिहास लिखा,
दिग्विदिक् लगी करने प्रदीप्त
मेरे पौरुष की अरुण शिखा।

मैं स्वर्ग-देश का जयी वीर,
भू पर छाया शासन मेरा;
हाँ, किया वहन नतभाल, दमित
मृगपति ने सिंहासन मेरा।

कर दलित चरण से अद्रि-भाल,
चीरते विपिन का मर्म सघन,
मैं विकट, धनुर्धर, जयी वीर
था घूम रहा निर्भय रन-वन!

उर के मन्थन की दर्द-भरी
घड़ियों से थी पहचान नहीं।
सुमनों से हारे भीम शैल,
तबतक था इतना ज्ञान नहीं।

चूमे जिसको झुक अहंकार
वह कली, स्यात्, तबतक न खिली;
लज्जित हो अनल-किरीट, चाँदनी
तबतक थी ऐसी न मिली।

सहसा आई तुम मुझ अजेय को
हंसकर जय करनेवाली,
आधी मधु, आधी सुधा-सिक्त
चितवन का शर भरनेवाली।

मैं युवा सिंह से खेल रहा था
एक प्रात निर्झर-तट पर,
तुम उगी तीर पर माया-सी
लघु कनक-कुम्भ साजे कटि पर।

लघु कनक-कुम्भ कटि पर साजे,
दृग-बीच तरल अनुराग लिये;
चरणों में ईषत् अरुण, क्षीण
जलधौत अलक्तक-राग लिए।

सद्यःस्नाता, मद-भरित, सिक्त
सरसीरुह की अम्लान कली,
अक्षता, सद्य, पाताल-जनित
मदिरा की निर्झरिणी पतली।

मैं चकित देखने लगा तुम्हें,
तुमने विस्मित मुझको देखा;

पल-भर हम पढ़ते रहे पूर्व–
युग का विस्मृत, धूमिल लेखा।

तुम नयी किरण-सी लगी, मुझे
सहसा अभाव का ध्यान हुआ,
जिस दिन देखा यह हरित स्रोत,
अपने ऊसर का ज्ञान हुआ।

मैं रहा देखता निर्निमेष, तुम
खड़ी रही अपलक-चितवन,
नस-नस जृम्भा संचरित हुई,
संस्रस्त शिथिल उर के बन्धन।

सहसा बोली, 'प्रियतम!' अधीर,
श्लथ कटि से गिरा कलस तेरा,
गिर गये बाण, गिर गया धनुष,
सिहरा यौवन का रस मेरा।

'प्रियतम', 'प्रियतम', रसकूक मधुर
कब की श्रुत-सी, कुछ जानी-सी,
'प्रियतम', 'प्रियतम', रूपसी कौन
तुम युग-युग की पहचानी-सी?

उमड़ा व्याकुल यौवन विबन्ध,
उर की तन्त्री झनकार उठी;
सब ओर सृष्टि में निकट-दूर
'प्रियतम' की मधुर पुकार उठी।

तुम अर्द्ध चेतना में बोली,
"मैं खोज थकी, तुम आ न सके,
लद गई कुसुम से डाल, किन्तु,
अबतक तुम हृदय लगा न सके।

"सीखा यह निर्दय खेल कहाँ?
तुम तो न कभी थे निठुर पिया।"
मैं चकित, भ्रमित कुछ कह न सका,
मुख से निकले दो वर्ण, 'प्रिया'।

दो वर्ण 'प्रिया', यह मधुर नाम
रसना की प्रथम ऋचा निर्मल,
उल्लसित हृदय की प्रथम वीचि,
सुरसरि का बिन्दु प्रथम उज्ज्वल।

नर की यह चकित पुकार 'प्रिया',
जब पहली दृष्टि पड़ी रानी,
जिस दिन मन की कल्पना उतर
भू पर हो गयी खड़ी रानी।

विस्मय की चकित पुकार 'प्रिया',
जब तुम नीलिमा गगन की थी;
जब कर-स्पर्श से दूर अगुण
रस-प्रतिमा स्वप्न-मगन की थी;

जब पुरुष-नयन में वह्नि नहीं,
था विस्मय-जड़ित कुतुक केवल;
जब तुम अचुम्बिता, दूर-ध्वनित
थी किसी सुरा का मद-कलकल।

विस्मय की चकित पुकार 'प्रिया',
जिस दिन तुम थी केवल नारी;
नर की ग्रीवा का हार नहीं भुज-
बँधी वल्लरी सुकुमारी।

दो वर्ण 'प्रिया', यह नाद उषा
सुनती शिखरों पर प्रथम उतर;

दो वर्ण 'प्रिया', कुछ मन्द-मन्द
इस ध्वनि से ध्वनित गहन अम्बर।

दो वर्ण 'प्रिया', संध्या सुनती
झुक अतल मौन सागर-तल में;
सुन-सुन कर हृदय पिघल जाता
इसका गुंजन दृग के जल में।

सुन रहीं दिशाएँ मौन खड़ी
सुन रही मग्न नभ की बाला;
सुन रहे चराचर, किन्तु एक
सुनता न पुरुष कहनेवाला।

अकलंक प्राण का सम्बोधन
सुनते जो कर्ण अजान प्रिये,
तो पुरुष-प्रिया के बीच आज
मिलता न एक व्यवधान प्रिये।

व्यवधान वासना का कराल,
जगते जो आग लगाती है;
जो तप्त शाप-विष फूँक सरल
नयनों को हिंस्र बनाती है।

उन आँखों का व्यवधान, ज्ञात
जिनको न रहस्यों का गोपन,
देखा कुछ कहीं कि कह आतीं
सब कुछ प्राणों के भवन-भवन।

उत्सुक नर का व्यवधान, शृंग
लख जिसे सूझता आरोहण
जल-राशि देख संतरण और
वन सघन देख कर अन्वेषण।

अम्बर का देख वितान उड़ा,
'यह नील-नील ऊपर क्या है?
मिट्टी खोदी यह सोच, "गुप्त
इस वसुधा के भीतर क्या है?"

जिस दिवस अवारित प्रेम-सदन में
विस्मित, चकित पुरुष आया,
माणिक्य देख धीरता तजी,
मुक्ता-सुवर्ण पर ललचाया।

क्या ले, क्या छोड़े रत्नराशि का
भेद नहीं लघु जान सका,
वह लिया कि जिसमें तृप्ति नहीं,
पाना था जो वह पा न सका।

पा सका न मन का द्वार, लुब्ध
भग चला कुसम का तन लेकर,
ग्रीवा-विलसित मन्दार-हार का
दलन किया चुम्बन ले कर।

जीवन पर प्रसरित खिली चाँदनी
को पीने की चाह इसे,
शशि का रस सकल निचोड़ बुझे,
वह कठिन, चिरन्तन दाह इसे।

तरुणी-उर को कर चूर्ण खोजने
लगा सुरभि का कोष कहाँ?
प्रतिमा विदीर्ण कर ढूँढ रहा,
वरदान कहाँ? सन्तोष कहाँ?

खोजते मोह का उत्स पुरुष ने
सारी आयु वृथा खोई;

इससे न अधिक कुछ जान सका,
तुम-सा न कहीं सुन्दर कोई।

सब ओर तीव्र-गति घूम रहा
युग-युग से व्यग्र पुरुष चंचल,
तुम चिर-चंचल के बीच खड़ी
प्रतिमा-सी सस्मित, मौन, अचल।

सुन्दर थी तुम जब पुरुष चला,
सुन्दर अब भी जब कल्प गया;
जा रहा सकल श्रम व्यर्थ, नहीं
मिलता आगे कुछ ज्ञान नया।

जब-जब फिर आता पुरुष श्रान्त,
तब तुम कहती रसमग्न 'प्रिया!'
मिलती न उसे फिर बात नयी,
मुख से कढ़ते दो वर्ण 'प्रिया!'

(रसवन्ती, 1939)

मानवती

रूठ गई अबकी पावस के पहले मानवती मेरी,
की मैं ने मनुहार बहुत, पर, आँख नहीं उसने फेरी।
वर्षा गयी, शरत आया, जल घटा, पुलिन ऊपर आये,
बसे बबूलों पर खगदल, फुनगी पर गीत कुसुम छाये।
आज चाँदनी देख, न जानें, मैं ने क्यों ऐसे गाया—
अब तो हँसो मानिनी मेरी, वर्षा गयी, शरत आया।

तारों के श्रुति-फूल मनोहर,
कलियों का कंकन सुन्दर है।

मानिनि! यह तो चीर तुम्हारा,
तना हुआ जो नीलाम्बर है।

चलो, करो शृंगार, बुलाती तुम्हें खंजनों की टोली,
आमन्त्रित कर रही विपिन की कली तुम्हारी हमजोली।
उलर रही मंजरी कास की, हवा झूमती आती है,
राशि-राशि अवली फूलों की एक ओर झुक जाती है।
उगा अगस्त्य, उतर आया सरसी में निर्मल व्योम सखी,
झलमल-झलमल काँप रहे हैं जल में उडु औ' सोम सखी।

दिन की नयी दीप्ति; हरियाली—
पर नूतन शोभा छाई है,
पावस-धौत धरा पर मानो,
चढ़ी नयी यह तरुणाई है।

आज खेलने नहीं चलोगी रानी, कासों के वन में?
बोली कुछ भी नहीं, लोभ उपजा न मानिनी के मन में।

रानी, आधी रात गयी है,
घर है बन्द, दीप जलता है;
ऐसे समय, रूठना प्यारी का
प्रिय के मन को खलता है।

मना रहा, 'आनन्द-सूत्र में ग्रन्थि डाल रोओ न लली!
ये मधु के दिन, इन्हें अकारण रूठ-रूठ खोओ न लली!
तुम सखि, इन्द्रपरी के तन में सावित्री का मन लायी,
ताप-तप्त मरु में मेरे हित शीत-स्निग्ध जीवन लायी।
जीवन के दिन चार, अवधि उससे भी अल्प जवानी की,
उस पर भी कितनी छोटी निशि होती प्रणय-कहानी की?
हम दोनों की प्रथम रात यह, आज करो मत मान प्रिये!
मिट न सकेगी कसक कभी, यदि यों ही हुआ विहान प्रिये!'

रानी, यह कैसी विपत्ति है,
जिस पर बीते, वही बखाने।
प्रिये, मान अपना तज कर द्रुत
उस मानिनि को चलो मनाने।

चलो शीघ्र, पौ फटे नहीं, उग जाए न कहीं अरुण रेखा।
मानवती ने भ्रू समेट कर मेरी ओर तनिक देखा!

"प्रासादों से घिरी कुटी में
चिन्ता-मग्न खड़ी कवि-जाया
कोस रही वाणी के सुत को—
'टका सत्य है औ' सब माया।
गहनों से शोभा बढ़ती है, उदरपूर्त्ति है अन्नों से।
तुम्हें, न जानें, क्या मिलता लिपटे रहने में पन्नों से?
सुस्थिर हो दो बात करें, यह भी बाकी अरमान मुझे,
ऐसी क्या कुछ दे रक्खी, चाँदी-सोने की खान मुझे?

गिरती कठिन गाज-सी सिर पर,
कवि का हृदय दहल जाता है;
आँसू पी, बरबस हँस-हँस कर
प्राण-प्रिया को समझाता है—

बना रखूँ पुतली दृग की, निर्धन का यही दुलार सखी!
स्वप्न छोड़ क्या पास, तुम्हारा जिससे करूँ सिंगार सखी?
कहाँ रखूँ, किस भाँति, सोच यह तड़पा करता प्यार सखी!
नयन मूँद बाहों में भर लेता आखिर लाचार सखी!

घास-पात की कुटी हमारी,
किन्तु, तुम्हीं इसकी रानी हो;
क्या न तुम्हें सन्तोष, किसी
कवि की वरदा तुम कल्याणी हो?

जलती हुई धूप है तो आँगन में वट की छाँह सखी!
व्यंजन करूँ, सोओ सिर के नीचे ले मेरे बाँह सखी!
जरा पैठ मेरे अन्तर में सुनो प्रणय-गुंजार सखी!
देखो, मन में रचा तुम्हारा हित कैसा संसार सखी!

यह अचरज मानिनि, तो देखो,
क्षुधा सौत भोली कविता की;
उलझ रही मकड़ी-जाली में
ज्योति परम पावन सविता की।

कलियाँ हृदय चीर टहनी का खिलने को अकुलाती हैं,
सह सकतीं न जलन, बाहर आते-आते जल जाती हैं।

घूम रही कल्पना अकेली
जग से दूर इन्द्र के पुर में;
कवि-जाया ने स्वर्ग न देखा
बसता जो प्रियतम के उर में।
अन्तर्दीप्त रूप निज प्रिय का
ग्रामवधू कैसे पहचाने?
वाणी भी भिक्षुणी जगत में,
वह सीधी-भोली क्यों मानें?

जीवन की रसवृष्टि (पंक्ति कविवर की) क्यों चाँदी न हुई?
कवि-जाया कहती, लक्ष्मी क्यों कविता की बाँदी न हुई?

खोज रही आनन्द कल्पना
दूब, लता गिरिमाला में,
कल्पक के शिशु झुलस रहे हैं
इधर पेट की ज्वाला में।

जिसके मूर्त्त स्वप्न भूखे हों, वह गायक कैसे गाये?
मानवती चुप रही, दृगों में करुणा के बादल छाये।

(रसवन्ती, प्र.सं.)

नारी

(1)

पहन नील, किर्मीर वसन, तितली-सी पंख लगाये,
उर-गृह से बाहर आकर तुम किसको ढूँढ रही हो?
भ्रू की रेखा सजा, राग से रँग कपोल-अधरों को,
मुकुर देख खिलखिला रही हो किस आसन्न विजय से?
निरावरण, उद्दाम किरण-सी खिलती और मचलती,
आज दीखती नहीं समाती हुई आप अपने में।
अपना चित्र विविध रंगों में आप सृजन करती हो,
और जाँचती हो फिर उसको स्वयं पुरुष के दृग से।
दर्पण में, रंगों में, नर की भ्रमित-लुब्ध आँखों में,
देख रही सब में अपने को क्रम से बिठा-बिठा कर।
दाँतों-तले अधर को दाबे, कसे उबलते मन को,
चलती हो ऐसे कि देखती ही ज्यों नहीं किसी को।
लेकिन, सबको बचा काम करनेवाले वे लोचन
कहते हैं, तुम बिन देखे देखा करती बहुतों को।
तुम्हें ध्यान रहता कि पीठ सहलातीं कितनी आँखें,
बँधे चले आते कितने मन छलकी हुई लटों से।

मनःस्पर्श करती बहुतों का बलखाती चलती हो,
मन-ही-मन गिनती हो, लोहू काँप गया कितने का?
सच है, अभी बगल से गुजरीं तुम लालसा-लहर-सी,
मन मेरा रँग गया, गन्ध से मन्द पवन भी महका।
किन्तु, हाय, तुममें बसनेवाली की यही समर्चा?
इतनी ही पूजा? इतना ही क्या नैवेद्य-समर्पण?
राग-रंग की हवा उड़ाए दूर लिए जाती है
तुम्हें तुम्हारे सहज प्रमद-वन से उद्भ्रान्त सुरभि-सी।
वह वन, जिसमें कभी तितलियाँ पंख नहीं रँगती हैं;
औ; गुलाब सुरभित होने को गन्ध न मोल मँगाता;
रूप और यौवन पत्तों-से उड़ते नहीं हवा में,
मन का बन्धन मान कठिन उद्देश्य सिद्ध करते हैं।

जनाकीर्ण संसार-बीच कितने का मन बाँधोगी?
निरुद्देश्य बेधोगी चलते राह हृदय किस-किस का?
नहीं जानती हो, जितनी है हल्की चोट तुम्हारी,
उससे भी हल्की है इन बिंधनेवालों की पीड़ा।
व्रज-लेख यह नहीं सुन्दरी, जिस पर गर्व करो तुम,
आती और चली जाती हो जल पर की रेखा-सी।

जगा नहीं सकती यह जल की रेखा प्राण-पुरुष को,
जिसे छेड़ तुम हँसती हो, वह चर्म-कंप है केवल।
पुरुष वज्र-लेखन का भूखा, सो वह लिखनेवाली
सात पत्थरों के नीचे है दबी अभी तक तुम में
तुम जितना विभ्रम करती, वह आकुल होती उतनी,
जितना व्यर्थ बनाव, क्षीण उतनी होती जाती है।
मृषा रभस के कोलाहल से प्राण विकल हैं उसके;
सारहीन चुम्बन से उसका दम घुटता जाता है।
कौतुक-हास-विलास-रभस की अयि सजीव प्रतिमाओ!
देखो निज में झाँक कभी उस म्लानमुखी नारी को।

(2)

लज्जा, शील, सजीव धर्म की एक मूर्त्ति सकुचाती
बैठी है गाड़ी के कोने में सिमटी गठरी-सी।
बड़ी सावधानी से अपने को हर तरह छिपाये,
तन को, मन को और हाथ-पैरों की उँगली को भी।
तब भी कुछ बेचैन हुई-सी बार-बार हिलती है,
आँखों की जलती किरणें, शायद, चुभती हैं उसको।
डरी हुई हरिनी-सी वह मन-ही-मन काँप रही है,
जब भी ज्यों सम्यक्-रक्षित सर्वस्व लुटा जाता हो।

उसकी अन्तःकली खिली शीतल तम की छाया में,
नहीं देख सकती वह दिन की खुली धूप को सुख से।

वह प्रकाश-वंचित युग से, है उसका क्षीण मनोबल,
प्रत्यय नहीं रहा अब उसको अपने तेज प्रखर का।
लुब्ध-दृष्टि-विशिखों से बच डरती-सी वह चलती है,
नहीं सामना कर सकती उनका निज प्रखर विभा से।
वह समाज की विवश वन्दिनी सब कुछ छोड़ चुकी है,
बचा रखा है केवल उसने एक शील नारी का।
यही परम सर्वस्व, जिसे वह आतुर सदा छिपाती
पटावरण के भीतर तन में, मन के भीतर मन में।
सुख पाती है देख पूर्ण छवि अपनी इसी मुकुर में,
डरती है लग जाए न इस पर मल जग की आँखों का।
वंचित वह उस नई ज्योति से, जिससे ऐसे दर्पण
बहुत बार मैले होते ओ' बहुत बार धुलते हैं।

काँप रही शंकिता मृगी-सी वह सिकुड़ी-सिमटी भी,
जी करता है, अपना पौरुष, इज्जत उसे उढ़ा दूँ।
या कि जगा दूँ उसके भीतर की उस लाल शिखा को,
आँखों में जिसके बलने से दिशा काँप जाएगी।
घोर ग्लानि से झुक जाएँगे नयन घूरने वाले।
झुक जाएँगी कलुष-ज्ञान से दबी, ह्रीण ग्रीवाएँ।

दूर करो मुख से इस पट को, हे कुलवधू पुनीते!
इससे कहीं सघन घूँघट है मनस्तेज की तुम में।
ओढ़ो उसे, मनोबल का वह दिव्य फलक है ऐसा,
हिम्मत नहीं, तुम्हें देखे कोई कुत्सित आँखों से
मन का प्रखर तेज-पट ओढ़े तुम निःशंक चलोगी;
जहाँ रहोगी, वहाँ पुण्य की प्रभा रहेगी घेरे!
नर में जो मल-पुंज कौतुकी कायर दनुज छिपा है,
ज्वालावरण देख नत होगा, तुमसे स्वयं डरेगा।

(3)

आँखों में गीला काजल; लम्बी रेखा सेंदुर की
नासिकाग्र से चली गयी है ऊपर चीर चिकुर को—

सीधी रेख बना; कच दोनों ओर सजे हैं ऐसे,
फट कर दी हो राह तिमिर ने जैसे किसी किरण को!
पहुँची पर हैं नयी चूड़ियाँ; रँगी हुई अलता से
हाथों की उँगलियाँ दीखतीं लाल-लाल कोंपल-सी।
तन पर पीला वसन, ज्योति पीली कुम्हलाए मुख की,
माँ बन कर रमणी प्रसूति-गृह से तुरन्त निकली है।
कई दिनों की छाया और धुओं से वह कुम्हलाई
कच्ची धूप-सदृश लगती है कुछ-कुछ गीली-गीली!

अंगों में अब शेष नहीं पहले की सरल चपलता;
सबके सब दायित्व-ज्ञान से कुछ-कुछ दबे हुए हैं।
वाणी संयमशील, धीरता है भर गई पदों में।
आँखों के संकोच, शील में गौरव भर आया है।

शरमाती पैठी थी उत्सुक वधू प्रसूति-सदन में,
निकली है लेकर पुनीत, गम्भीर हृदय माता का।
जब से उज्ज्वल प्रेम उमड़ आँचल में फूट पड़ा है,
एक सरल सन्तोष झलकता है उसके आनन पर!

अंचल के सुकुमार फूल को वह यों देख रही है,
फूट रही हो धार दूध की ही ज्यों भरे नयन से।
'वीर, धनी, विद्वान, ग्राम का नायक, विश्व-विजेता'?
अपनी गोदी-बीच आज वह क्या-क्या देख रही है?
शत-सहस्र ये अभिलाषाएँ अब तक छिपी कहाँ थीं,
जाग पड़ी हैं जो कि देखते नन्हें स्तनपायी को?
माँ बनते ही ध्येय जन्म का उसको झलक गया है,
घूम रही थी दूर-दूर, आ गयी निकट जीवन के।
जीवन समझ रखा था उसने क्रीड़ा-कुतुक-प्रणय को,
समझ रही अब, इन सबसे भी परे तत्त्व है कोई।

लय, सुर, ताल, लोच से जिसकी अबतक झूम रही थी,
आज रहे खुल कठिन अर्थ हैं उस अद्‌भुत गायन के।

ऊपर-ही-ऊपर तिरनेवाली निर्बन्ध परी के,
पहले-पहल, चरण दोनों मिट्टी से आन लगे हैं।
समझ रही वह आज, बोझ जीवन का है उस पर भी,
महाविश्व को जीवित रखने की वह भी दायी है!
सीधा नहीं योग नारी का जग के संघर्षों से;
बेटों के मुख से अपना सन्देश कहा करती है।
पुरुष-धर्म, जूझे संगर में अपने तेजोबल से,
नारी की करवाल महत्तम है उसका बेटा ही।
माँ के दिल की आग चमकती है बेटे की असि में;
कहना है जो कुछ उसको, वह पुत्र कहा करते हैं;
नारी की पूर्णता पुत्र को स्वानुरूप करने में,
करते हैं साकार पुत्र ही माता के सपने को।
बिना पुत्र नारी का सम्यक् रूप नहीं खुल पाता,
जीवन में रमणी प्रवेश करती है माता बनकर।
काश! समझतीं जन्मनिरोधातुर कृत्रिम बन्ध्याएँ,
पुत्र कामना इच्छा है अपने को ही पाने की।

(रसवन्ती, प्र.सं.)

गीत

उर की यमुना भर उमड़ चली,
तू जल भरने को आ न सकी;
मैंने जो घाट रचा सरले!
उस पर मंजीर बजा न सकी।

दिशि-दिशि उँड़ेल विगलित कंचन,
रँगती आयी सन्ध्या का तन,
कटि पर घट, कर में नील वसन;
कर नमित नयन चुपचाप चली,
ममता मुझ पर दिखला न सकी;
चरणों का धो कर राग नील—
सलिला को अरुण बना न सकी।

लहरें अपनापन खो न सकीं,
पायल का शिंजन ढो न सकीं,
युग चरण घेरकर रो न सकीं;
विवसन आभा जल में बिखेर
मुकुलों का बन्ध खिला न सकी;
जीवन की अयि रूपसी प्रथम!
तू पहिली सुरा पिला न सकी।

(रसवन्ती, प्र.सं.)

अन्तर्वासिनी

अधिखिले पद्म पर मौन खड़ी
तुम कौन प्राण के सर में री?
भींगने नहीं देती पद की
अरुणिमा सुनील लहर में री?
तुम कौन प्राण के सर में?

(1)

शशि-मुख पर दृष्टि लगाये
लहरें उठ घूम रही हैं,
भयवश न तुम्हें छू पातीं
पंकज-दल चूम रही हैं;
गा रही चरण के पास विकल
छवि-बिम्ब लिये अन्तर में री।
तुम कौन प्राण के सर में?

(2)

कुछ स्वर्ण-चूर्ण उड़-उड़ कर
छा रहा चतुर्दिक् मन में,

सुरधनु-सी राज रही तुम
रंजित, कनकाभ गगन में;
मैं चकित, मुग्ध, हतज्ञान खड़ा
आरती-कुसुम ले कर में री।
तुम कौन प्राण के सर में?

(3)

जब से चितवन ने फेरा
मन पर सोने का पानी,
मधु-वेग ध्वनित नस-नस में,
सपने रँग रही जवानी;
भू की छवि और हुई तब से,
कुछ और विभा अम्बर में री।
तुम कौन प्राण के सर में?

(4)

अयि सगुण कल्पने मेरी!
उतरो पंकज के दल से।
अन्तःसर में नहलाकर
साजूँ मैं तुम्हें कमल से।
मधु-तृषित व्यथा उच्छ्वसित हुई,
अन्तर की क्षुधा अधर में री।
तुम कौन प्राण के सर में?

(रसवन्ती, प्र.सं.)

पावस-गीत

दूर देश के अतिथि व्योम में छाए घन काले सजनी,
अंग-अंग पुलकित वसुधा के शीतल, हरियाले सजनी!

भींग रही अलकें संध्या की, रिमझिम बरस रहे जलधर,
फूट रहे बुलबुले याकि मेरे दिल के छाले सजनी!

किसका मातम? कौन बिखेरे बाल आज नभ पर आयी?
रोयी यों जी खोल, चले, बह आँसू के नाले सजनी!

आयी याद आज अलका की, किन्तु, पंथ का ज्ञान नहीं,
विस्मृत पथ पर चले मेघ दामिनी-दीप बाले सजनी!

चिर-नवीन कवि-स्वप्न, यक्ष के अब भी दीन, सजल लोचन,
उत्कंठित विरहिणी खड़ी अब भी झूला डाले सजनी!

बुझती नहीं जलन अन्तर की, बरसें दृग, बरसें जलधर;
मैंने भी क्या हाय, हृदय में अंगारे पाले सजनी!

धुलकर हँसा विश्व का तृण-तृण; मेरी ही चिन्ता न धुली;
पल-भर को भी हाय, व्यथाएँ टलीं नहीं टाले सजनी!

किन्तु, आज क्षिति का मंगल-क्षण, यह मेरा क्रन्दन कैसा?
गीत-मग्न घन-गगन, आज तू भी मलार गा ले सजनी!

(रसवन्ती, प्र.सं.)

विजन में

गिरि निर्वाक् खड़ा निर्जन में
दरी हृदय निज खोल रही है,
हिल-डुल एक लता की फुनगी
इंगित में कुछ बोल रही है।

साँझ हुई, मैं खड़ा दूब पर
तटी-बीच कर देर रहा हूँ;

गहन शान्ति के अन्तराल में
डूब-डूब कुछ हेर रहा हूँ।

मुझ मानव को क्षितिज-वृत्त से
घेर रही नीलिमा गगन की,
तब भी सीमाहीन दीखती
आज परिधि मेरे जीवन की।

चीर शान्ति का हृदय दूर पर
झिल्ली ठहर-ठहर गाती है;
किसी अर्द्ध-विस्मृत सपने की
धूमिल-सी स्मृति उपजाती है।

सुघर, मूक, स्वप्नों के शिशु-से
मन्द मेघ नभ में तरते हैं,
नीरव ही नीरव चलकर
नीरवता में जीवन भरते हैं।

जड़-चेतन विश्राम रहे कर
प्रभु के एक शान्तिमय क्रम में,
अभी सृष्टि पूरी लगती है,
द्वन्द्व न कहीं विषम औ' सम में।

मर्त्य-अमर्त्य एक-से लगते,
मैं उन्मन कुछ सोच रहा हूँ,
मिट्टी मेरी खड़ी धरा पर,
किन्तु, स्वयं इस काल कहाँ हूँ?

(रसवन्ती, प्र.सं.)

सावन में

जेठ नहीं, यह जलन हृदय की,
उठकर जरा देख तो ले;

जगती में सावन आया है,
मायाविनि! सपने धो ले।

जलना तो था बदा भाग्य में
कविते! बारह मास तुझे;
आज विश्व की हरियाली पी
कुछ तो प्रिये, हरी हो ले।

नन्दन आन बसा मरु में,
घन के आँसू वरदान हुए;
अब तो रोना पाप नहीं,
पावस में सखि! जी भर रो ले।

अपनी बात कहूँ क्या? मेरी
भाग्य-लीक प्रतिकूल हुई;
हरियाली को देख आज फिर
हरे हुए दिल के फोले।

सुन्दरि! ज्ञात किसे, अन्तर का
उच्छल-सिन्धु विशाल बँधा?
कौन जानता, तड़प रहे किस
भाँति प्राण मेरे भोले?

सौदा कितना कठिन सुहागिनि!
जो तुझ से गँठ-बन्ध करे;
अंचल पकड़ रहे वह तेरा,
संग-संग वन-वन डोले।

हाँ, सच है, छाया सुरूर, तो
मोह और ममता कैसी?
मरना हो तो पिये प्रेम-रस,
जिये अगर बाउर हो ले।

(रसवन्ती, प्र.सं.)

भ्रमरी

पी मेरी भ्रमरी, वसन्त में
अन्तर-मधु जी-भर पी ले;
कुछ तो कवि की व्यथा सफल हो,
जलूँ निरन्तर, तू जी ले।

चूस-चूस मकरन्द हृदय का
संगिनि! 'तू मधु-चक्र सजा,
और किसे इतिहास कहेंगे
ये लोचन गीले-गीले?

लते! कहूँ क्या, सूखी डालों
पर क्यों कोयल बोल रही?
बतलाऊँ क्या ओस यहाँ क्यों?
क्यों मेरे पल्लव पीले?

किसे कहूँ? धर धीर सुनेगा
दीवाने की कौन व्यथा?
मेरी कड़ियाँ कसी हुई,
बाकी सबके बन्धन ढीले।

मुझे रखा अज्ञेय, अभी तक
विश्व मुझे अज्ञेय रहा;
सिन्धु यहाँ गम्भीर, अगम,
सखि! पंथ यहाँ ऊँचे टीले

(रसवन्ती, प्र.सं.)

रहस्य

तुम समझोगे बात हमारी?

(1)

उडु-पुंजों के कुंज सघन में,
भूल गया मैं पंथ गगन में,
जगे-जगे, आकुल पलकों में बीत गई कल रात हमारी।

(2)

अस्तोदधि की अरुण लहर में,
पूरब-ओर कनक-प्रान्तर में,
रँग-सी रही पंख उड़-उड़कर तृष्णा सायं-प्रात हमारी।

(3)

सुख-दुख में डुबकी-सी देकर,
निकली वह देखो, कुछ लेकर,
श्वेत, नील दो पद्‌म करों में, सजनी सद्यःस्नात हमारी।

(रसवन्ती, प्र.सं.)

बटोही, धीरे-धीरे गा

बटोही, धीरे-धीरे गा।
बोल रही जो आग उबल तेरे दर्दीले सुर में,
कुछ वैसी ही शिखा एक सोई है मेरे उर में
जलती बत्ती छुला, न यह निर्वापित दीप जला।
बटोही, धीरे-धीरे गा।

फुँकी जा रही रात, दाह से झुलस रहे सब तारे,
फूल नहीं, लय से पड़ते हैं झड़े तप्त अंगारे।
मन की शिखा सँभाल, न यों दुनिया में आग लगा।
बटोही, धीरे-धीरे गा।

दगा दे गया भाग? कि कोई बिछुड़ गया है अपना?
मनसूबे जल गये? कि कोई टूट गया है सपना?
किसी निठुर, निर्मोही के हाथों या गया छला?
बटोही, धीरे-धीरे गा।

करुणा का आवेग? कि तेरा हृदय कढ़ा आता है?
लगता है, स्वर के भीतर से प्रलय बढ़ा आता है?
आहों से फूँकने जगत्-भर का क्यों हृदय चला?
बटोही, धीरे-धीरे गा।

अनगिनती सूखी आँखों से झरने होंगे जारी,
टूटेंगी पपड़ियाँ हृदय की, फूटेगी चिनगारी,
दुखियों का जीवन कुरेदना भी है पाप बड़ा।
बटोही, धीरे-धीरे गा।

नेह लगाने का जग में परिणाम यही होता है,
एक भूल के लिए आदमी जीवन-भर रोता है।
अश्रु पोंछनेवाला जग में विरले को मिलता।
बटोही, धीरे-धीरे गा।

एक भेद है, सुन मतवाले, दर्द न खोल कहीं जा,
मन में मन की आह पचा ले, जहर खुशी से पी जा।
व्यंजित होगी व्यथा, गीत में खुद मत कभी समा।
बटोही, धीरे-धीरे गा।

(सामधेरी, 1944)

निर्जीव प्रेम

(1)

सुन रही हूँ, सुन रही हूँ बाँसुरी की तान।
आग से खाली तुम्हारी साँस की कारीगरी।

गा रही हो वायु में ज्यों काठ की कोई परी।
गीत की मदिरा न मन को सींचने वाली,
फाँस अंकुश में हृदय को खींचने वाली।
आज आया है कहीं कुछ खो तुम्हारा गान।
सुन रही हूँ, सुन रही हूँ बाँसुरी की तान।

(2)

अंग में उठती नहीं झंकार।
खो दिया क्या स्पर्श ने? सिहरी नहीं रोमावली।
देह-लतिका में चटक पायी नहीं कोई कली।
रक्त में लहका नहीं क्यों आग-सा कुछ भी?
चर्म के नीचे न गूँजा राग-सा कुछ भी।
स्पर्श के पीछे नहीं जीवित हृदय का ज्वार।
फिर शिराएँ प्राण की कैसे उठे झंकार?

(3)

यह नहीं विह्वल हृदय का नाद।
यह निरा निर्जीव, कंपनहीन आकुंचन अधर का।
प्रज्वलित चुम्बन रसाकुल यह नहीं संतप्त नर का।
यह न जीवित याचना नर के विकल उर की।
यह न व्याकुल गूँज उफनाये हुए सुर की।
रक्त-कंप नहीं, न तो यह प्राण का संवाद।
यह नहीं रसमग्न नर का मौन, कूजित नाद।

(प्रण-भंग तथा अन्य कविताएँ, 1944)

गीतवासिनी

सात रङ्गों के दिवस, सातों सुरों की रात,
साँझ रच दूँगा गुलाबों से, जवा से प्रात।

पाँव धरने के लिए पथ में मसृण, रंगीन,
भोर का दूँगा बिछा हर रोज मेघ नवीन।

कण्ठ में मोती नहीं, उजली जुही की माल,
अंग पर दूँगा उढ़ा मृदु चाँदनी का जाल।

दूब की ले तूलिका, ले नीलिमा से वारि,
आँक दूँगा दो धनुष भ्रू-देश पर सुकुमारि!

श्रवण के ताटङ्क दो, पीले कुसुम सुकुमार,
पहुँचियों के दो वलय, उजली कली के हार।

स्वर्णदीप्त ललाट पर दे एक टीका लाल,
बाल-रवि से आँक दूँगा चन्द्रमा का भाल।

आँख में काली घटा, उर में प्रणय की प्यास,
साँस में दूँगा मलय का पूर्ण भर उच्छ्वास।

चाँद पर लहराएँगी दो नागिनें अनमोल,
चूमने को गाल दूँगा दो लटों को खोल।

वक्र धन्वा पर चढ़ा दूँगा कुसुम के तीर,
मत्त यौवन-नाग पर लावण्य की जञ्जीर।

कल्पना जग में बनाऊँगा तुम्हारा वास,
और ही धरती जहाँ, कुछ और ही आकाश।

स्वप्न मेरे छानते फिरते निखिल संसार,
रोज लाते हैं नया कुछ रूप का शृंगार।

दूब के अंकुर कभी बौरे बकुल के फूल,
पद्म के केशर कभी कुछ केतकी की धूल,

साँझ की लाली वधू की लाज की उपमान,
चन्द्रमा के अङ्क में सिमटी निशा के गान,

देखती अपलक अपरिचित पुरुरवा की ओर,
उर्वशी की आँख की मद से लबालब कोर,

प्रथम रस-परिरम्भ से कम्पित युवति का वेश,
थरथराते-से अधर-पुट, आलुलायित केश।

चूम कर औचक जलद को भाग जाना दूर,
दामिनी का वह निराला रूप मद से चूर।

रवि-करों के स्पर्श से होकर विकल, कुछ ऊब,
कमलिनी का वारि में जाना कमर तक डूब।

ताल में तन, किन्तु, मन निशि भर शशी में लीन,
कुमुदिनी की आँख आलस-युक्त, निद्रा-हीन।

स्वप्न की सम्पत्ति सारी, प्राण का सब प्यार,
पास हैं जो भी विभव, दूँगा तुम्हीं पर वार।

नग्न उँगली की पहुँच के पार है जो देश,
है जहाँ रहता अलभ आदर्श उज्ज्वल-वेश।

उस धरातल पर करूँगा मैं तुम्हें आसीन,
ताल में भी तुम रहोगी वारि-पङ्क-विहीन।

निज रुधिर के ताप से जलने न दूँगा अङ्ग,
तुम रहोगी साथ रहकर भी सदा निःसङ्ग।

गीत में ढोता फिरूँगा, भाग्य अपना मान,
तुम जियोगी विश्व में बन बाँसुरी की तान।

बाँसुरी की तान वह, जिसमें सजीव, अधीर,
डोलती होगी तुम्हारी मोहिनी तसवीर।

रक्त की दुर्जय क्षुधा, दारुण त्वचा की प्यास,
गीत बनकर छा रही होंगी धरा-आकाश।

तुम बजोगी जब, बजेगी चूमने की चाह,
तुम बजोगी जब, बजेगी आग-जैसी आह।

तुम बजोगी जब, बजेंगे आँसुओं के तार,
बज उठेगी विश्व के प्रति रोम से झङ्कार।

विश्व तुमको घेरकर कलरव करेगा,
फूल का उपहार ला आगे धरेगा।

कुछ तुम्हारी छवि हृदय पर आँक लेंगे;
गीत के भीतर तुम्हें कुछ झाँक लेंगे।

कण्ठ में जाकर बसोगी तुम किसी के।
प्राण में जाकर हँसोगी तुम किसी के।

मैं मुदित हूँगा कि जिस पर लुट रहा संसार,
वह न कोई और, मेरे गीत का गलहार।

(रेणुका, परवर्ती संस्करण, 1946)

चन्द्राह्वान

जागो हे अविनाशी!
जागो किरणपुरुष! कुमुदासन! विधु-मंडल के वासी!
जागो हे अविनाशी!

रत्न-जड़ित-पथ-चारी, जागो,
उडु-वन-वीथि-विहारी, जागो,

जागो रसिक विराग-लोक के, मधुवन के संन्यासी!
जागो हे अविनाशी!

जागो शिल्पि अजर अम्बर के!
गायक महाकाल के घर के!
दिव के अमृतकण्ठ कवि, जागो, स्निग्ध-प्रकाश-प्रकाशी।
जागो हे अविनाशी!

विभा-सलिल का मीन करो हे!
निज में मुझको लीन करो हे!
विधु-मंडल में आज डूब जाने का मैं अभिलाषी!
जागो हे अविनाशी!

(नील कुसुम, 1946)

पावस-गीत

अम्बर के गृह गान रे, घन-पाहुन आये।

इन्द्रधनुष मेचक-रुचि-हारी,
पीत वर्ण दामिनि-द्युति न्यारी,
प्रिय की छवि पहचान रे, नीलम घन छाये।

वृष्टि-विकल घन का गुरु गर्जन,
बूँद-बूँद में स्वप्न-विसर्जन,
वारिद सुकवि समान रे बरसे कल पाये।

तृण, तरु, लता, कुसुम पर सोई,
बजने लगी सजल सुधि कोई,
सुन-सुन आकुल प्राण रे, लोचन भर आये।

(नील कुसुम, 1947)

गायक

ढलकते गीत में मोती,
चमकती आँख में शबनम।

तुम्हारी बाँसुरी की तान में
छिप रो रहा कोई।
गुलाबी आँख अपनी
आँसुओं से धो रहा कोई।
तुम्हारे गीत में तारे
झपकते-झिलमिलाते हैं,
कमल, मानो, सरोवर में
निकलते, डूब जाते हैं।

मनाती हो चिता के पास
जैसे चाँदनी मातम।
ढलकते गीत में मोती,
चमकती आँख में शबनम।

नहा कर सात रंगों में
कहीं से वेदना आयी,
उदासी या किसी गम की
उषा के लोक में छायी।
कसकती वेदना ऐसे कि
जैसे प्राण हिलते हों,
किरण-सी फूटती, मानो,
तिमिर में फूल खिलते हों।

अँधेरी रात में ज्यों बज
रही हो ज्योति की सरगम।
ढलकते गीत में मोती,
चमकती आँख में शबनम।

(नील कुसुम, 1947)

नील कुसुम

"है यहाँ तिमिर, आगे भी ऐसा ही तम है,
तुम नील कुसुम के लिए कहाँ तक जाओगे?
जो गया, आज तक नहीं कभी वह लौट सका,
नादान मर्द! क्यों अपनी जान गँवाओगे?

प्रेमिका! अरे, उन शोख़ बुतों का क्या कहना!
वे तो यों ही उन्माद जगाया करती हैं;
पुतली से लेतीं बाँध प्राण की डोर प्रथम,
पीछे चुम्बन पर क़ैद लगाया करती हैं।

इनमें से किसने कहा, चाँद से कम लूँगी?
पर, चाँद तोड़ कर कौन मही पर लाया है?
किसके मन की कल्पना गोद में बैठ सकी?
किसका जहाज़ फिर देश लौट कर आया है?"

ओ नीतिकार! तुम झूठ नहीं कहते होगे,
बेकार मगर, पगलों को ज्ञान सिखाना है;
मरने का होगा ख़ौफ़, मौत की छाती में
जिसको अपनी ज़िन्दगी ढूँढ़ने जाना है?

औ' सुना कहाँ तुमने कि ज़िन्दगी कहते हैं,
सपनों ने देखा जिसे, उसे पा जाने को?
इच्छाओं की मूर्तियाँ घूमतीं जो मन में,
उनको उतार मिट्टी पर गले लगाने को?

ज़िन्दगी, आह! वह एक झलक रंगीनी की,
नंगी उँगली जिसको न कभी छू पाती है,
हम जभी हाँफते हुए चोटियों पर चढ़ते,
वह खोल पंख चोटियाँ छोड़ उड़ जाती है।

रंगीनी की वह एक झलक, जिसके पीछे
है मची हुई आपा-आपी मस्तानों में,
वह एक दीप जिसके पीछे हैं डूब रहीं
दीवानों की किश्तियाँ कठिन तूफ़ानों में।

डूबती हुई किश्तियाँ! और यह किलकारी!
ओ नीतिकार! क्या मौत इसी को कहते हैं?
है यही ख़ोफ़, जिससे डरकर जीनेवाले
पानी से अपना पाँव समेटे रहते हैं?

ज़िन्दगी गोद में उठा-उठा हलराती है
आशाओं की भीषिका झेलनेवालों को;
ओ' बड़े शौक़ से मौत पिलाती है जीवन
अपनी छाती से लिपट खेलनेवालों को।

तुम लाशें गिनते रहे खोजनेवालों की,
लेकिन, उनकी असलियत नहीं पहचान सके;
मुरदों में केवल यही ज़िन्दगीवाले थे
जो फूल उतारे बिना लौट कर आ न सके।

हो जहाँ कहीं भी नील कुसुम की फुलवारी,
मैं एक फूल तो किसी तरह ले जाऊँगा,
जूड़े में जब तक भेंट नहीं यह बाँध सकूँ,
किस तरह प्राण की मणि को गले लगाऊँगा?

(नील कुसुम, 1950)

स्वर्ण-घन

उठो, क्षितिज-तट छोड़ गगन में कनक-वरण घन हे!
बरसो, बरसो, भरें रंग से निखिल प्राण-मन हे!

भींगे भुवन सुधा-वर्षण में,
उगे इन्द्र-धनुषीं मन-मन में,
भूले क्षण भर व्यथा समर-जर्जर विषण्ण जन हे!
उठो, क्षितिज-तट छोड़ गगन में कनक-वरण घन हे!

गरजे गुरु-गम्भीर घनाली,
प्रमुदित उड़ें मराल-मराली,
खुलें जगत् के जड़ित-अन्ध रस के वातायन हे!
उठो, क्षितिज-तट छोड़ गगन में कनक-वरण घन हे!

बरसे रिम-झिम रंग गगन से,
भींगे स्वप्न निकल मन-मन से,
करे कल्पना की तरंग पर मानव नर्तन हे!
उठो, क्षितिज-तट छोड़ गगन में कनक-वरण घन हे!

जय हो, रंजित धनुष बढ़ाओ,
भू को नभ के साथ मिलाओ,
भरो, भरो भू की श्रुति में निज अनुरंजन स्वन हे!
उठो, क्षितिज-तट छोड़ गगन में कनक वरण-घन हे!

(मृत्ति-तिलक, 1951)

द्वन्द्व गीत

(1)

चाहे जो भी फसल उगा ले,
तू जलधार बहाता चल।
जिसका भी घर चमक उठे,
तू मुक्त प्रकाश लुटाता चल।
रोक नहीं अपने अन्तर का
वेग किसी आशंका से,

मन में उठें भाव जो, उनको
गीत बना कर गाता चल।

(2)

तुझे फिक्र क्या, खेती को
प्रस्तुत है कौन किसान नहीं?
जोत चुका है कौन खेत?
किसको मौसिम का ध्यान नहीं?
कौन समेटेगा, किसके
खेतों से जल बह जाएगा?
इस चिन्ता में पड़ा अगर
तो बाकी फिर ईमान नहीं।

(3)

तू जीवन का कंठ, भंग
इसका कोई उत्साह न कर,
रोक नहीं आवेग प्राण के,
सँभल-सँभल कर आह न कर।
उठने दे हुंकार हृदय से,
जैसे वह उठना चाहे;
किसका, कहाँ वक्ष फटता है,
तू इसकी परवाह न कर।

(4)

हम पर्वत पर की पुकार हैं,
वे घाटी के वासी हैं;
वन में भी वे गृही और
हम गृह में भी संन्यासी हैं।
वे लेते कर बन्द खिड़कियाँ
डर कर तेज हवाओं से;
झंझाओं में पंख खोल
उड़ने के हम अभ्यासी हैं।

(5)

जब-तब मैं सोचता कि क्यों
छन्दों के जाल बिछाता हूँ,
सुनता भी कोई कि शून्य में
मैं झंझा-सा गाता हूँ।
आएगा वह कभी पियासे
गीतों को शीतल करने,
जीवन के सपने बिखेर कर
जिसका पन्थ सजाता हूँ?

(6)

रोक हृदय में उसे, अतल से
मेघ उठा जो आता है।
घिरती है जो सुधा, बोल कर
तू क्यों उसे गँवाता है?
कलम उठा मत दौड़ प्राण के
कंपन पर प्रत्येक घड़ी।
नहीं जानता, गीत लेख
बनते-बनते मर जाता है?

(7)

छिप कर मन में बैठ और
सुन तो नीरव झंकारों को।
अन्तर्नभ पर देख, ज्योति में
छिटके हुए सितारों को।
बड़े भाग्य से ये खिलते हैं
कभी चेतना के वन में।
यों बिखेरता मत चल सड़कों
पर अनमोल विचारों को।

(8)

तू जो कहना चाह रहा,
वह भेद कौन जन जानेगा?

कौन तुझे तेरी आँखों से
बन्धु! यहाँ पहचानेगा?
जैसा तू, वैसे ही तो
ये सभी दिखाई पड़ते हैं;
तू इन सब से भिन्न ज्योति है,
कौन बात यह मानेगा?

(9)

जादू की ओढ़नी ओढ़ जो
परी प्राण में जागी है;
उसकी सुन्दरता के आगे
क्या यह कीर्त्ति अभागी है?
पचा सकेगा नहीं स्वाद क्या
इस रहस्य का भी मन में?
तब तो तू, सत्य ही, अभी तक
भी अपूर्ण अनुरागी है।

(10)

बहुत चला तू केन्द्र छोड़ कर
दूर स्वयं से जाने को;
अब तो कुछ दिन पन्थ मोड़
पन्थी! अपने को पाने को।
जला आग कोई जिससे तू
स्वयं ज्योति साकार बने,
दर्द बसाना भी यह क्या
गीतों का ताप बढ़ाने को!

(11)

कौन वीर है, एक बार व्रत
लेकर कभी न डोलेगा?
कौन संयमी है, रस पीकर
स्वाद नहीं फिर बोलेगा?

यों तो फूल सभी पाते हैं,
पायेगा फल, किन्तु, वही,
मन में जन्मे हुए वृक्ष का
भेद नहीं जो खोलेगा।

(12)

तारे लेकर जलन, मेघ
आँसू का पारावार लिये,
संध्या लिये विषाद, पुजारिन
उषा विफल उपहार लिये,
हँसे कौन? तुझको तजकर जो
चला वही हैरान चला,
रोती चली बयार, हृदय में
मैं भी हाहाकार लिये।

(13)

देखें तुझे किधर से आकर?
नहीं पन्थ का ज्ञान हमें।
बजती कहीं बाँसुरी तेरी,
बस, इतना ही भान हमें।
शिखरों से ऊपर उठने
देती न हाय, लघुता अपनी;
मिट्टी पर झुकने देता है
देव, नहीं अभिमान हमें।

(14)

एक चाह है, जान सकूँ, यह
छिपा हुआ दिल में क्या है।
सुनकर भी न समझ पाया
इस आखर अनमिल में क्या है।
ऊँचे-टीले पन्थ सामने
अब तक तो विश्राम नहीं,

यही सोच बढ़ता जाता हूँ,
देखूँ, मंजिल में क्या है।

(15)

चलने दे रेती खराद की,
रुके नहीं यह क्रम तेरा।
अभी फूल मोती पर गढ़ दे,
अभी वृत्त का दे घेरा।
जीवन का यह दर्द मधुर है,
तू न व्यर्थ उपचार करे।
किसी तरह ऊषा तक टिमटिम
जलने दे दीपक मेरा।

(16)

क्या पूछूँ खद्योत, कौन सुख
चमक-चमक छिप जाने में?
सोच रहा कैसी उमंग है
जलते-से परवाने में।
हाँ, स्वाधीन सुखी हैं, लेकिन
ओ व्याधा के कोर, बता,
कैसा है आनन्द जाल में
तड़प-तड़प रह जाने में?

(17)

छूकर परिधि-बन्ध फिर आते
विफल खोज आह्वान तुम्हें।
सुरभि-सुमन के बीच देव,
कैसे भाता व्यवधान तुम्हें?
छिपकर किसी पर्ण-झुरमुट में
कभी-कभी कुछ बोलो तो;
कब से रहे पुकार सत्य के
पथ पर आकुल गान तुम्हें!

(18)

देख न पाया प्रथम चित्र, त्यों
अन्तिम दृश्य न पहचाना,
आदि-अन्त के बीच सुना
मैंने जीवन का अफसाना।
मंजिल थी मालूम न मुझको
और पन्थ का ज्ञान नहीं,
जाना था निश्चय, इससे
चुपचाप पड़ा मुझको जाना।

(19)

चलना पड़ा बहुत, देखा था
जब तक यह संसार नहीं,
इस घाटी में भी रुक पाया
मेरा यह व्यापार नहीं।
कुदूँगा निर्वाण-जलधि में
कभी पार कर इस जग को,
जब तक शेष पन्थ, तब तक
विश्राम नहीं, उद्धार नहीं।

(20)

दिये नयन में अश्रु, हृदय में
भला किया जो प्यार दिया,
मुझमें मुझे मग्न करने को
स्वप्नों का संसार दिया।
सब-कुछ दिया मूक प्राणों को
वंशी में वाणी देकर,
पर क्यों हाय, तृषा दी, उर में
भीषण हाहाकार दिया?

(21)

कितनों की लोलुप आँखों ने
बार-बार प्याली हेरी।

पर, साकी अल्हड़ अपनी ही
इच्छा पर देता फेरी।
हो अधीर मैंने प्याली को
थाम मधुर रस पान किया,
फिर देखा, साकी मेरा था,
प्याली औ' दुनिया मेरी।

(22)

विभा, विभा, ओ विभा हमें दे,
किरण! सूर्य! दे उजियाली।
आह! युगों से घेर रही
मानव-शिशु को रजनी काली।
प्रभो! रिक्त यदि कोष विभा का
तो फिर इतना ही कर दे;
दे जगती को फूँक, तनिक
झिलमिला उठे यह अँधियाली।

(23)

तू, वह, सब एकाकी आये,
मैं भी चला अकेला था;
कहते जिसे विश्व, वह तो
इन असहायों का मेला था।
पर, कैसा बाजार? विदा-दिन
हम क्यों इतना लाद चले?
सच कहता हूँ, जब आया
तब पास न एक अधेला था।

(24)

मेरे उर की कसक हाय,
तेरे मन का आनन्द हुई।
इन आँखों की अश्रुधार ही
तेरे हित मकरन्द हुई।

तू कहता 'कवि' मुझे, किन्तु,
आहत मन यह कैसे माने?
इतना ही है ज्ञात कि मेरी
व्यथा उमड़कर छन्द हुई।

(25)

मैं रोता था हाय, विश्व
हिमकण की करुण कहानी है।
सुन्दरता जलती मरघट में,
मिटती यहाँ जवानी है।
पर, बोला कोई कि जरा
मोती की ओर निहारो तो।
दो दिन ही हो सही, किन्तु,
देखो कैसा यह पानी है!

(26)

रूप, रूप, हाँ रूप, सुना था,
जगती है मधु की प्याली।
यहाँ सुधा मिलती अधरों में,
आँखों में मद की लाली।
उतराता ही नित रहता
यौवन रसधार-तरंगों में,
बरसाती मधुकण जीवन में
यहाँ सुन्दरी मतवाली।

(27)

सो, देखा चाँदनी एक दिन
राज अमा पर छोड़ गयी।
खिजाँ रोकता रहा लाख,
कोयल वन से मुँह मोड़ गयी।
और आज क्यारी क्यों सूनी?
अरे, बता, किसने देखा?

गलबाँही डाले सुन्दरता
काल-संग किस ओर गयी?

(28)

कलिके, मैं चाहता तुम्हें
उतना जितना यह भ्रमर नहीं,
अरी, तटी की दूब, मधुर तू
उतनी जितना अधर नहीं;
किसलय, तू भी मधुर,
चन्द्रवदनी निशि, तू, मादक रानी।
दुख है, इस आनन्द-कुंज में
मैं ही केवल अमर नहीं।

(29)

दूब-भरी इस शैल-तटी में
उषा विहँसती आयेगी,
युग-युग कली हँसेगी, युग-युग
कोयल गीत सुनायेगी,
घुल-मिल चन्द्र-किरण में
बरसेगी भू पर आनन्द-सुधा,
केवल मैं न रहूँगा, यह
मधु-धार उमड़ती जाएगी।

(30)

बिछुड़े मित्र, छला मैत्री ने,
जग ने अगणित शाप दिये;
अश्रु पोंछ तू दूब-फूल से
मन बहलाती रही प्रिये।
भूलूँगा न प्रिया की चितवन,
मैत्री की शीतल छाया,
जाऊँगा जगती से, लेकिन,
तेरी भी तसवीर लिये।

(31)

यह फूलों का देश मनोरम
कितना सुन्दर है रानी!
इससे मधुर स्वर्ग? परियाँ
तुझ-सी क्या सुन्दर कल्याणी?
अरे, मरूँगा कल तो फिर क्यों
आज नहीं रसधार बहे?
फूल-फूल पर फिरे न क्यों
कविता तितली-सी दीवानी?

(32)

पाटल-सा मुख, सरल, श्याम दृग
जिनमें कुछ अभिमान नहीं,
सरल मधुर वाणी जिससे
मादक कवियों के गान नहीं;
रेशम के तारों से चिकने बाल,
हृदय की क्या जानूँ?
आँखें मुग्ध देखतीं, रहता
पाप-पुण्य का ध्यान नहीं।

(33)

बार-बार द्वादशी-चन्द्र की
किरणों में तू मुसकायी,
बार-बार नवफूलों में तू
रूप-लहर बन लहरायी।
हिमकण से भींगे गुलाब तू
चुनती थी उस दिन वन में,
बार-बार उसकी पुलक-स्मृति
उमड़-उमड़ दृग में छायी।

(34)

ये नवनीत-कपोल, गुलाबों
की जिनमें लाली खोयी;

ये नलिनी-से नयन, जहाँ
काजल बन लघु अलिनी सोई;
कोंपल से अधरों को रँगकर
कब वसन्त-कर धन्य हुआ?
किस विरही ने तनु की यह
धवलिमा आँसुओं में धोयी?

(35)

युग-युग से तूलिका चित्र
खींचते विफल, असहाय थकी,
उपमा रही अपूर्ण, निखिल
सुषमा चरणों पर आन झुकी।
बार-बार कुछ गाकर कुछ की
चिन्ता में कवि दीन हुआ;
सुन्दरि! कहाँ कला अबतक भी
तुझे छन्द में बाँध सकी?

(36)

उतरी दिव्य-लोक से भू पर
तू बन देवि! सुधा-सलिला,
प्रथम किरण जिस दिन फूटी थी,
उस दिन पहला स्वप्न खिला।
फूटा कवि का कण्ठ, प्रथम
मानव के उर की खिली कली,
मधुर ज्योति जगती में जागी,
सत्-चित् को आनन्द मिला।

(37)

जिस दिन विजन, गहन कानन में
ध्वनित मधुर मंजीर हुई
चौंक उठे ये प्राण, शिराएँ
उर की विकल अधीर हुई।

तूने बन्दी किया हृदय में,
देवि, मुझे तो स्वर्ग मिला,
आलिंगन में बँधा और
ढीली जग की जंजीर हुई।

(38)

तू मानस की मधुर कल्पना,
वाणी की झंकार सखी!
गानों का अन्तर्गायन तू
प्राणों की गुंजार सखी!
मैं अजेय सोचा करता हूँ,
क्यों पौरुष बलहीन यहाँ?
सब कुछ होकर भी आखिर हूँ
चरणों का उपहार सखी!

(39)

खोज रही तितली-सी वन-वन
तुम्हें कल्पना दीवानी।
रँगती चित्र बैठ निर्जन में
रूपसि! कविता कल्याणी।
मैं निर्धन ऊँघती कली-से
स्वप्न बिछा निर्जन पथ पर
बाट जोहता हूँ कुटीर में
आओ अलका की रानी!

(40)

कुछ सुन्दरता छिपी मुकुल में,
कुछ हँसते-से फूलों में;
कुछ सुहागिनी के कपोल,
काजल, सिन्दूर, दुकूलों में।
कविते, भूल न इस उपवन पर,
मृत-कुसुमों की याद करे;

वह होगी कैसी छवि जो
छिप रही चिता की धूलों में?

(41)

आह, चाहता मैं क्यों जाए
जग से कभी वसन्त नहीं?
आशा-भरे स्वर्ण-जीवन का
किसी रोज हो अन्त नहीं?
था न कभी, तो फिर क्या चिन्ता
आगे कभी नहीं हूँगा?
यदि पहले था, तो क्या हूँगा
अब से अरे, अनन्त नहीं?

(42)

भू की झिलमिल रजत-सरित ही
घटा गगन की काली है;
मेंहदी के उर की लाली ही
पत्तों में हरियाली है;
जुगनू की लघु विभा दिवा में
कलियों की मुसकान हुई;
उडु को ज्योति उसी ने दी,
जिसने निशि को अँधियाली है।

(43)

जीवन ही कल मृत्यु बनेगा,
और मृत्यु ही नव-जीवन,
जीवन-मृत्यु-बीच तब क्यों
द्वन्द्वों का यह उत्थान-पतन?
ज्योति-विन्दु चिर नित्य अरे, तो
धूल बनूँ या फूल बनूँ,
जीवन दे मुसकान जिसे, क्यों
उसे कहो दे अश्रु मरण?

(44)

जाग प्रिये! यह अमा स्वयं
बालारुण-मुकुट लिये आयी,
जल, थल, गगन, पवन, तृण, तरु पर
अभिनव एक विभा छायी;
मधुपों ने कलियों को पाया,
किरणें लिपट पड़ीं जल से,
ईर्ष्यावती निशा अब बीती,
चकवा ने चकवी पायी।

(45)

दो अधरों के बीच खड़ी थी
भय की एक तिमिर-रेखा,
आज ओस के दिव्य कणों में
धुल उसको मिटते देखा।
जाग, प्रिये! निशि गयी, चूमती
पलक उतरकर प्रात-विभा,
जाग, लिखे चुम्बन से हम
जीवन का प्रथम मधुर लेखा।

(46)

अधर-सुधा से सींच, लता में
कटुता कभी न आयेगी,
हँसनेवाली कली एक दिन
हँसकर ही झर जाएगी।
जाग रहे चुम्बन में तो क्यों
नींद न स्वप्न मधुर होगी?
मादकता जीवन की पीकर
मृत्यु मधुर बन जाएगी।

(47)

और नहीं तो क्यों गुलाब की
गमक रही सूखी डाली?

सुरा बिना पीते मस्ताने
धो-धो क्यों टूटी प्याली?
उगा अरुण प्राची में तो क्यों
दिशा प्रतीची जाग उठी?
चूमा इस कपोल पर, उसपर
कैसे दौड़ गयी लाली?

(48)

रति-अनंग-शासित धरणी यह,
ठहर पथिक मधु रस पी ले;
इन फूलों की छाँह जुड़ा ले,
कर ले शुष्क अधर गीले;
आज सुमन-मंडप में सोकर
परदेसी! निज श्रान्ति मिटा;
चरण थके होंगे, तेरे पथ
बड़े अगम, ऊँचे-टीले।

(49)

कुसुम-कुसुम में प्रखर वेदना,
नयन-अधर में शाप यहाँ,
चन्दन में कामना-वह्नि, विधु
में चुम्बन का ताप यहाँ।
उर-उर में बंकिम धनु, दृग-दृग
में फूलों के कुटिल विशिख;
यह पीड़ा मधुमयी, मनुज
बिंधता आ अपने-आप यहाँ।

(50)

यहाँ लता मिलती तरु से
मधु कलियाँ हमें पिलाती हैं,
पीती ही रहतीं यौवन-रस,
आँखें नहीं अघाती हैं।

कर्मभूमि के थके श्रमिक को
इस निकुंज की मधुबाला
एक घूँट में शान्ति मिटाकर
बेसुध, मत्त बनाती है।

(51)

यात्री हूँ अति दूर देश का,
पल-भर यहाँ ठहर जाऊँ,
थका हुआ हूँ, सुन्दरता के
साथ बैठ मन बहलाऊँ;
'एक घूँट बस और'--हाय रे,
ममता छोड़ चलूँ कैसे?
दूर देश जाना है, लेकिन,
यह सुख रोज कहाँ पाऊँ?

(52)

'दूर-देश'--हाँ ठीक, याद है,
यह तो मेरा देश नहीं;
इससे होकर चलो, यहीं तक
रुकने का आदेश नहीं।
बजा शंख, कारवाँ चला,
साकी, दे विदा, चलूँ मैं भी,
कभी-कभी हम गिन पाते हैं
प्रिये! मीन औ' मेष नहीं।

(53)

सचमुच, मधुफल लिये मरण का
जीवन-लता फलेगी क्या?
आग करेगी दया? चिता में
काया नहीं जलेगी क्या?
कहती है कल्पना, मधुर
जीवन को क्यों कटु अन्त मिले?

पर, जैसे छलती वह सबको
वैसे मुझे छलेगी क्या?

(54)

मधुबाले! तेरे अधरों से
मुझको रंच विराग नहीं,
यह न समझना देवि! कुटिल
तीरों के दिल पर दाग नहीं;
जी करता है हृदय लगाऊँ,
पल-पल चूमूँ, प्यार करूँ,
किन्तु, आह! यदि हमें जलाती
क्रूर चिता की आग नहीं।

(55)

दो कोटर को छिपा रहीं
मदमाती आँखें लाल सखी!
अस्थि-तन्तु पर ही तो हैं
ये खिले कुसुम-से गाल सखी!
और कुचों के कमल? झरेंगे
ये तो जीवन से पहले,
कुछ थोड़ा-सा मांस प्राण का
छिपा रहा कंकाल सखी!

(56)

बचे गहन से चाँद, छिपाऊँ
किधर? सोच चल होता हूँ,
मौत साँस गिनती तब भी जब
हृदय लगाकर सोता हूँ।
दया न होगी हाय, प्रलय को
इस सुन्दर मुखड़े पर भी,
जिसे चूम हँसती है दुनिया,
उसे देख मैं रोता हूँ।

(57)

जाग, देख फिर आज बिहँसती
कल की वही उषा आयी,
कलियाँ फिर खिल उठीं, सरित पर
परिचित वही विभा छायी,
रंजित मेघों से मेदुर नभ
उसी भाँति फिर आज हँसा,
भू पर, मानो, पड़ी आज तक
कभी न दुख की परछाईं।

(58)

रँगने चलीं ओस-मुख किरणें
खोल क्षितिज का वातायन,
जानें, कहाँ चले उड़-उड़कर
फूलों की ले गन्ध पवन;
हँसने लगे फूल, किस्मत पर
रोने का अवकाश कहाँ?
बीते युग, पर भूल न पायी
सरल प्रकृति अपना बचपन।

(59)

मैं भी हँसूँ फूल-सा खिलकर?
शिशु अबोध हो लूँ कैसे?
पीकर इतनी व्यथा, कहो,
तुतली वाणी बोलूँ कैसे?
जी करता है, मत्त वायु बन
फिरूँ; कुंज में नृत्य करूँ,
पर, हूँ विवश हाय, पंकज का
हिमकण हूँ, डोलूँ कैसे?

(60)

शान्त पाप! जग के मंगल में
रो मेरे कवि और नहीं,

सुधा-सिक्त पल ये, आँसू का
समय नहीं, यह ठौर नहीं;
अन्तर्जलन रहे अन्तर में,
आज बसन्त-उछाह यहाँ;
आँसू देख कहीं मुरझें
बौरे आमों के मौर नहीं।

(61)

औ' रोना भी व्यर्थ, मृदुल जब
हुआ व्यथा को भार नहीं,
आँसू पा बढ़ता जाता है,
घटता पारावार नहीं;
जो कुछ मिले भोग लेना है,
फूल हों कि हों शूल सखे!
पश्चात्ताप यही कि नियति पर
हमें स्वल्प अधिकार नहीं।

(62)

कौन बड़ाई, चढ़े शृंग पर
अपना एक बोझ लेकर!
कौन बड़ाई, पार गये यदि
अपनी एक तरी खेकर?
अबुध-विज्ञ को माँ यह धरती
उसको तिलक लगाती है,
खुद भी चढ़े, साथ ले झुककर
गिरतों को बाँहें देकर।

(63)

पत्थर ही पिघला न, कहो
करुणा की रही कहानी क्या?
टुकड़े दिल के हुए नहीं,
तब बहा दृगों से पानी क्या?

मस्ती क्या जिसको पाकर फिर
दुनिया की भी याद रही?
डरने लगी मरण से तो फिर
चढ़ती हुई जवानी क्या?

(64)

नूर एक वह रहे तूर पर,
या काशी के द्वारों में;
ज्योति एक वह खिले चिता में,
या छिप रहे मजारों में।
बहती नहीं उमड़ कूलों से,
नदियों को कमजोर कहो;
ऐसे हम, दिल भी कैदी है
ईंटों की दीवारों में।

(65)

किरणों के दिल चीर देख,
सबमें दिनमणि की लाली रे!
चाहे जितने फूल खिलें
पर, एक सभी का माली रे!
साँझ हुई, छा गयी अचानक
पूरब में भी अँधियाली,
आती उषा, फैल जाती
पश्चिम में भी उजियाली रे!

(66)

ठोकर मार फोड़ दे उसको
जिस बरतन में छेद रहे,
वह लंका जल जाए जहाँ
भाई-भाई में भेद रहे।
गजनी तोड़े सोमनाथ को,
काबे को दें फूँक शिवा,

जले कुराँ अरबी रेतों में,
सागर जा फिर वेद रहे।

(67)

रह-रह कूक रही मतवाली
कोयल कुंज-भवन में है,
श्रवण लगा सुन रहीं दिशाएँ,
स्थिर शशि मध्य गगन में है।
किसी महा-सुख में तन्मय
मंजरी आम्र की झुकी हुई,
अभी पूछ मत प्रिये, छिपी-सी
मृत्यु कहाँ जीवन में है?

(68)

तू बैठी ही रही हृदय में
चिन्ताओं का भार लिये,
जीवन-पूर्व मरण-पर भेदों
के शत जटिल विचार लिये;
शीर्ण वसन तज इधर प्रकृति ने
नूतन पट परिधान किया,
आ पहुँचा लो अतिथि द्वार पर
नूपुर की झंकार किये।

(69)

वृथा यत्न, पीछे क्या छूटा,
इस रहस्य को जान सकें;
वृथा यत्न, जिस ओर चले
हम उसे अभी पहचान सकें।
होगा कोई क्षण उसका भी,
अभी मोद से काम हमें;
जीवन में क्या स्वाद, अगर
खुलकर हम दो पल गा न सकें?

(70)

तुम्हें मरण का सोच निरन्तर,
तो पीयूष पिया किसने?
तुम असीम से चकित, इसे
सीमा में बाँध लिया किसने?
सब आये हँस, बोल, सोच,
कह, सुन मिट्टी में लीन हुए!
इस अनन्त विस्मय का सुन्दरि!
उत्तर कहो दिया किसने?

(71)

छोड़े पोथी-पत्र, मिला जब
अनुभव में आह्लाद मुझे,
फूलों की पत्ती पर अंकित
एक दिव्य संवाद मुझे;
दहन धर्म मानव का पाया,
अतः, दुःख भयहीन हुआ;
अब तो दह्यमान जीवन में
भी मिलता कुछ स्वाद मुझे।

(72)

एक-एक कर सभी शिखाओं
को मैं गले लगाऊँगा,
भोगूँगा यातना कठिन,
दुर्वह सुख-भार उठाऊँगा;
रह न जाए अज्ञेय यहाँ कुछ,
आया तो इतना कर लूँ;
बढ़ने दो, जीवन की अति से
अधिक निकट मैं जाऊँगा।

(73)

मधु-पूरित मंजरी आम्र की
देखो, नहीं सिहरती है;

चू न जाए रस-कोष कहीं,
इससे मन-ही-मन डरती है!
पर, किशोर कोंपलें विटप की
निज को नहीं सँभाल सकीं,
पा ऋतुपति का ताप द्रवित
उर का रस अर्पण करती हैं।

(74)

प्राणों में उन्माद वर्ष का,
गीतों में मधुकण भर लें;
जड़-चेतन बिंध रहे, हृदय पर
हम भी केशर के शर लें।
यह विद्रोही पर्व प्रकृति का
फिर न लौटकर आवेगा;
सखि! बसन्त को खींच हृदय में
आओ आलिंगन कर लें।

(75)

पहली सीख यही जीवन की,
अपने को आबाद करो,
बस न सके दिल की बस्ती, तो
आग लगा बरबाद करो।
खिल पायें, तो कुसुम खिलाओ,
नहीं? करो पतझाड़ इसे,
या तो बाँधो हृदय फूल से,
याकि इसे आजाद करो।

(76)

मैं न जानता था अब तक;
यौवन का गरम लहू क्या है;
मैं पीता क्या निर्निमेष?
दृग में भर लाती तू क्या है?

तेरी याद, ध्यान में तेरे
विरह-निशा कटती सुख से,
हँसी-हँसी में किन्तु, हाय,
दृग से पड़ता यह चू क्या है?

(77)

उमड़ चलो यमुना प्राणों की,
हेम-कुम्भ भर जाओ तो;
भूले भी आ कभी तीर पर
नूपुर सजनि! बजाओ तो।
तनिक ठहर तट से झुक देखो,
मुझ में किसका बिम्ब पड़ा?
नील वारि को अरुण करो,
चरणों का राग बहाओ तो।

(78)

दौड़-दौड़ तट से टकरातीं
लहरें लघु रो-रो सजनी!
इन्हें देख लेने दो जी भर,
मुख न अभी मोड़ो सजनी!
आज प्रथम संध्या सावन की,
इतनी भी तो करो दया,
कागज की नौका में धीरे
एक दीप छोड़ो सजनी!

(79)

प्रकृति अचेतन दिव्य रूप का
स्वागत उचित सजा न सकी
ऊषा का पट अरुण छीन
तेरे पथ बीच बिछा न सकी।
रज न सकी बन कनक-रेणु,
कंटक को कोमलता न मिली,

पग-पग पर तेरे आगे वसुधा
मृदु कुसुम खिला न सकी।

(80)

अब न देख पाता कुछ भी यह
भक्त विकल, आतुर तेरा,
आठों पहर झूलता रहता
दृग में श्याम चिकुर तेरा।
अर्थ ढूँढ़ते जो पद में,
मैं क्या उनको निर्देश करूँ?
चरण-चरण में एक नाद,
बजता केवल नूपुर तेरा।

(81)

पूजा का यह कनक-दीप
खँडहर में आन जलाया क्यों?
रेगिस्तान हृदय था मेरा,
पाटल-कुसुम खिलाया क्यों?
मैं अन्तिम सुख खोज रहा था
तप्त बालुओं में गिरकर।
बुला रहा था सर्वनाश को
यह पीयूष पिलाया क्यों?

(82)

तुझे ज्ञात जिसके हित इतना
मचा रही कल-रोर, सखी!
खड़ा पान्थ वह उस पथ पर
जाता जो मरघट ओर, सखी!
यह विस्मय! जंजीर तोड़
कल था जिसने वैराग्य लिया,
आज उसी के लिए हुआ
फूलों का पाश कठोर, सखी!

(83)

बोल, दाह की कोयल मेरी
बोल दहकती डारों पर,
अर्द्ध-दग्ध तरु की फुनगी पर,
निर्जल - सरित - कगारों पर।
अमृत-मन्त्र का पाठ कभी
मायाविनि! मृषा नहीं होता,
उगी जा रहीं नयी कोंपलें
तेरी मधुर पुकारों पर।

(84)

दृग में सरल ज्योति पावन,
वाणी में अमृत-सरस क्या है?
ताप-विमोचन कुछ अमोघ
गुणमय यह मधुर परस क्या है?
धूलि-रचित प्रतिमे! तुम भी तो
मर्त्यलोक की एक कली,
ढूँढ़ रहा फिर यहाँ विरम
मेरा मन चकित, विवश क्या है?

(85)

चिर-जाग्रत वह शिखा, जला तू
गयी जिसे मंगल-क्षण में;
नहीं भूलती कभी, कौंध
जो विद्युत समा गयी घन में।
बल समेट यदि कभी देवता
के चरणों में ध्यान लगा;
चिकुर-जाल से घिरा चन्द्रमुख
सहसा घूम गया मन में।

(86)

अमित बार देखी है मैंने
चरम-रूप की वह रेखा,

सच है, बार-बार देखा
विधि का वह अनुपमेय लेखा।
जी-भर देख न सका कभी,
फिर इन्द्रजाल दिखलाओ तो,
बहुत बार देखा, पर लगता
स्यात्, एक दिन ही देखा।

(87)

हेर थका तू भेद, गगन पर
क्यों उडु-राशि चमकती है?
देख रहा मैं खड़ा, मग्न
आँखों की तृषा न छकती है।
मैं प्रेमी, तू ज्ञान-विशारद,
मुझमें, तुझमें भेद यही,
हृदय देखता उसे, तर्क से
बुद्धि न जिसे समझती है।

(88)

उसे पूछ विस्मृति का सुख क्या,
लगा घाव गम्भीर जिसे,
जग से दूर हटा ले बैठी
दिल की प्यारी पीर जिसे।
जागरूक ज्ञानी बनकर जो
भेद नहीं तू जान सका,
पूछ, बतायेगा, फूलों की
बाँध चुकी जंजीर जिसे।

(89)

हर साँझ एक वेदना नयी,
हर भोर सवाल नया देखा;
दो घड़ी नहीं आराम कहीं,
मैंने घर-घर जा-जा देखा।

जो दवा मिली पीड़ाओं की,
उसमें भी कोई पीर नयी;
मत पूछ कि तेरी महफिल में
मालिक, मैंने क्या-क्या देखा।

(90)

जिनमें बाकी ईमान, अभी
वे भटक रहे वीरानों में,
दे रहे सत्य की जाँच
आखिरी दम तक रेगिस्तानों में।
ज्ञानी वह जो हर कदम धरे
बचकर तप की चिनगारी से,
जिनको मस्तक का मोह नहीं,
उनकी गिनती नादानों में।

(91)

मैंने देखा आबाद उन्हें
जो साथ जीस्त के जलते थे,
मंजिलें मिलीं उन वीरों को
जो अंगारों पर चलते थे।
सच मान, प्रेम की दुनिया में
थी मौत नहीं, विश्राम नहीं,
सूरज जो डूबे इधर कभी,
तो जाकर उधर निकलते थे।

(92)

तुम भीख माँगने जब आये,
धरती की छाती डोल उठी,
क्या लेकर आऊँ पास? निःस्व
अभिलाषा कर कल्लोल उठी।
कूदूँ ज्वाला के अंक-बीच,
बलिदान पूर्ण कर लूँ जबतक,

"मत रँगो रक्त से मुझे", बिहँस
तसवीर तुम्हारी बोल उठी।

(93)

अब साँझ हुई, किरणें समेट
दिनमान छोड़ संसार चला,
वह ज्योति तैरती ही जाती,
मैं डाँड़ चलाता हार चला।
"दो डाँड़ और दो डाँड़ लगा",
दो डाँड़ लगाता मैं आया,
दो डाँड़ लगी क्या नहीं? हाय,
जग की सीमा कर पार चला।

(94)

छवि के चिन्तन में इन्द्रधनुष-सी
मन की विभा नवीन हुई,
श्लथ हुए प्राण के बन्ध, चेतना
रूप-जलधि में लीन हुई।
अन्तर का रंग उँड़ेल प्यार से
जब तूने मुझको देखा,
दृग में गीला सुख बिहँस उठा,
शबनम मेरी रंगीन हुई।

(95)

पी चुके गरल का घूँट तीव्र,
हम स्वाद जीस्त का जान चुके,
तुम दुःख, शोक बन-बन आये,
हम बार-बार पहचान चुके।
खेलो नूतन कुछ खेल, देव!
दो चोट नयी, कुछ दर्द नया,
यह व्यथा विरस निःस्वाद हुई,
हम सार भाग कर पान चुके।

(96)

खोजते स्वप्न का रूप शून्य
में निरवलम्ब अविराम चलो,
बस की बस इतनी बात, पथिक!
लेते अरूप का नाम चलो।
जिनको न तटी से प्यार, उन्हें
अम्बर में कब आधार मिला?
यह कठिन साधना-भूमि, बन्धु!
मिट्टी को किये प्रणाम चलो।

(97)

बाँसुरी विफल, यदि कूक-कूक
मरघट में जीवन ला न सकी,
सूखे तरु को पनपा न सकी,
मुर्दों को छेड़ जगा न सकी।
यौवन की वह मस्ती कैसी
जिसको अपना ही मोह सदा?
जो मौत देख ललचा न सकी।
दुनिया में आग लगा न सकी।

(98)

पी ले विष का भी घूँट बहक,
तब मजा सुरा पीने का है,
तनकर बिजली का वार सहे,
यह गर्व नये सीने का है।
सिर की कीमत का भान हुआ,
तब त्याग कहाँ? बलिदान कहाँ?
गरदन इज्जत पर दिये फिरो,
तब मजा यहाँ जीने का है।

(99)

धरती से व्याकुल आह उठी;
मैं दाह भूमि का सह न सका,
दिल पिघल-पिघल उमड़ा लेकिन,
आँसू बन-बनकर बह न सका।
है सोच मुझे दिन-रात यही,
क्या प्रभु को मुँह दिखलाऊँगा?
जो कुछ कहने मैं आया था,
वह भेद किसी से कह न सका।

(100)

रंगीन दलों पर जो कुछ था,
तसवीर एक वह फानी थी,
लाली में छिपकर झाँक रही
असली दुनिया नूरानी थी।
मत पूछ फूल की पत्ती में
क्या था कि देख खामोश हुआ;
तूने समझा था मौन जिसे,
मेरे विस्मय की बानी थी।

(101)

चाँदनी बनायी, धूप रची,
भूतल पर व्योम विशाल रचा,
कहते हैं, ऊपर स्वर्ग कहीं
नीचे कोई पाताल रचा।
दिल-जले देहियों को केवल
लीला कहकर सन्तोष नहीं;
ओ रचनेवाले! बता, हाय!
आखिर क्यों यह जंजाल रचा?

(102)

था अनस्तित्व सकता समेट
निज में क्या यह विस्तार नहीं?
भाया न किसे चिर-शून्य, बना
जिस दिन था यह संसार नहीं?
तू राग-मोह से दूर रहा,
फिर किसने यह उत्पात किया?
हम थे जिसमें, उस ज्योति याकि
तम से था किसको प्यार नहीं?

(103)

सम्पुटित कोष को चीर, बीज-
कण को किसने निर्वास दिया?
किसको न रुचा निर्वाण? मिटा
किसने तुरीय का वास दिया?
चिर-तृषावन्त कर दूर किया
जीवन का देकर शाप हमें,
जिसका न अन्त वह पन्थ, लक्ष्य—
सीमा-विहीन आकाश दिया।

(104)

क्या सृजन-तत्त्व की बात करें,
मिलता जिसका उद्देश नहीं?
क्या चलें? मिला जो पन्थ हमें
खुलता उसका निर्देश नहीं।
किससे अपनी फरियाद करें
मर-मर जी-जी चलनेवाले?
गन्तव्य अलभ, जिससे होकर
जाते वह भी निज देश नहीं।

(105)

कितने आये जो शून्य-बीच
खोजते विफल आधार चले,
जब समझ नहीं पाया जग को,
कह असत् और निस्सार चले।
माया को छाया जान भुला,
पर, वे कैसे निश्चिंत चलें?
अगले जीवन की ओर लिये
सिर पर जो पिछला भार चले।

(106)

जो सृजन असत्, तो पुण्य-पाप
का श्वेत-नील बन्धन क्यों है?
स्वप्नों के मिथ्या-तन्तु-बीच
आबद्ध सत्य जीवन क्यों है?
हम स्वयं नित्य, निर्लिप्त अरे,
तो क्यों शुभ का उपदेश हमें?
किस चिन्त्य रूप का अन्वेषण?
यह आराधन-पूजन क्यों है?

(107)

यह भार जन्म का बड़ा कठिन,
कब उतरेगा, कुछ ज्ञात नहीं,
धर इसे कहीं विश्राम करें,
अपने बस की यह बात नहीं।
सिर चढ़ा भूत यह हाँक रहा,
हम ठहर नहीं पाये अबतक,
जिस मंजिल पर की शाम, वहाँ
करने को रुके प्रभात नहीं।

(108)

हर घड़ी प्यास, हर रोज जलन,
मिट्टी में थी यह आग कहाँ?
हमसे पहले था दुखी कौन?
था अमिट व्यथा का राग कहाँ?
लो जन्म; खोजते मरो विफल;
फिर जन्म; हाय, क्या लाचारी!
हम दौड़ रहे जिस ओर सतत,
वह अव्यय अमिय-तड़ाग कहाँ?

(109)

गत हुए अमित कल्पान्त, सृष्टि
पर, हुई सभी, आबाद नहीं,
दिन से न दाह का लोप हुआ,
निशि ने छोड़ा अवसाद नहीं।
बरसी न आज तक वृष्टि जिसे
पीकर मानव की प्यास बुझे,
हम भली भाँति यह जान चुके
तेरी दुनिया में स्वाद नहीं।

(110)

हम ज्यों-ज्यों आगे बढ़े, दृष्टि-पथ
से छिपता आलोक गया,
सीखा ज्यों-ज्यों नव ज्ञान, हमें
मिलता त्यों-त्यों नव शोक गया।
हाँ, जिसे प्रेम हम कहते हैं,
उसका भी मोल पड़ा देना,
जब मिली संगिनी, अदन गया,
कर से विरागमय लोक गया।

(111)

भू पर उतरे जिस रोज, धरी
पहिले से ही जंजीर मिली,
परिचय न द्वन्द्व से था, लेकिन,
धरती पर संचित पीर मिली।
जब हार दुखों से भाग चले,
तबतक सत्पथ का लोप हुआ,
जिसपर भूले सौ लोग गये,
सम्मुख वह भ्रान्त लकीर मिली।

(112)

नव-नव दुख की ज्वाला कराल,
जलता अबोध संसार रहे,
हर घड़ी सृष्टि के बीच गूँजता
भीषण हाहाकार रहे।
कर नमन तुझे किस आशा में
हम दुःख-शोक चुपचाप सहें?
मालिक कहने को तुझे हाय,
क्यों दुखी जीव लाचार रहे?

(113)

भेजा किसने? क्यों? कहाँ?
भेद अबतक न क्षुद्र यह जान सका।
युग-युग का मैं यह पथिक श्रान्त
अपने को अबतक पा न सका।
यह अगम सिन्धु की राह, और
दिन ढला, हाय! फिर शाम हुई;
किस कूल लगाऊँ नाव? घाट
अपना न अभी पहचान सका।

(114)

हम फूल-फूल में झाँक थके,
तुम उड़ते फिरे बयारों में,
हमने पलकें की बन्द, छिटक
तुम हँसने लगे सितारों में।
रोकर खोली जब आँख, तुम्हीं-
सा आँसू में कुछ दीख पड़ा,
उँगली छूने को बढ़ी, तभी
तुम छिपे ढुलक नीहारों में।

(115)

तिल-तिलकर हम जल चुके,
विरह की तीव्र आँच कुछ मंद करो,
सहने की अब सामर्थ्य नहीं,
लीला-प्रसार यह बन्द करो।
चित्रित भ्रम-जाल समेट धरो,
हम खेल खेलते हार चुके,
निर्वापित करो प्रदीप, शून्य में
एक तुम्हीं आनन्द करो।

(द्वंद्वगीत, 1932-1954)

मुसकान

मढ दूँगा यह मुस्कान कभी
प्रत्येक दिशा के मुख पर;
तेरे चन्द्रानन का प्रकाश
प्रत्येक निशा के मुख पर।

(प्रण-भंग तथा अन्य कविताएँ, क्षणिकाएँ, 1958)

पुरूरवा के चार गीत

(उर्वशी के प्रति, जो उर्वशी काव्य में न जा सके)

पहला गीत

मैं तुम्हारे लोचनों से रश्मि नूतन देखता हूँ,
जो न देखा था कभी उस स्वप्न का तन देखता हूँ।

(1)

देखकर तुमको जिधर भी दृष्टि करता हूँ भुवन में,
हर तरफ मिलता खड़ा सौन्दर्य फूलों के वसन में।
तारकों में झिलमिलाती आँख की पुतली तुम्हारी।
और फूलों में तुम्हारा सिक्त आनन देखता हूँ।

(2)

रूप के जल से दृगों के दोष सारे धुल गए हैं।
बन्द थे जो द्वार गोचर के परे, वे खुल गए हैं।
अब नहीं मुझसे छिपी है सात परदों की शिखा भी।
सिन्धु का संतप्त, शीतल शैल का मन देखता हूँ।

(3)

एक ही है ज्योति, फले कान्ति बन चाहे गगन में।
या मही पर फूल अथवा कामिनी बनकर भुवन में।
ओढ़ कर हरियालियाँ सौन्दर्य जो खोया हुआ है,
मैं उसे तुममें जगा साकार चेतन देखता हूँ।

दूसरा गीत

रूप हो तुम वह जिसे कवि-कल्पना पहचानती है;
सत्य हो, जिसको कला मधुस्वप्न अपना मानती है।

(1)

नीलमा के पार वाली निर्झरी-सी कौन हो तुम?
गुनगुनाहट और छाँहों से भरी-सी कौन हो तुम?

भावना को दीखती निस्सीमता की ज्योति तुम में।
कल्पना अव्यक्त की आभा तुम्हें अनुमान्ती है।

(2)

याद क्यों आने लगा भूला हुआ इतिहास मेरा,
बादलों में, तारकों पर, चाँद पर आवास मेरा?
देखकर तुमको न जाने, चेतना क्यों व्यग्र होकर
अन्य जन्मों के निकुंजों, वीथियों को छानती है?

(3)

वायु कह कर भी न कह पायी जिसे वह नाम हो तुम।
सिन्धु की तुतली तरंगों की कथा अभिराम हो तुम।
देख कर तुमको, न जाने, चाँदनी क्यों याद आती,
कल्पना मन में चंदोवा फूल का क्यों तानती है।

तीसरा गीत

सिन्धु से निकली तरंगों की शिखा पर नाचती तुम
या किरण के तार पर तुम खेलती उतरी गगन से?

(1)

चाँदनी के साथ आँखों में भरा प्रत्यूष भी है।
वारुणी के ज्वार में लहरा रहा पीयूष भी है।
अंग-लतिका से उमड़ कर गन्ध ऐसे छा रही है,
गमगमाती वाटिका जिस भाँति आन्दोलित पवन से।

(2)

जन्म से पहले सुना, जानें कहाँ, वह गान हो तुम।
पद्म-वन में खेलती रवि-रश्मि की मुस्कान हो तुम।
लाल कर देती मही को लालिमा पद से ढुलक कर।
तुम जहाँ होती खड़ी, आकाश भर जाता सुमन से।

(3)

वृष्टि रंगों की करेगा स्वर्ग का सुरचाप गल कर
और नदियों में बहेंगे स्वर्ण, मणि, मुक्ता पिघल कर।
मैं तुम्हारे पाँव पर नैवेद्य बनकर के चढ़ूँगा,
देखती जाओ इसी विध और स्मित, बंकिम नयन से।

चौथा गीत

तुम मुझे अपने क्षितिज से घेर कर बन्दी बना लो।
मैं तुम्हारे व्योम की झंकार होना चाहता हूँ।

(1)

फैलने को है विफल मेरे हृदय का सिन्धु भर कर,
छोड़ कर तल आ गई है आँख में आत्मा उमड़ कर।
डोलती दुनिया सँभालो, ज्वार आकुल फूटता है।
शून्य का मैं व्यग्र हाहाकार होना चाहता हूँ।

(2)

खोजता है लय तुम्हारे व्योम में व्यक्तित्व मेरा।
डूब जाना चाहता है सिन्धु में अस्तित्त्व मेरा।
लीन कर लो प्राण प्राणों में, हृदय अपने हृदय में।
मैं तुम्हारे साथ एकाकार होना चाहता हूँ।

(3)

वारि भंगों से भरा, रंगों भरा तूफान लेकर,
कामना जलती हुई, सुलगे हुए अरमान लेकर
अर्चना को आ गया मैं, पाँव तो अपना बढ़ाओ,
मैं प्रभामय पद्म का उपहार होना चाहता हूँ।

(दिनकर के गीत, अनुमानतः 1959-60)

ओ नदी!

ओ नदी!
सूखे किनारों के कटीले बाहुओं से डर गई तू।
किन्तु, दायी कौन?
तू होती अगर,
यह रेत, ये पत्थर, सभी रसपूर्ण होते;
कौंधती रशना कमर में मछलियों की,
नागफनियों के न उगते झाड़,
तट पर दूब होती, फूल होते,
देखतीं, निज रूप जल में नारियाँ,
पाँव मल-मल घाट पर लक्तक बहा कर
तैरतीं तुझ में उतर सुकुमारियाँ।

किलकते फिरते तटों पर फूल-से बच्चे,
वहन करती अछूते अंकुरों के स्वप्न का संभार
कागज की जरा-सी डोंगियाँ तिरतीं लहर पर।
और हिल-डुल कर वहीं फिर डूब जातीं।

तीर पर उठतीं किलक किलकारियाँ,
नाचते बच्चे बजा कर तालियाँ,
द्वीप पर नौसार्थ, मानो, आ गया हो,
स्वप्न था भेजा जिसे, मानो, उसे वह पा गया हो।

द्रोणियों पर दीप बहते रात के पहले पहर में,
हेम की आभामयी लड़ियाँ हृदय पर जगमगातीं,
जगमगाते गीत हैं जैसे समय की धार पर।

किन्तु, अब सब झूठ; तारे तो गगन में हैं,
मगर, पानी कहाँ जिसमें जरा वे झिलमिलाएँ?
तू गई, जादू जहर का चल गया,
कूल का सौन्दर्य सारा जल गया।

और जीवित ही खड़ी तू मुस्कुराती है अभी भी?
फूल जब मुरझा रहे थे, क्यों तुझे मूर्च्छा न आई?
क्यों नहीं, हरियालियाँ मरने लगीं, तब मर गई तू?

ओ नदी!
सूखे किनारों के कटीले बाहुओं से डर गई तू।

(कोयला और कवित्व, प्र.सं.)

नदी और पीपल

मैं वहीं हूँ, तुम जहाँ पहुँचा गए थे।

खँडहरों के पास जो स्रोतस्विनी थी,
अब नहीं वह शेष, केवल रेत भर है।
दोपहर को रोज लू के साथ उड़कर बालुका यह
व्याप्त हो जाती हवा-सी फैलकर सारे भवन में।
खिड़कियों पर, फर्श पर, मसिपात्र, पोथी, लेखनी में
रेत की कचकच;
कलम की नोंक से फिर वर्ण कोई भी न उगता है।
कल्पना मल-मल दृगों को लाल कर लेती।
आँख की इस किरकिरी में दर्द कम ही हो भले,
पर, खीज, बेचैनी, परेशानी बहुत है।

किन्तु, घर के पास का पीपल पुराना
आज भी पहले सरीखा ही हरा है।
गर्मियों में भी नहीं ये पेड़ शीतल सूखते हैं।

पक्षियों का ग्राम केशों में बसाए
यह तपस्वी वृक्ष सबको छाँह का सुख बाँटता है।
छाँह यानी पेड़ की करुणा,
सहेली स्निग्ध, शीतल वारि की, कर्पूर, चन्दन की।

इस पुरातन वृक्ष के नीचे पहुँचते ही हृदय की
हलचलें सब शान्त हो जातीं,
बहुत बातें पुरानी याद आती हैं।

और तब बादल हृदय के कूप से बाहर निकल कर
दृष्टि के पथ को उमड़ कर घेर लेते हैं।
सूझता कुछ भी नहीं, निर्वाक् खो जाता कहीं पर
मैं नयन खोले हुए निष्प्राण प्रतिमा-सा।

टूट गिरते शीर्ण-से दो पत्र;
मानो, वृद्ध तरु की आँख से आँसू चुए हों।
फिर वही अनुभूति,
नदियाँ स्नेह को भी एक दिन सिकता बना देतीं,
सन्त, पर, करुणा-द्रवित आँसू बहाते हैं।

(कोयला और कवित्व, प्र.सं.)

बादलों की फटन

बादलों के बीच छोटी-सी फटन है,
ज्यों, गुलाबी रंग का परदा कहीं से फट गया हो।
इस फटन के बीच से होकर अगर मैं कूद जाऊँ,
कौन गिरने से उधर मुझको सँभालेगा?

मूढ़! ये पत्थर नहीं, है फूल पानी के, धुओं के,
उस तरफ का फर्श भी हलका, मुलायम है;
कूदना हो तो अभी ही कूद जा ऊपर घटा में,
अन्यथा, क्षण में, फटन यह बन्द होती है।

(कोयला और कवित्व, प्र.सं.)

आज शाम को

आज शाम को फिर तुम आए उतर कहीं से मन में
बहुत देर कर आनेवाले मनमौजी पाहुन-से।
लगा, प्राप्त कर तुम्हें गया भर सूनापन कमरे का,
गमक उठा एकान्त सुवासित कबरी के फूलों से।

लेकिन, सब को कौन खबर दे आया शुभागमन की?
फुनगी उठा लता वातायन पर से झाँक रही है,
बारम्बार पवन आता है परदे हटा-हटा कर।
और सितारे अन्तरिक्ष की चौखट लाँघ रहे हैं,
मानो, नभ से उतर यहाँ वे भी आनेवाले हों।

(कोयला और कवित्व, प्र.सं.)

सौन्दर्य

तुम्हें देखते ही मुझमें कुछ अजब भाव जगता है;
भीतर कोई सन्त, खुशी में भर, रोने लगता है।

कितनी शुभ्र! पवित्र! नहा कर अभी तुरत आई हो?
अथवा किसी देव-मन्दिर से यह शुचिता लाई हो?

एकाकिनी नहीं तुम, कोई शिखा और जलती है;
किसी शक्ति की किरण तुम्हारे संग-संग चलती है।

और नहीं तो क्यों न सुलगती तृषा अंक भरने की?
क्यों जलती है तुम्हें देख इच्छा पूजा करने की?

(कोयला और कवित्व, प्र.सं.)

नदी और पेड़

[पेड़ की उक्ति]

क्या हुआ उस दिन?
तुम्हें मैंने छुआ था
मात्र सेवा-भाव से, करुणा, दया से।
स्पर्श में, लेकिन, कहीं कोई सुधा की रागिनी है।
और त्वचा के भी श्रवण हैं।
स्पर्श का झंकारमय यह गीत सुनते ही
त्वचा की नींद उड़ जाती;
लहू की धार में किरणें कनक की झिलमिलाती हैं।

रोम-कूपों से उठी संगीत की झंकार;
नाव-सी कोई लगा खेने रुधिर में।
तीर पर सूखा खड़ा यह वृक्ष अकुलाने लगा फिर
स्पर्श की संजीवनी, हरियालियों के ज्वार से।

खिल पड़े सहसा जुही के फूल सेवा के हृदय में,
शुभ्र-सित आनन दया का लाल हो आया।
और गैरिक चीर करुणा के सुशीतल, शान्त तन का
रँग गया आखिर गुलाबी रंग में।

फिर लगा ऐसा कि मेरे बन्ध सारे खुल गए हैं
और मिट्टी से उखड़ मैं भूमि पर चलने लगा हूँ;
या नदी खुद ही बताए राह लेती जा रही है
उँगलियाँ पकड़े हुए बेहोश, संज्ञाहीन तरु को
तीर से नीचे सलिल की धार में।
तीर, जिस पर रेत है सूखी, शिला है;
धार, जिसके स्पर्श से हरियालियाँ उत्पन्न होतीं
और सूखे वृक्ष में पत्ते निकलते हैं।

और इतने में, न जानें,
सोचकर क्या बात मन में हँस पड़ीं तुम।
मैं, न जानें, देख क्या सकुचा गया।
एक पीला पत्र धारा में बहा कर
वृक्ष फिर अपनी जगह पर आ गया।

गूँजती है आज भी उज्ज्वल हँसी वह कान में।
आँख मूँदे मैं खड़ा हूँ तीर की सैकत शिला पर
आज भी तसवीर उस दिन की जुगाए ध्यान में।

(कोयला और कवित्व, प्र.सं.)

विदेहिनी

तुम अचानक ही कहाँ से आ गई थीं,
रूह की प्रतिमा
निकल सहसा द्रुमों की छाँह से,
या अतर्कित ही
तिमिर से फूटनेवाली किरण कोई?

हाथ पर तुमने रखा जब हाथ,
शीतलता गई भर;
प्यास से जलती हुई आतुर भुजाएँ
फैल कर फिर मुड़ गईं स्वयमेव
जैसे साँप दीपक देख कर
फण तोड़ लेता है।

दृष्टि में थी कौन पावन धार
मैं जिसकी लहर में
डूब कर निकला लिए
निस्तप्त मन शुकदेव का?

चंदनासन पर बिठा,
कर्पूर-नीराजन सजाकर
मैं तुम्हारी ओर अपलक
देखता खोता गया–
भूमि से ऊपर गगन में,
स्यात्, उसके भी परे
मन के अनन्ताकाश में।

चाहता था, बोल कर कुछ बात
तुम मेरा अकेलापन
जरा कुछ मन्द कर देतीं।
पर, नहीं बोलीं, रहीं, जब तक,
सदा हँसती रहीं
निर्मल हँसी, निश्छल हँसी,
बेसुध हँसी वह सन्त की।

सन्त, जिनके स्पर्श से तूफान सो जाते;
सन्त, जो जल पर टहल कर भी चलें तो
पाँव में जल का न कोई दाग लगता है।

(कोयला और कवित्व, प्र.सं.)

अतिथि

आओगे?
मेरे वसन्त के प्रात!
शान्ति के पुंडरीक अवदात!
कामना के झकोर में हिलते-डुलते फूल!
विकल शत-शत स्वप्नों की तृषा!
और सारे स्वप्नों की पूर्ति!
ढूँढ़ते हरदम जिसको प्राण!
शान्ति की विभा, स्नेह का ध्यान

जगाने वाली मोहन मूर्ति!
आओ, मेरे शोक और आनन्द!
आँख के अश्रु!
प्राण की व्याकुलता के छन्द!
आओ, जो कुछ पास,
पाद-पद्मों पर धर देता हूँ,
सभी शोक-आनन्द
तुम्हें मैं अर्पित कर देता हूँ
आओ, भीतर अभय, द्वार को बन्द करो,
मुझे सभी पीड़ाओं से स्वच्छन्द करो।

(कोयला और कवित्व, प्र.सं.)

धन्यवाद, मैं, सचमुच, नहीं मरूँगा

प्रथम-प्रथम तुम से जब आँखें चार हुईं
दहल उठा था मैं अपनी दीनता देखकर।

तुम सुवर्ण साकार,
ताम्र का मैं सिक्का खोटा-सा;
मैं करील श्रीहीन,
दीपती-सी तुम लता विभा की,
तुम गिरि की निर्झरी,
गाँव का मैं सोता छोटा-सा।

कुसुम-कमलेश्वर में प्रकाश का मन देखा,
कहूँ, चमेली को करते चिन्तन देखा।
और सोचने लगा, आरती अबकी कहाँ सजाऊँ मैं?
मन की किस ऊँची तरंग पर इस छवि को ले जाऊँ मैं?

तुलसी-कानन दूर, निकट पाटल का वन है।
निकट भूमि की गन्ध, दूर निर्मेघ गगन है।
हाय, सूक्ष्म होने पर भी कितना दुर्बल चिन्तन है!

द्विधामूढ़ मेरा मन मुझको मार गया।
स्वयं आप अपने से ही मैं हार गया।

जो भी करो उपाय, नहीं रुकता है ज्वार रुधिर का।
फूलों की माधुरी बुद्धि को व्याकुल कर देती है।
रोको चाहे लाख, किन्तु, वारुणी हृदय की
अपनी लाल तरंग उठा आँखों में भर देती है।

सब समेट कर, तब भी, मैं चुपचाप रहा,
भीतर ही सहता भीतर का ताप रहा।
जैसे अगणित लोग जगत् में मौन रहा करते हैं,
छिपे-छिपे प्राणों की सारी आग सहा करते हैं;

तब साहसा तुम बोल उठीं (है याद?) एक दिन—
"नहीं, अशिव मरघट की मैं चिनगारी नहीं चुनूँगी,
जितने भी हैं गीत तुम्हारे, सब मुझको भाते हैं;
किन्तु, मरण के गान, हाय, मैं कवि से नहीं सुनूँगी।"

स्वर मेरा काँपने लगा आनन्द से।
खिलने-सा कुछ लगा रुधिर में; और कंठ से
छन्द फूटने लगे, खुशी में भर, पागल बेछन्द से।

कितनी अच्छी बात! अभी जीवित है स्रोत सुधा का;
कमी नहीं अब भी करुणा की वायु की,
कवि! समाज अब भी तुझको अपना बेटा कहता है।
मातृजाति को अब भी है चिन्ता तेरी परमायु की।

अमृत-मन्त्र; आभास हुआ, मानो, मस्तक पर
अंचल की छाया देकर जीवनदायिनी खड़ी हो।
लगा रही हो स्वयं जिन्दगी, मानो, मुझे हृदय से,
मानो, मुझ पर अनायास हरियाली बरस पड़ी हो।

देवि! अमृत से तुमने मुझको सींच दिया।
अनायास ही तुमने मेरी बाँह पकड़ कर
सचमुच ही, कुछ दूर मरण से खींच लिया।

मातृजाति का यही मूक वरदान; नयन से—
जानें, वे क्या अमृत पिला देती हैं।
दृष्टि मात्र से भर देतीं झंकार रुधिर में,
मरती हुई शिखा को देकर स्नेह जिला देती हैं।

धन्यवाद! मैं सचमुच, नहीं मरूँगा।
जब तक मेरे लिए कहीं भी करुणा का लवलेश है,
जब तक मेर लिए सुधा का बिन्दु कहीं भी शेष है,
मरण-कोट पर चढ़ जीवन की ध्वजा उड़ाकर
मैं मृत्युंजय कवि प्रकाश की जय का गान करूँगा।

(कोयला और कवित्व, प्र.सं.)

छठी संज्ञा का जागरण

प्रेम, प्रेम मत कहो,
शब्द यह घिस गया।
किसलय कहो, तरंग कहो,
या चाँदनी;
याकि वायु जो तृणों, टहनियों, डालियों,
रंग-बिरंगी हरियाली से छनी हुई आती है।

तुम्हें ज्ञात है, नारी का नारीत्व कहाँ बसता है?
ग्रीवा में? टेढ़ी चितवन के चोज में?
त्रिवली-तट पर या शिल्पित वक्षोज में?
नहीं, त्रिया इन रेखाओं से
बहुत दूर है।

पंचेन्द्रिय से परे एक चेतना और है।
जब वह जगती है, मनुष्य विस्मय से भर जाता है।
रेशम के लच्छे-सी लगती किरण;
व्योम दीखता ध्यान में निरत
किसी निश्चिन्त महायोगी-सा;
त्रिया पुण्य की प्रभा,
प्रेरणा के समान लगती है।

और पुरुष अपने भीतर पीड़ा अनुभव करता है
कविता की आहट-सी,
दर्शन की तरंग-सी,
मँडराते जल-भरे मेघ की
मादक आकुलता-सी।

छठी चेतना की जागृति का स्वाद?
शिरा-शिरा में धार रुधिर की छन जाती है।
देख पुरुष-दृग में आकुल आह्लाद
त्रिया कुमारी युवती बन जाती है।

जब समाधि में सारा वन सोता है,
भरी चाँदनी में पहाड़ बिलकुल अशब्द होता है,
तब तुमने क्या याद किया है
कभी किसी प्यारी को?

बिना स्पर्श पुलकित कर सारे अंग,
पिला मुग्ध नयनों से सुधा-तरंग
फिर से यौवन दान दिया है
कभी किसी नारी को?

यदि हाँ, तो तुम धन्य!
पत्थरों के भीतर से—
तुम गुलाब के भींगे गान सुनोगे,

झर-झर झरती वर्षा की बूँदों में
किरणों का आकुल आह्वान सुनोगे।

छठीं चेतना का पंकज जब खिल गया;
नारी का नारीत्व पुरुष को मिल गया।

(कोयला और कवित्व, प्र.सं.)

आँसू

खिड़की के शीशे पर कोई बूँद पड़ी है।
अर्ध रात्रि में यह आँसू किसका टपका है?
देख न सकता तुम्हें, किन्तु, ओ रोनेवाले!
रजनी हो दीर्घायु भले, पर अमर नहीं है।
अरुण-बिन्दु-धारिणी उषा आती ही होगी।

(कोयला और कवित्व, प्र.सं.)

स्मृति

शब्द साथ ले गए, अर्थ जिनसे लिपटे थे;
छोड़ गए हो छन्द, गूँजता है वह ऐसे,
मानो, कोई वायु कुंज में तड़प-तड़प कर
बहती हो, पर, नहीं पुष्प को छू पाती हो।

(कोयला और कवित्व, प्र.सं.)

प्रेम

तुम बहुत ऊँचाई पर हो।
चाहता हूँ कि सीढ़ी लाऊँ
और चढ़ कर देखूँ
कि तुम्हारी आँखों में
मेरा कौन बिम्ब बसता है।

शायद मैं भी कभी ऊँचाई पर था।

इसीलिए मुझे राह मिली थी
तुम्हारी आँखों में जाने की,
जो मेरे क्षितिज से दूर था,
उसे अपनी बाँहों में पाने की।

(हारे को हरिनाम, प्र.सं.)

वियोग

तुम जा रही हो, तो जाओ।

बड़े भाग्य से नारी नर को
और नर नारी को पाता है।

मगर यह सब तभी तक है,
जब तक हम जीवित हैं।

मुर्दा न तो वियोग से डरता है,
न चुम्बन के लिए ललचाता है।

(हारे को हरिनाम, प्र.सं.)

सिन्दूरघोरे का कैदी

प्रेम करूँगा,
मगर तुम्हें अपना
मालिक नहीं मानूँगा।
प्रेम पुष्प है, तलवार नहीं है।

जिससे हम प्रेम करते हैं,
वह साथी और बगलगीर होता है।

आलिंगन में बँधने वाला
जंग का सिपहसालार नहीं है।

मगर तुम तो चाहती हो
कि मैं कहीं से भी आजाद न रहूँ,
तुम्हें छोड़कर
और किसी को याद न रहूँ,

मर्द को सिन्दूरघोरे में बन्द करना
क्या कोई अच्छा नेम है?
या उसे अंचल की गिरह में बाँध कर
पीठ पर फेंक देना क्या प्रेम है?

(हारे को हरिनाम, प्र.सं.)

कृतज्ञता-ज्ञापन

वासना को विज्ञान
बनाने वाली, सुनो।
देह की वाटिका में स्वर्ग की
झलक दिखाने वाली, सुनो।

शिराओं में कवित्व
सरसाने वाली, सुनो।
सपने में आने-जाने वाली, सुनो।

सुनो, जो मुझ पर आशीर्वाद
बन कर छायी थी।
सुनो, जो मन से निकल कर
मेरी हथेली पर आयी थी।

मेरी पूजा में पगी रहने वाली, सुनो।
शाम से सुबह तक जगी रहने वाली, सुनो।

सुनो जिसे देख कर
मैं दुर्दिन में जिया था,
सुनो, जिसके साथ
वस्त्र भिगोये बिना
मैंने सागर पार किया था।

केवल् दृष्टि से
आयु प्रदान करने वाली, सुनो।
मुझे कल्पना
और उमंग से भरने वाली, सुनो।

सुनो, जिसका सौरभ
मेरे प्राण में व्यापा है।
सुनो, जिसने मुझे
काँगड़ी बना कर तापा है।

मेरे पौरुष का उत्पीड़न
सहने वाली, सुनो।
बिना कुछ बोले
सब कुछ कहने वाली, सुनो।

सुनो, जो आँखों के आगे
केवल आयी गयी हो;
फिर भी मेरे दर्पण में
जिसका बिम्ब पड़ा है;
सुनो, जो मेरी कविता में
जहाँ-तहाँ पायी गयी हो।

तुम, जो मेरी कल्पना में पली हो।
तुम, जो जीवन के झरोखे पर
चिराग बन कर जली हो।

तुम, जो मेरे लिए
उजले और लाल,
दोनों रंग के फूल लायी थीं।

तुम, जो माता, बहन
और सखी का
रूप धर कर आयी थीं।

तुम सब का जो ऋण है,
उसे गीत में चुकाता हूँ।
कृतज्ञता में तुम्हारे सामने
मस्तक झुकाता हूँ।

(हारे को हरिनाम, प्र.सं.)

काठ के यंत्र

समस्या उतनी सरल नहीं है,
जितनी तुम बताते हो।
सब देखते हुए भी असली बात
तुम भूल जाते हो।

मसलन, मियाँ और बीवी के
कलेजे फट गये हैं।
यानी ऊपर आसमान में
वे एक दूसरे से काफी हट गये हैं।

मगर धरती पर तब भी
वे आलिंगन में बँधते
और प्यार करते हैं।

काठ के दो सूखे यंत्र
अपने आप से चालित,

बच्चे जनमा कर
खाली घर को भरते हैं।

मन गैरहाजिर है,
मगर देह बड़े जोश में है।
आजकल प्यार भी बेहोश नहीं,
होश में है।

(हारे को हरिनाम, प्र.सं.)

सौन्दर्य

जब-जब तुम्हें देखता हूँ,
तुम्हारे सौन्दर्य में
एक नया अर्थ झलकता है।

आकर्षण के मूल का
पता नहीं चलता।
लेकिन पत्ते, फूल और हरियाली
आनन्द देते हैं।

तुम एक किताब हो,
जिसका पन्ना-पन्ना
मेरा सूँघा और समझा हुआ है।

लेकिन लगता है,
पूरी पुस्तक मैंने पढ़ी नहीं है।
कहते हैं, सौन्दर्य
ध्यान से समझ में आता है।
किन्तु मेरा तो
यह श्रम भी व्यर्थ जाता है।

अनूठे शब्द चुन कर

मैं तुम्हारे चारों ओर
बिछाता हूँ।
किन्तु शब्दों के बीच
तुम कहाँ समाती हो?

मैं हाथ बढ़ा कर तुम्हें
गीतों में भरना चाहता हूँ।
तुम सुनहरा भाप बन कर
ईथर में उड़ जाती हो।

(हारे को हरिनाम, प्र.सं.)

सूखा पेड़

सूखा पेड़ गम की लकीर है।
उसे देख कर वैराग्य का
भाव जगता है।

उदासी को देख कर
आँखें उदास हो जाती हैं
और मन कुछ सोचने लगता है।

मगर एक लता बौराई हुई है,
इस सूखे पेड़ को घेर कर
सिर से पाँव तक छाई हुई है।

बल्लरी पेड़ को ढँक कर
अपना रूप दरसाती है,
पेड़ के जीवित होने का
भ्रम उपजाती है।

और यह भ्रम इतना प्रबल है
कि पक्षी उसकी माया में फँस गए हैं,

पेड़ को जीवित जान कर
उसके कोटरों में बस गए हैं।

सूखा पेड़ लता से वेष्टन में खड़ा है।
यानी प्रेमी प्रिया के आलिंगन में
निर्जीव पड़ा है।

(हारे को हरिनाम, प्र.सं.)

एक संदेश

सभी किरणों को समेट कर
दीये की एक लौ गढ़ना
वैसा ही है, जैसे सभी आँखों का संदेश
तुम्हारी आँखों में पढ़ना।

(प्रण-भंग तथा अन्य कविताएँ, क्षणिकाएँ, 1970)

स्वर्ग के समीप

तू फूलों की रानी है।
मैं सितारों से समृद्ध हूँ।
हम दोनों स्वर्ग के समीप बसते हैं।
तू सुन्दर है, मैं वृद्ध हूँ।

(प्रण-भंग तथा अन्य कविताएँ, क्षणिकाएँ, 1970)

अन्यान्य विषय

आँसू

किस वारिद के तप्त बिन्दु,
किस अन्तरिक्ष के तारे?
किस उपवन में नन्हें-नन्हें
खिले कुसुम तुम प्यारे?

किस वियोगिनी के मन की
आशा के कोमल कण हो?
किस कुबेर के गड़े खज़ाने
से तुम निकले धन हो?

क्यों अक्षर बन निकल रहे
पीड़ाओं की भाषा के?
रँग-से रहे चित्र विरही की
रोती अभिलाषा के।

बाँध तोड़ बह चले कहो,
पावस की किस सरिता के?
बन कर चरण चले कवि की,
किस कराहती कविता के?

किस ठंढे मस्तक में अब तक
जमे रहे हिम हो कर?
किस गर्मी से पिघल-पिघल
चूते हो धीरज खो कर?

(प्रण-भंग तथा अन्य कविताएँ, 1927)

मधुरता

(1)

मधुर निर्जन वन का तृण-कुसुम,
मधुर पतझड़ का मर्मर-पात।
मधुर बुझते दीपक की ज्योति,
मधुर है आँखों की बरसात।

(2)

मधुर जनहीन, शून्य, मरुदेश,
जहाँ रोता निशीथ में पवन।
मधुर उर का नीरज चीत्कार,
मधुर बिरही के निष्प्रभ नयन।

(3)

मधुर संध्या का तारा प्रथम,
मधुर रजनी का अन्तिम गान।
मधुर अति मधुर, निराशा बीच
व्यथामय जीवन का अवसान।

(4)

मधुर मृदु उर की पहिली ठेस,
मधुर भावुकता का अपमान।
मधुर मकरन्दों से भी अधिक
प्रेमियों के घायल अरमान।

(5)

मधुर कविता आँसू से भरी,
विपंची की रोती झंकार।
मधुर है अन्तस्तल की जलन,
मधुर है कवि-जीवन सुकुमार।

(प्रण-भंग तथा अन्य कविताएँ, अनुमानतः, 1927-28)

कवि

नवल उर में भर विपुल उमङ्ग,
विहँस कल्पना-कुमारी-सङ्ग,
मधुरिमा से कर निज शृङ्गार,
स्वर्ग के आँगन में सुकुमार!
मनाते नित उत्सव-आनन्द,
कौन तुम पुलकित राजकुमार!

फैलता वन-वन आज वसन्त,
सुरभि से भरता अखिल दिगन्त,
प्रकृति आकुल यौवन के भार,
सिहर उठता रह-रह संसार।
पुलक से खिल-खिल उठते प्राण!
बनो कवि! फूलों की मुस्कान।

सरित सम पर देती है ताल,
चन्द्र बुनता किरणों का जाल।
सरल शिशु-सा सोता है विश्व,
ओढ़ सपनों का वसन विशाल।
निशा का परम मधुर यह हास।
बनो कवि! रत्न-खचित आकाश।

विरह से व्याकुल, तप्त शरीर,
नयन से झरता झर-झर नीर,
जलन से झुलस रहे सब गात,
जुड़ी है आँखों की बरसात,
सिसक-संयुत अति करुण उसाँस।
बनो कवि! सावन-भादो मास।

न उपवन का वह विभव-विलास,
न कलियों का मृदु गन्धोच्छ्वास,

लता, तरुओं की शुष्क कतार,
यही हैं उपवन के शृङ्गार।
काल का अति निर्मम आघात।
बनो कवि! तरु का मर्मर-पात।

मधुर यौवन-स्वप्नों में भूल
और फँस वैभव के छवि-जाल
वासना-आसव का कर पान
मनुजता हुई बहुत बेहाल।
अचिर अन्तर्हित हों सब क्लेश।
लिखो कवि! अमर स्वर्ण-सन्देश।

न खिलता उपवन में सुकुमार
सुमन कोई अक्षय छविमान,
क्षणिक निशि का हीरक-शृङ्गार,
उषा की क्षणभंगुर मुसकान।
क्षणिक चञ्चल जीवन नादान।
हँसो कवि! गाकर ऐसे गान।

(रेणुका, 1931)

समाधि के प्रदीप से

तुम जीवन की क्षण-भंगुरता के सकरुण आख्यान!
तुम विषाद की ज्योति! नियति की व्यंग्यमयी मुसकान!
अरे विश्व-वैभव के अभिनय के तुम उपसंहार!
मन-ही-मन इस प्रलय-सेज पर गाते हो क्या गान?

तुम्हारी इस उदास लौ-बीच
मौन रोता किसका इतिहास?
कौन छिप क्षीण शिखा में दीप!
सृष्टि का करता है उपहास?

इस धूमिल एकान्त प्रान्त में नभ से बारम्बार
पूछ-पूछ कर कौन खोजता है जीवन का सार?
और कौन यह क्षीण-ज्योति बन कहता है चुपचाप—
'अरे! कहूँ क्या? अबुध सृष्टि का एक अर्थ संहार।'

दीप! यह भूमि-गर्भ गम्भीर
बना है किस विरही का धाम?
तुम्हारी सेज-तले दिन-रात
कौन करता अनन्त विश्राम?

कौन निठुर, रोती माँ की गोदी का छोड़ दुलार,
इस समाधि के प्रलय-भवन में करता स्वप्न-विहार?
अरे, यहाँ किस शाहजहाँ की सोती है मुमताज?
यहाँ छिपी किस जहाँगीर की नूरजहाँ सुकुमार?

हाय रे? परिवर्तन विकराल,
सुनहरी मदिरा है वह कहाँ?
मुहब्बत की वे आँखें चार?
सिहरता, शरमीला चुम्बन,
कहाँ वह सोने का संसार?

कहाँ मखमली हरम में आज
मधुर उठती संगीत-हिलोर?
शाह की पृथुल जाँघ पर कहाँ
सुन्दरी सोती अलस-विभोर?

झाँकता उस बिहिश्त में कहाँ
खिड़कियों से लुक-छिप महताब?
इन्द्रपुर का वह वैभव कहाँ?
कहाँ जिस्मे-गुल, कहाँ शराब?

कहाँ नवाबी महलों का वह स्वर्गिक विभव-वितान?
(नश्वर जग में अमर-पुरी की ऊषा की मुसकान।)
सुन्दरियों के बीच शाहजादों का रूप-विलास,
अरे कहाँ गुल-बदन और गुल से हँसता उद्यान?

कितने शाह, नवाब जमीं में समा चुके, हैं याद?
शरण खोजते आये कितने रुस्तम औ' सोहराब?
कितनी लैला के मजनूँ औ' शीरीं के फरहाद,
मर कर कितने जहाँगीर ने किया इसे आबाद?

अपनी प्रेयसि के कर से पाने को दीपक-दान
इस खँडहर की ओर किया किन-किन ने है प्रस्थान?
औ' कितने याकूब यहाँ पर ढूँढ चुके निर्वाण?
तुम्हें याद है अरी, नियति की व्यंग्मयी मुसकान!

हँसते हो, हाँ हँसो, अश्रुमय है जीवन का हास,
यहाँ श्वास की गति में गाता झूम-झूमकर नाश।
क्या है विश्व? विनश्वरता का एक चिरन्तन राग,
हँसो, हँसो, जीवन की क्षण-भंगुरता के इतिहास!

न खिलता उपवन में सुकुमार
सुमन कोई अक्षय छविमान,
क्षणिक निशि का हीरक-शृङ्गार,
उषा की क्षण-भंगुर मुसकान।

हास का अश्रु-साथ विनिमय,
यही है जग का परिवर्तन,
मिलन से मिलता यहाँ वियोग,
मृत्यु की कीमत है जीवन।

कभी चाँदनी में कुञ्जों की छाया में चुपचाप
जिस 'अनार' को गोद बिठा करते थे प्रेमालाप;

आज उसी गुल की समाधि को देकर दीपक-दान
व्यथित 'सलीम' लिपट ईंटों से रोते बाल-समान।
यही शाप मधुमय जीवन पाने का है परिणाम,
हँसो, हँसो, हाँ हँसो, नियति की व्यंग्यमयी मुसकान?

(रेणुका, 1931)

परदेशी

माया के मोहक वन की क्या कहूँ कहानी परदेशी?
भय है, सुनकर हँस दोगे मेरी नादानी परदेशी!
सृजन-बीच संहार छिपा, कैसे बतलाऊँ परदेशी?
सरल कण्ठ से विषम राग कैसे मैं गाऊँ परदेशी?

एक बात है सत्य कि झर जाते हैं खिलकर फूल यहाँ,
जो अनुकूल वही बन जाता दुर्दिन में प्रतिकूल यहाँ।
मैत्री के शीतल कानन में छिपा कपट का शूल यहाँ,
कितने कीटों से सेवित है मानवता का मूल यहाँ।
इस उपवन की पगडण्डी पर बचकर जाना परदेशी!
यहाँ मेनका की चितवन पर मत ललचाना परदेशी!

जगती में मादकता देखी, लेकिन अक्षय तत्व नहीं,
आकर्षण में तृप्ति और सुन्दरता में अमरत्व नहीं।
यहाँ प्रेम में मिली विकलता, जीवन में परितोष नहीं,
बाल-युवतियों के आलिङ्गन में पाया सन्तोष नहीं।
हमें प्रतीक्षा में न तृप्ति की मिली निशानी परदेशी!
माया के मोहक वन की क्या कहूँ कहानी परदेशी?

महाप्रलय की ओर सभी को इस मरु में चलते देखा,
किससे लिपट जुड़ता? सबको ज्वाला में जलते देखा।
अन्तिम बार चिता-दीपक में जीवन को बलते देखा;
चलते समय सिकन्दर-से विजयी को कर मलते देखा।

सबने देकर प्राण मौत की कीमत जानी परदेशी!
माया के मोहक वन की क्या कहूँ कहानी परदेशी?

रोते जग की अनित्यता पर सभी विश्व को छोड़ चले,
कुछ तो चढ़े चिता के रथ पर, कुछ कब्रों की ओर चले।
रुके न पल-भर मित्र, पुत्र माता से नाता तोड़ चले,
लैला रोती रहीं किन्तु, कितने मजनूँ मुँह मोड़ चले।

जीवन का मधुमय उल्लास,
औ' यौवन का हास-विलास,
रूप-राशि का यह अभिमान,
एक स्वप्न है, स्वप्न अजान।
मिटता लोचन-राग यहाँ पर,
मुरझाती सुन्दरता प्यारी,
एक-एक कर उजड़ रही है
हरी-हरी कुसुमों की क्यारी।
मैं न रुकूँगा इस भूतल पर
जीवन, यौवन, प्रेम गँवाकर;
वायु, उड़ाकर ले चल मुझको
जहाँ-कहीं इस जग से बाहर।

मरते कोमल वत्स यहाँ, बचती न जवानी परदेशी!
माया के मोहक वन की क्या कहूँ कहानी परदेशी?

(रेणुका, 1932)

वैभव की समाधि पर

हँस उठी कनक-प्रान्तर में जिस दिन फूलों की रानी,
तृण पर मैं तुहिन-कणों की पढ़ता था करुण कहानी।

थी बाट पूछती कोयल ऋतुपति के कुसुम-नगर की,
कोई सुधि दिला रहा था तब कलियों को पतझर की।

प्रिय से लिपटी सोई थी तू भूल सकल सुधि तन की,
तब मौत साँस में गिनती थी घड़ियाँ मधु-जीवन की।

जब तक न समझ पायी तू मादकता इस मधुवन की,
उड़ गयी अचानक तन से कर्पूर, सुरभि यौवन की।

वैभव की मुसकानों में थी छिपी प्रलय की रेखा,
जीवन के मधु-अभिनय में बस, इतना ही भर देखा।

निर्भय विनाश हँसता था सुख-सुषमा के कण-कण में,
फूलों की लूट मची थी माली-सम्मुख उपवन में।

माताएँ अति ममता से अञ्चल में दीप छिपाती
थीं घूम रही आँगन में अपने सुख पर इतराती।

उस ओर गोद से छिनकर फूलों का शव जाता था,
पर, राजदूत आँसू पर कुछ तरस नहीं खाता था।

धुल रही कहीं बालाओं के नव सुहाग की लाली,
थी सूख रही असमय ही कितने तरुओं की डाली।

मैं ढूँढ रहा था आकुल जीवन का कोना-कोना,
पाया न कहीं कुछ, केवल किस्मत में देखा रोना।

कलिका से भी कोमल पद हो गये वन्य-मगचारी,
थे माँग रहे मुकुटों में भिक्षा नृप बने भिखारी।

उन्नत शिर विभव-भवन के चूमते आज धूलों को,
खो रही सैकतों में सरि, तज चली सुरभि फूलों को।

है भरा समय-सागर में जग की आँखों का पानी,
अङ्कित है इन लहरों पर कितनों की करुण कहानी।

बीते वैभव के कितने सपने इसमें उतराते,
जानें, इसके गह्वर में कितने निज राग गुँजाते।

अरमानों के ईंधन में ध्वंसक ज्वाला सुलगा कर
कितनों ने खेल किया है यौवन की चिता बनाकर।

दो गज झीनी कफनी में जीवन की प्यास समेटे
सो रहे कब्र में कितने तनु से इतिहास लपेटे।

कितने उत्सव-मन्दिर पर जम गयी घास औ' काई,
रजनी भर जहाँ बजाते झींगुर अपनी शहनाई।

यह नियति-गोद में देखो, मोगल-गरिमा सोती है,
यमुना-कछार पर बैठी विधवा दिल्ली रोती है।

खो गये कहाँ भारत के सपने वे प्यारे-प्यारे?
किस गगनाङ्गण में डूबे वह चन्द्र और वे तारे?

जयदीप्ति कहाँ अकबर के उस न्याय-मुकुट मणिमय की?
छिप गयी झलक किस तम में मेरे उस स्वर्ण-उदय की?

वह मादक हँसी विभव की मुरझायी किस अञ्चल में?
यमुने! अलका वह मेरी डूबी क्या तेरे जल में?

मेरा अतीत वीराना भटका फिरता खँडहर में
भय उसे आज लगता है आते अपने ही घर में।

बिजली की चमक-दमक से अतिशय घबराकर मन में,
वह जला रहा टिमटिम-सा दीपक झंखाड़ विजन में।

दिल्ली! सुहाग की तेरे बस, है यह शेष निशानी।
रो-रो, पतझर की कोयल, उजड़ी दुनिया की रानी।

कह, कहाँ सुनहले दिन वे? चाँदी-सी चकमक रातें?
कुञ्जों की आँखमिचौनी? हैं कहाँ रसीली बातें?

साकी की मस्त उँगलियाँ? अलसित आँखें मतवाली?
कम्पित, शरमीला चुम्बन? है कहाँ सुरा की प्याली?

गूँजतीं कहाँ कक्षों में कड़ियाँ अब मधु गायन की?
प्रिय से अब कहाँ लिपटती तरुणी प्यासी चुम्बन की?

झाँकता कहाँ उस सुख को लुक-छिप विधु वातायन से?
फिर घन में छिप जाता है मादकता चुरा अयन से!

वे घनीभूत गायन-से अब महल कहाँ सोते हैं?
वे सपने अमर कला के किस खँडहर में रोते हैं?

वह हरम कहाँ मुगलों की? छवियों की वह फुलवारी?
है कहाँ विश्व का सपना, वह नूरजहाँ सुकुमारी?

स्वप्निल विभूति जगती की, हँसता यह ताजमहल है।
चिन्तित मुमताज-विरह में रोता यमुना का जल है।

ठुकरा सुख राजमहल का, तज मुकुट विभव-जल सींचे,
वह, शाहजहाँ सोते हैं अपनी समाधि के नीचे।

कैसे श्मशान में हँसता रे, ताजमहल अभिमानी?
दम्पति की इस बिछुड़न पर आता न आँख में पानी?

तू खिसक, भार से अपने ताज को मुक्त होने दे,
प्रिय की समाधि पर गिरकर पल भर उसको रोने दे।

किस-किसके हित मैं रोऊँ? पूजूँ किसको दृग-जल से?
सबको समाधि ही प्यारी लगती है यहाँ महल से।

तज कुसुम-सेज, निज प्रिय का परिरम्भण-पाश छुड़ाकर
कुछ सुन्दरियाँ सोई हैं वह, उधर कब्र में जाकर।

जिसपर झारी-झुरमुट में खरगोश खुरच बिल करते,
निशि-भर उलूक गाते औ' झींगुर अपना स्वर भरते।

चुपके गम्भीर निशा में दुनिया जब सो जाती है,
तब चन्द्र-किरण मलयानिल को साथ लिये आती है।

कहती—"सुन्दरि! इस भू पर फिर एक बार तो आओ,
नीरस जग के कण-कण में माधुरी-स्रोत सरसाओ।"

तब कब्रों के नीचे से कोई स्वर में यों कहता है,
"चन्द्रिके! कहाँ आयी हो? क्यों अनिल यहाँ बहता है?

"वैभव-मदिरा पी-पीकर हो गयी बिसुध मतवाली,
तो भी न कभी भर पायी जीवन की छोटी प्याली।

"इस तम में निज को खोकर मैं उसको भर पायी हूँ,
छेड़ती मुझे क्यों अब तू? तेरा क्या ले आयी हूँ?"

उस ओर, जहाँ निर्जन में कब्रों का बसा नगर है;
ढह एक राजगृह सुन्दर बन गया शून्य खँडहर है।

उस भग्न महल के उर में विधवा-सी सुषमा बसती,
टूटे-फूटे अङ्गों में सन्ध्या-सी कला बिहँसती।

पावस ने उसे लगा दी विधवा-चन्दन-सी काई।
जम गये कहीं वट, पीपल, कुछ घास कहीं उग आयी।

नीरव निशि में विधु आकर किरणों से उसे नहाता;
प्रेयसि-समाधि पर चुपके प्रेमी ज्यों अश्रु बहाता।

उस क्षण, उसके आनन पर सुषमा सजीव खिल आती;
उर की कृतज्ञता आँसू बन दूबों पर छा जाती।

मूर्च्छित स्वर एक विजन से उठ टकराता अम्बर में,
गूँजता एक क्रन्दन-सा झंखाड़ शून्य खँडहर में।

जो कह जाता, "छवि पर मत भूलो जीवन नश्वर है,
वैभव के ही उपवन में उस सर्वनाश का घर है।"

तृण पर जब ओस-कणों को ऊषा रँगने आती है,
सुख, सौरभ, श्री, सोने से जगती जब भर जाती है;

वृद्धा तब एक यहाँ तक आती कुटीर से चल के,
जिसके सम्मुख बीते हैं स्वर्णिम दिन भग्न महल के।

अपलक उदास आँखों से विस्मित भूली अपने को,
खोजती भग्न खँडहर में वह गत वैभव-सपने को।

सोचती—"राज-सिंहासन उस ऊँचे टीले पर था,
उस ताल-निकट हय-गज थे, रानी का महल उधर था।

"थीं सिंह-द्वार हो आतीं सेनाएँ विजय-समर से,
उत्सव करने उस थल पर आते थे लोग नगर से।"

तूफान एक उठ जाता इतने में उसके मन में,
वह मन-ही-मन रोती है, छा जाते अश्रु नयन में।

क्या कहूँ, शून्य निशि रोती सुन कितनी करुण पुकारें;
संस्मृति ले सिसक रही हैं कितनी सुनसान मजारें?

जगती की दीन दशा पर रोते निशीथ में तारे,
सिसका फिरता सूने में मलयानिल सरित-किनारे।

रोता भावुक मन मेरा, कैसे इसको बहलाऊँ?
पृथिवी श्मशान है सारी, तज इसे कहाँ मैं जाऊँ?

है भरा विश्व-नयनों में उन्माद प्रलय-आसव का,
पद-पद पर इस मरघट में सोता कङ्काल विभव का।

यह नालन्दा-खँडहर में सो रहा मगध बलशाली।
लिच्छवियों की तुरबत पर वह कूक रही वैशाली।

ढूँढ़ते चिह्न गौतम के, मन-ही-मन कुछ अकुलाती,
वन, विपिन, गाँव, नगरों से गङ्गा है बहती जाती।

कण-कण में सुप्त विभव है, कैसे मैं छेड़ जगाऊँ?
बीते युग के गायन को अब किसके स्वर में गाऊँ?

लेखनी! धीर धर मन में, अब ये आवाहन ठहरें।
उठती ही इस सागर में रहतीं सुख-दुख की लहरें।

युग-युग होता जाएगा अभिनय यह हास-रुदन का,
कुछ मिट्टी से ही होगा नित मोल मधुर जीवन का।

रज-कण में गिरि लोटेंगे, सूखेंगी झिलमिल नदियाँ।
सदियों के महाप्रलय पर रोती जाएँगी सदियाँ।

मैं स्वयं चिता-रथ पर चढ़ निज देश चला जाऊँगा।
सपनों की इस नगरी में जाने फिर कब आऊँगा?

तब कुशल पूछता मेरी कोई राही आएगा,
नभ की नीरव वाणी में यह उत्तर सुन पायेगा—

"मैंने देखा उस अलि को कविता पर नित मँडराते,
वैभव के कङ्कालों को लखकर अवाक् रह जाते।

"आजीवन वह विस्मित था लख जग पर छाँह प्रलय की,
था ब़ाट जोहता निशि-दिन भू पर अमरत्व-उदय की।

"पर, स्वयं एक दिन वह भी हो गया विलीन अनल में,
वह अब सुख से सोता है प्रभु के शाश्वत अञ्चल में।"

सुन इसे सिहर जाएगा पल भर उस राही का मन,
ताकेगा वह ज्यों नभ को, छलकेंगे त्यों आँसू-कण।

(रेणुका, 1932)

कला-तीर्थ

(1)

पूर्णचन्द्र-चुम्बित निर्जन वन,
विस्तृत शैल-प्रान्त अति सुन्दर
द्रुम-द्रुम सुमन-भरित, मानो,
हो खड़ा देह धरकर कुसुमाकर।

पहन शुक्र का कर्ण-विभूषण
दिशा-सुन्दर रूप-लहर से
मुक्त-कुन्तला मिला रही थी
अवनी को ऊँचे अम्बर से।

कला-तीर्थ को मैं जाता था
एकाकी वनफूल-नगर में,
सहसा दीख पड़ी सोने की
हंसग्रीव नौका लघु सर में।

पूर्णयौवना, दिव्य सुन्दरी
जिसपर बीन लिये निज कर में
भेद रही थी विपिन-शून्यता
भर शत स्वर्गों का मधु स्वर में।

लहरें खेल रहीं किरणों से,
ढुलक रहे जल-कण पुरइन में,
हलके यौवन थिरक रहा था
ओस-कणों-सा गान-पवन में।

मैंने कहा, "कौन तुम वन में रूप-कोकिला बन गाती हो,
इस वसन्त-वन के यौवन पर निज यौवन-रस बरसाती हो?"

वह बोली, "क्या नहीं जानते? मैं सुन्दरता चिर-सुकुमारी,
अविरत निज आभा से करती आलोकित जगती की क्यारी।

मैं अस्फुट यौवन का मधु हूँ, मदभोरी, रसमयी, नवेली
प्रेममयी तरुणी का दृग-मद, कवियों की कविता अलबेली।

वृन्त-वृन्त पर मैं कलिका हूँ, मैं किसलय-किसलय पर हिमकण।
फूल-फूल पर नित फिरती हूँ, दीवानी तितली-सी वन-वन।

प्रेम-व्यथा के सिवा न दुख है, यहाँ चिरन्तन सुख की लाली।
इस सरसी में नित मराल के सङ्ग विचरती सुखी मराली।

लगा लालसा-पङ्ख मनोरम,
आओ, इस आनन्द-भवन में,
जी-भर पी लो आज अधर-रस,
कल तो आग लगी जीवन में।"

यौवन! तृषा! प्रेम! आकर्षण!
हाँ, सचमुच, तरुणी मधुमय है,

इन आँखों में अमर-सुधा है,
इन अधरों में रस-सञ्चय है।

मैंने देखा और दिनों से,
आज कहीं मादक था हिमकर,
उडुओं की मुस्कान स्पष्ट थी,
विमल व्योम स्वर्णाभ सरोवर।

बिम्बित रजत-दीप ऊपर को
झाँक रहे थे लहर-लहर से;
कला-तीर्थ को मैं जाता था,
एकाकी सौन्दर्य-नगर से।

(2)

बढ़ा और कुछ दूर विपिन में,
देखा पथ सङ्कीर्ण सघन है,
दूब, फूल, रस, गन्ध न किञ्चित्,
केवल कुलिश और पाहन हैं।

झुरमुट में छिप रहा पन्थ,
ऊँचे-नीचे पाहन बिखरे हैं।
दुर्गम पथ, मैं पथिक अकेला,
इधर-उधर वन-जन्तु भरे हैं।

कोमल-प्रभ चढ़ रहा पूर्ण विधु
क्षितिज छोड़कर मध्य गगन में,
पर, देखूँ कैसे उसकी छवि?
कहीं, हार हो जाए न रण में!

कुछ आगे चल उस निर्जन में
देखा एक युवक अति सुन्दर
पूर्णस्वस्थ, रक्ताभवदन, विकसित,
प्रशस्त-उर, परम मनोहर।

श्रम में रत फावड़ा चलाता हुआ
पोंछता श्रम-कण कर से,
नहर काटता वह आता था
किसी दूरवाही निर्झर से।

मैंने कहा, "कौन तुम?" बोला,
वह, "कर्त्तव्य, सत्य का प्यारा।
कृषि-सिञ्चन के लिए लिये
जाता हूँ यह निर्झर की धारा।

मैं बलिष्ठ आशा का सुत हूँ,
बिहँस रहा नित जीवन-रण में;
तन्द्रा, अलस मुझे क्यों घेरें?
मैं अविरत तल्लीन लगन में।

बाधाएँ घेरतीं मुझे, पर,
मैं निर्भय नित मुसकाता हूँ।
कुचल कुलिश कण्टक-जालों को,
लक्ष्य-ओर बढ़ता जाता हूँ।

डरो नहीं पथ के काँटों से,
भरा अमित आनन्द अजिर में।
यहाँ दुःख ही ले जाता है
हमें अमर सुख के मन्दिर में।

सुन्दरता पर कभी न भूलो,
शाप बनेगी वह जीवन में।
लक्ष्य-विमुख कर भटकायेगी,
तुम्हें व्यर्थ फूलों के वन में।

बढ़ो लक्ष्य की ओर, न अटको,
मुझे याद रख जीवन-रण में।"

उसके इस आतिथ्य-भाव से
व्यथा हुई कुछ मेरे मन में।

वह रत हुआ कर्म में अपने,
मैं श्रम-शिथिल बढ़ा निज पथ पर।
"सुन्दरता या सत्य श्रेष्ठ है?"
उठने लगा द्वन्द्व पग-पग पर।

सुन्दरता आनन्द-मूर्त्ति है,
प्रेम-नदी मोहक, मतवाली।
कर्म-कुसुम के बिना किन्तु, क्या
भर सकती जीवन की डाली?

सत्य सींचता हमें स्वेद से,
सुन्दरता मधु-स्वप्न-लहर से।
कला-तीर्थ को मैं जाता था
एकाकी कर्त्तव्य-नगर से।

(३)

कुछ क्षण बाद मिला फिर पथ में
गन्ध-फूल-दूर्वामय प्रान्तर।
हरी-भरी थी शैल-तटी, त्यों,
सघन रत्न-भूषित नीलाम्बर।

दूबों की नन्हीं फुनगी पर
जगमग ओस बने आभा-कण;
कुसुम आँकते उनमें निज छवि,
जुगनू बना रहे निज दर्पण।

राशि-राशि वन-फूल खिले थे,
पुलक स्पन्दित वन-हृत्-शतदल;

दूर-दूर तक फहर रहा था
श्यामल शैल-तटी का अञ्चल।

एक बिन्दु पर मिले मार्ग दो आकर दो प्रतिकूल विजन से;
सङ्गम पर था भवन कला का सुन्दर घनीभूत गायन-से।

अमित प्रभा फैला जलता था महाज्ञान-आलोक चिरन्तन,
दीवारों पर स्वर्णाङ्कित था, "सत्य भ्रमर, सुन्दरता गुञ्जन।

प्रखर अजस्र कर्मधारा के अन्तराल में छिप कम्पन-सी
सुन्दरता गुञ्जार कर रही भावों के अन्तर्गायन-सी।

प्रेम सत्य की प्रथम प्रभा है, जिधर अमर छवि लहराती है;
उधर सत्य की प्रभा प्रेम बन बेसुध-सी दौड़ी जाती है।

प्रेमाकुल जब हृदय स्वयं मिट हो जाता सुन्दरता में लय,
दर्शन देता उसे स्वयं तब सुन्दर बनकर सत्य निरामय।"

\+ \+ \+

देखा, कवि का स्वप्न मधुर था,
उमड़ी अमिय धार जीवन में;
पूर्णचन्द्र बन चमक रहे थे
'शिव-सुन्दर' 'आनन्द'-गगन में।

मानवता देवत्व हुई थी,
मिले प्राण आनन्द अमर से।
कला-तीर्थ में आज मिला था
महा सत्य भावुक सुन्दर से।

(रेणुका, 1933)

जीवन-सङ्गीत

कञ्चन थाल सजा सौरभ से ओ' फूलों की रानी!
अलसायी-सी चली कहो, करने किसकी अगवानी?

वैभव का उन्माद, रूप की यह कैसी नादानी!
उषे! भूल जाना न ओस की करुणामयी कहानी।

जरा देखना गगन-गर्भ में तारों का छिप जाना;
कल जो खिले आज उन फूलों का चुपके मुरझाना।

रूप-राशि पर गर्व न करना, जीवन ही नश्वर है;
छवि के इसी शुभ्र उपवन में सर्वनाश का घर है।

सपनों का यह देश सजनि! किसका क्या यहाँ ठिकाना?
पाप-पुण्य का व्यर्थ यहाँ बुनते हम ताना-बाना।

प्रलय-वृन्त पर डोल रहा है यह जीवन दीवाना,
अरी, मौत का निःश्वासों से होगा मोल चुकाना।

सर्वनाश के अट्टहास से गूँज रहा नभ सारा;
यहाँ तरी किसकी छू सकती वह अमरत्व-किनारा?

एक-एक कर डुबो रहा नावों को प्रलय अकेला,
और इधर तट पर जुटता है वैभव-मद का मेला।

सृष्टि चाट जाने को बैठी निर्भय मौत अकेली;
जीवन की नाटिका सजनि! है जग में एक पहेली।

यहाँ देखता कौन कि यह नत-मस्तक, वह अभिमानी?
उठती एक हिलोर, डूबते पण्डित औ' अज्ञानी।

यह संग्रह किस लिए? हाय, इस जग में क्या अक्षय है?
अपने क्रूर करों से छूता सब को यहाँ प्रलय है।

लो, वह देखो, वीर सिकन्दर सारी दुनिया छोड़,
दो गज जमीं ढूँढ़ने को चल पड़ा कब्र की ओर।

सोमनाथ-मन्दिर का सोना ताक रहा है राह,
ओ महमूद! कब्र से उठकर पहनो जरा सनाह!

सुनते नहीं रूस से लन्दन तक की यह ललकार?
बोनापार्ट! हिलेना में सोये क्यों पाँव पसार?

और, गाल के फूलों पर क्यों तू भूली अलबेली?
बिना बुलाए ही आती होगी वह मौत सहेली।

सुन्दरता पर गर्व न करना ओ स्वरूप की रानी!
समय-रेत पर उतर गया कितने मोती का पानी।

रन्थी-रथ से उतर चिता का देखोगी संसार,
जरा खोजना उन लपटों में इस यौवन का सार।

प्रिय-चुम्बित यह अधर और उन्नत उरोज सुकुमार सखी!
आज न तो कल श्वान-शृगालों के होंगे आहार सखी!

दो दिन प्रिय की मधुर सेज पर कर लो प्रणय-विहार सखी!
चखना होगा तुम्हें एक दिन महाप्रलय का प्यार सखी!

जीवन में है छिपा हुआ पीड़ाओं का संसार सखी!
मिथ्या राग अलाप रहे हैं इस तन्त्री के तार सखी!

जिस दिन माँझी आएगा ले चलने को उस पार सखी!
यह मोहक जीवन देना होगा उसको उपहार सखी!

जीवन के छोटे समुद्र में बसी प्रलय की ज्वाला,
अमिय यहीं और यहीं वह प्राण-घातिनी हाला।

इस चाँदनी बाद आएगा यहाँ विकट अँधियाला,
यही बहुत है, छलक न पाया जो अब तक यह प्याला।

हरा-भरा रह सका यहाँ पर नहीं किसी का बाग सखी!
यहाँ सदा जलती रहती है सर्वनाश की आग सखी!

(रेणुका, 1933)

श्रांत-गीत

अब खींचूँ तसवीर खिजाँ की या बहार की बात कहूँ
इस गोधूलि-लगन को कह दे दिवा कहूँ या रात कहूँ

आँखों में है अश्रु, अधर में
हँसी, खूब यह बात निराली
इधर दहकते बालू के कण
उधर 'ओएसिस' की हरियाली
जीवन की इस धूपछाँह को ग्रीष्म की बरसात कहूँ
इस गोधूलि-लगन को कह दे दिवा कहूँ या रात कहूँ

ताम्र और सोने की प्याली
फूल शूल दोनों की डाली
चादर मेरी बड़ी निराली
ताना उजला, भरनी काली
सूत सूत में ग्रन्थि पड़ी है, यह किसका उत्पात कहूँ
इस गोधूलि-लगन को कह दे दिवा कहूँ या रात कहूँ

उलझा छोर किधर पाऊँगा
कौन ग्रन्थि खोलेगा मेरी

देर हुई तो आ पहुँचेगा
समय घूमता देता फेरी

जो हो; किन्तु, आज तो देखूँ
विश्वतटी! सुषमा मैं तेरी
उलझन, ग्रन्थि पड़ी रह जाए
मस्तों की माया है चेरी
निश्चय रश्मि हँसेगी तो फिर निशि को क्यों न प्रभात कहूँ
इस गोधूलि-लगन को कह दे दिवा कहूँ या रात कहूँ।

(रेणुका, प्र.सं.)

सायं-चिन्ता

नन्हीं दूब ओस से भींगी शरत्-निशा का प्रथम प्रहर है
दिशा शान्त धरणी के उर में गूँज रहा झींगुर का स्वर है

शशि-प्रहरी आया है न, अमा के
घर में चोरों की मनमानी
तारे गुपचुप झाँक रहे हैं
मेरे दिल की जली निशानी
धीरे शान्त पवन कानों में आ कहता इस दम कुछ गाओ
संध्या के उर की धड़कन में निज आहों के कम्प मिलाओ

क्या गाऊँ? बस यही कि मन की
सतह-सतह पर एक लहर है
आह-वाह जीवन से लिपटी
गीत यहाँ तृष्णा का स्वर है
गिरि को छोड़ तटी पर आते, तटी छोड़ गिरि पर चढ़ते हैं
लुढ़क-लुढ़क गिरि के ढालों पर हम यों ही आगे बढ़ते हैं

आये हैं तो खेल चलें हम
कुछ लेते कुछ देते जाएँ

मना मना झलहेर, झाँझरी
तरी किसी विधि खेते जाएँ
फूलों के वन में क्या हँसना? क्या शूलों के पथ पर रोना
रहे नियम हो जो, अच्छा है उनका लेना, अपना खोना

आया हूँ तेरी घाटी में
जग! मेरे साँचे में ढल जा
समय नहीं? तो प्रखर धार में
मिलने को खुद हृदय! पिघल जा
जो था उसको भूल आज तो तेरे रंगों से मन धो लूँ
आगे जो हूँगा सो हूँगा, लेकिन अभी तुझी-सा हो लूँ

रोते-गाते नाच नाचते
भावुक यहाँ, वहाँ निर्मोही
उछल कूद चुटकियाँ बजाते
चल खँजरी ठोंकते बटोही
अभी रात है, समय शान्त है, चारों ओर तिमिर का घेरा
'कोरस' गा वन्दन करने को आएगा फिर कभी सबेरा।

(रेणुका, प्र.सं.)

फूँक दे जो प्राण में उत्तेजना

फूँक दे जो प्राण में उत्तेजना,
गुण न वह इस बाँसुरी की तान में।
जो चकित करके कँपा डाले हृदय,
वह कला पायी न मैंने गान में।

जिस व्यथा से रो रहा आकाश यह
ओस के आँसू बहाकर फूल में,

ढूँढ़ती उसकी दवा मेरी कला
विश्व-वैभव की चिता की धूल में।

कूकती असहाय मेरी कल्पना
कब्र में सोये हुओं के ध्यान में,
खँडहरों में बैठ भरती सिसकियाँ
विरहिणी कविता सदा सुनसान में।

देख क्षण-क्षण मैं सहमता हूँ अरे,
व्यापिनी निस्सारता संसार की,
एक पल ठहरे जहाँ जग हो अभय,
खोज करता हूँ उसी आधार की।

(रेणुका, प्र.सं.)

कवि

ऊषा थी युग से खड़ी लिए
प्राची में सोने का पानी,
सर में मृणाल-तूलिका, तटी
में विस्तृत दूर्वा-पट धानी।

खींचता चित्र पर कौन? छेड़ती
राका की मुसकान किसे?
बिम्बित होते सुख-दुख, ऐसा
अन्तर था मुकुर-समान किसे?

दन्तुरित केतकी की छवि पर
था कौन मुग्ध होनेवाला?
रोती कोयल थी खोज रही
स्वर मिला संग रोनेवाला।

अलि की जड़ सुप्त शिराओं को
थी कली विकल उकसाने को,
आकुल थी मधु वेदना विश्व की
अमर गीत बन जाने को।

थी व्यथा किसे प्रिय? कौन मोल
करता आँखों के पानी का?
नयनों को था अज्ञात अर्थ
तबतक नयनों की वाणी का

उर के क्षत का शीतल प्रलेप
कुसुमों का था मकरन्द नहीं;
विहगों के आँसू देख फूटते
थे मनुजों के छन्द नहीं।

मृगदृगी वन्य-कन्या कर पाई
थी मृगियों से प्यार नहीं,
हाँ, प्रकृति-पुरुष तबतक मिल
हो-पाए थे एकाकार नहीं।

शैथिल्य देव कलियाँ रोईं,
अन्तर से सुरभित आह उठी;
ऊसर ने छोड़ी साँस, एक दिन
धरणी विकल कराह उठी।

यों विधि-विधान को दुखी देख
वाणी का आनन्द म्लान हुआ;
उर को स्पन्दित करनेवाले
कवि के अभाव का ज्ञान हुआ।

आह टकराई सुर-तरु में,
पुष्प आ गिरा विश्व-मरु में।

× × ×

कवि! पारिजात के छिन्न कुसुम
तुम स्वर्ग छोड़ भू पर आए,
उर-पद्‌म-कोष में छिपा दिव्य
नन्दनवन का सौरभ लाए।

जिस दिन तमसा-तट पर तुमने
दी फूँक बाँसुरी अनजाने,
शैलों की श्रुतियाँ खुलीं, लगे
नीड़ों में खग उठ-उठ गाने।

फूलों की वाणी मिली, चेतना
पा हरियाली डोल गई,
पुलकातिरेक में कली भ्रमर से
व्यथा हृदय की बोल गईं

प्राणों में कम्पन हुआ, विश्व की
सिहर उठी प्रत्येक शिरा;
तुम से कुछ कहने लगी स्वयं
तृण-तृण में हो साकार गिरा।

निर्झर-मुख पर चढ़ गया रंग
सुनहरी उषा के पानी का;
उग गया चित्र हिम-विन्दु-पूर्ण
किसलय पर प्रणय-कहानी का।

अंकुरित हुआ नव प्रेम, कंटकित
काँप उठी युवती वसुधा;
रस-पूर्ण हुआ उर-कोष, दृगों में
छलक पड़ी सौन्दर्य-सुधा।

कवि! तुम अनंग बनकर आये
फूलों के मृदु शर-चाप लिए,

चिर-दुखी विश्व के लिए प्रेम का
एक और सन्ताप लिए।

सीखी जगती ने जलन, प्रेम पर
जब से बलि होना सीखा;
फूलों ने बाहर हँसी, और
भीतर-भीतर रोना सीखा।

उच्छ्वासों से गल मोम हुई
ऊसर की पाषाणी कारा;
सींचने चली संसार तुम्हारे
उर की सुधा-मधुर धारा।

तुमने जो सुर में भरा,
शिशिर-क्रंदन में भी आनंद मिला;
रसवती हुई वेदना, आँसुओं
में जग को मकरन्द मिला।

मेघों पर चढ़ कर प्रिया पास
प्रेमी की व्याकुल आह चली;
वन-वन दमयन्ती विकल खोजती
निर्मोही की राह चली।

कवि! स्वर्ग-दूत या चरम स्वप्न
विधि का तुमको सुकुमार कहें?
नन्दन-कानन का पुष्प, व्यथा-
जग का या राजकुमार कहें?

विधि ने भूतल पर स्वर्ग-लोक
रचने का दे सामान तुम्हें;
अपनी त्रुटि को पूरी करने का
दिया दिव्य वरदान तुम्हें।

सब कुछ देकर भी चिर-नवीन,
चिर-ज्वलित व्यथा का रोग दिया;
फूलों से रचकर गात, भाग्य
में लिख शूलों का भोग दिया।

जीवन का रस-पीयूष नित्य
जग को करना है दान तुम्हें
हे नीलकंठ, सन्तोष करो,
था लिखा गरल का पान तुम्हें।

कितना जीवन-रस पिला-पिला
पाली तुमने कविता प्यारी?
कवि! गिनो, घाव कितने, बोलो,
उर-बीच उगे बारी-बारी?

सूने में रो-रो बहा चुके
जग का कितना उपहास कहो?
दुनिया कहती है गीत जिन्हें,
उन गीतों का इतिहास कहो।

दाएँ कर से जलन को उछाल
तट पर बैठे क्यों मौन? अरे!
बाएँ कर से मुख ढाँक लिया,
चिन्ता जागी यह कौन? हरे!

किरणें लहरों से खेल रहीं,
मेरे कवि! आह, नयन खोलो;
क्यों सिसक-सिसक रो रहे? हाय
हे देवदूत, यह क्या बोलो?

"आँखों से पूछो, स्यात्, आँसुओं
में गीतों का भेद मिले;

मुझको इतना भर ज्ञात, व्यथा
जब हरी हुई, सब वेद मिले।

"पाली मैंने जो आग, लगा
उसको युग का जादू-टोना;
फूटती नहीं, हाँ जला रही
चुपके उर का कोना-कोना।

आँखें जो कुछ हैं देख रहीं
उनका कहना भी पाप मुझे;
क्या से क्या होगा विश्व, यही
चिन्ता, विस्मय, सन्ताप मुझे।

"मुझको न याद, किस दिन मैंने
किस अमर व्यथा का पान किया।
दुनिया कहती है गीत, रुदन कर
मैंने साँझ-बिहान किया।"

× × ×

आँसू पर देता विश्व हृदय का
कोहिनूर उपहार नहीं;
रोओ कवि! दैवी व्यथा विश्व में
पा सकती उपचार नहीं।

रोओ, रोना वरदान यहाँ
प्राणों का आठों याम हुआ;
रोओ, धरणी का मथित हलाहल
पीकर ही नभ श्याम हुआ।

खारी लहरों पर स्यात्, कहीं
आशा का तिरता कोक मिले;

रोओ कवि! आँसू-बीच, स्यात्,
धरणी को नव आलोक मिले।

(रसवन्ती, 1935)

व्यक्ति

(1)

तुम एक अनल-कण हो केवल;
अनुकूल हवा लेकिन, पाकर,
छप्पर तक जा सकते उड़कर,
जीवन की ज्योति जगा सकते,
अम्बर में आग लगा सकते,
ज्वाला प्रचंड फैला सकती है छोटी-सी चिनगारी भी।

(2)

तुम फूल नहीं हो, शूल सही;
गुलचीं उपवन में आए जो,
फूलों पर हाथ लगाए जो,
पैरों में चुभ क्षत कर सकते,
उँगली में उसकी- गड़ सकते,
तलवारें बजतीं जहाँ, वहाँ आती काँटों की बारी भी।

(3)

तुम कुछ भी नहीं, एक हिमकण;
माना, तुम कुछ भी नहीं, मगर,
चू सकते किसी सुमन-उर पर,
हलका-सा कम्पन ला सकते,
मिटकर तो दर्द जगा सकते;
मरते-मरते कुछ कर जाती नन्हीं शबनम बेचारी भी।

(हुंकार, प्र.सं.)

फूलों के पूर्वजन्म

प्रिय की पृथुल जाँघ पर लेटी करती थीं जो रँगरलियाँ,
उनकी कब्रों पर खिलती हैं नन्हीं जूही की कलियाँ।

पी न सका कोई जिनके नव अधरों की मधुमय प्याली,
वे भौंरों से रूठ झूमतीं बनकर चम्पा की डाली।

तनिक चूमने से शरमीली सिहर उठी जो सुकुमारी;
सघन तृणों में छिप, उग आई वह बन छुई-मुई प्यारी।

जिनकी अपमानित सुन्दरता चुभती रही सदा बन शूल,
वे जगती से दूर झूमती सूने में बनकर वन-फूल।

अपने बलिदानों से जग में जिनने ज्योति जगाई है,
उन पगलों के शोणित की लाली गुलाब में छाई है।

अबुध वत्स जो मरे हाय, जिनपर हम अश्रु बहाते हैं,
वे हैं मौन मुकुल अलबेले खिलने को अकुलाते हैं!

(हुंकार, प्र.सं.)

समय

जर्जरवपुष्! विशाल!
महादनुज विकराल!

भीमाकृति! बढ़, बढ़, कबन्ध-सा कर फैलाए;
लील, दीर्घ भुज-बन्ध-बीच जो कुछ आ पाए।
बढ़-बढ़, चारों ओर, छोड़, निज ग्रास न कोई,
रह जाए अवशिष्ट सृष्टि का ह्रास न कोई।

भर बुभुक्षु! निज उदर तुच्छतम द्रव्य-निकर से,
केवल, अचिर, असार, त्याज्य, मिथ्या, नश्वर से।
सब खाकर भी हाय, मिला कितना कम तुझको!
सब खोकर भी किन्तु, घटा कितना कम मुझको!

खाकर जग का दुरित एक दिन तू मदमाता,
होगा अन्तिम ग्रास स्वयं सर्वभुक् क्षुधा का।
तब भी कमल-प्रफुल्ल रहेगा शाश्वत जीवन,
लहराएगा जिसे घेर किरणों का प्लावन।

आएगी वह घड़ी, मलिन पट मिट्टी का तज,
रश्मि-स्नात सब प्राण तारकों से निज को सज,
आ बैठेंगे घेर देवता का सिंहासन;
लील, समय, मल, कलुष कि हम पाएँ नव जीवन।

वह जीवन, जिसमें न जरा, रुज, क्षय का भय है,
जो निसर्गतः कालजयी है, मृत्युंजय है।

(रसवन्ती, प्र.सं.)

कालिदास

समय-सिन्धु में डूब चुके हैं मुकुट, हर्म्य विक्रम के,
राजसिद्धि सोई, कब जानें, महागर्त में तम के।
समय सर्वभुक् लील चुका सब रूप अशोभन-शोभन,
लहरों में जीवित है कवि, केवल गीतों का गुंजन।

शिला-लेख, मुद्रा के अंकन, सब हो चुके पुराने,
केवल गीत कमल-पत्रों के हैं।
सब के गए, शेष हैं लेकिन, कोमल प्राण तुम्हारे,
तिमिर-पुंज में गूँज रहे ज्योतिर्मय गान तुम्हारे।

काल-स्रोत पर नीराजन-सम ये बलते आए हैं,
दिन-मणि बुझे, बुझे विधु, पर, ये दीप न बुझ पाए हैं।
कवे! तुम्हारे चित्रालय के रंग अभी हैं गीले,
कली कली है, फूल फूल, फल ताजे और रसीले।

वाणी का रस-स्वप्न खिला था जो कि अवन्तीपुर में,
ज्यों का त्यों है जड़ा हुआ अब भी भारत के उर में।
उज्जयिनी के किसी फुल्ल-वन-शोभी रूप-निलय से
विरह-मिलन के छन्द उड़े आते हैं मिले मलय से।

एक सिक्त-कुन्तला खोलकर मेघों का वातायन
अबतक विकल रामगिरि-दिशि में हेर रही कुछ उन्मन।
रसिक मेघ पथ का सुख लेता मन्द-मन्द जाता है,
अलका पहुँच सँदेश यक्ष का सुना नहीं पाता है।

और हुताशनवती तपोवन की निर्धूम शिखाएँ
लगती हैं सुरभित करती-सी मन की निखिल दिशाएँ।
एक तपोवन जीवित है अब भी भारत के मन में,
जहाँ अरुण आभा प्रदोष की विरम रही कानन में।

बँधे विटप से बैखानस के चीवर टँगे हुए हैं,
ऋषि रजनीमुख-हवन-कर्म में निर्भय लगे हुए हैं।
मुनिबाला के पास दौड़ता मृगशावक आता है,
ज्यों-त्यों दर्भजनित क्षत अपने मुख का दिखलाता है।

वह निसर्ग-कन्या अपने आश्रमवासी परिजन को
लगा इंगुदी-तैल, गोद ले सुहलाती है तन को।
बहती है मालिनी कहीं अब भी भारत के मन में,
प्रेमी प्रथम मिला करते जिसके तट वेतस-वन में।

प्रथम स्पर्श से झंकृत होती वेपथुमती कुमारी,
एक मधुर चुम्बन से ही खिलकर हो जाती नारी।

दर्भांकुश खींचती चरण से, झुकी अरालासन से
देख रही रूपसी एक प्रिय को मधु-भरे नयन से।

इस रहस्य-कानन की अगणित निबिडोन्नतस्तनाएँ,
कान्तप्रभ शरदिन्दु-रचित छवि की सजीव प्रतिमाएँ
हँसकर किसकी शमित अग्नि को जिला नहीं देती हैं?
किस पिपासु को सहज नयन-मधु पिला नहीं देती हैं?

अमित युगों के अश्रु, अयुत जन्मों की विरह-कथाएँ,
अमित जनों की हर्ष-शोक-उल्लासमयी गाथाएँ,
भूतल के दुख और अलभ सुख जो कुछ थे अम्बर में,
सब मिल एकाकार हो गए कवे! तुम्हारे स्वर में।

किसका विरह नहीं बजता अलकावासिनी के मन में?
किसके अश्रु नहीं उड़ते हैं बनकर मेघ गगन में?
किसके मन की खिली चाँदनी परी न बन जाती है?
वनकन्या बन लता-ओट छिप किसे न ललचाती है?

कम्पित रुधिर थिरकता किसका नहीं रणित नूपुर में?
मिलन-कल्पना से न दौड़ जाती विद्युत किस उर में?
गीत लिखे होंगे कविगुरु! तुमने तो अपने मन के,
झंकृत क्यों होते हैं स्वर इनमें त्रिकाल-त्रिभुवन के?

(रसवन्ती, प्र.सं.)

सपनों का धुआँ

"है कौन?" "मुसाफिर वही, कि जो कल आया था,
या कल जो था मैं, आज उसी की छाया हूँ,
जाते-जाते कल छट गए कुछ स्वप्न यहीं,
खोजते रात में आज उन्हीं को आया हूँ।"

"जीते हैं मेरे स्वप्न? आपने देखा था?"
(बोले) "हाँ, छोड़ गए थे यहाँ आप ही दूब हरी?
अफसोस मगर, कल शाम आपके जाते ही
चर गई उसे जड़-मूल-सहित मेरी बकरी।"

"चन्दन भी था कुछ पड़ा हुआ घर के बाहर,
कल रात लगी थरथरी उसे तब मँगवाया;
जी भर कर तापा धर कर उसे अँगीठी में,
जब धुआँ उठा, घर भर को बड़ा मजा आया।"

(मैंने कहा) "दूर ही रहो अय चाँद! आदमी बड़े-बड़े
आगे-पीछे भी नहीं सोचने पाएँगे,
पीयूष तुम्हारे मरने का कारण होगा,
प्याले पर धर कर तुम्हें चाट ही जाएँगे।"

(धूप और धुआँ, 1949)

गांधी

मा भैः, मा भैः, मा भैः, मा भैः,
मोह तिमिर है, मोह मृत्यु है,
छोड़ो इसे अभागो रे!
भय का बन्धन तोड़ अमृत के
पुत्र मानवो! जागो रे!
मा भैः, मा भैः।

दमन करो मत कभी, सत्य को
मुख से बाहर आने दो,
भय के भीषण अन्धकार में
ज्योति उसे फैलाने दो।
मा भैः, मा भैः।

जुल्मी को जुल्मी कहने में
जीभ जहाँ पर डरती है,
पौरुष होता क्षार वहाँ,
दम घोंट जवानी मरती है।
मा भैः, मा भैः।

सत्य न होता प्राप्त कभी भी
सत्य-सत्य चिल्लाने से,
मिलता है वह सदा एक
निर्भयता को अपनाने से।
मा भैः मा भैः।

निर्भयता है ज्योति मनुज की,
निर्भयता मानव का बल,
निर्भयता शूरों की शोभा,
वीरों की करवाल, प्रबल।
मा भैः, मा भैः।

अभय, अभय ओ अमृतपुत्र!
बेबसी, वेदना बोलो भी।
दम घुट रहा सत्य का भीतर,
द्वार हृदय का खोलो भी।
मा भैः, मा भैः।

(धूप और धुआँ, 1949)

हे राम!

लो अपना यह न्यास देवता!
बाँह गहो गुणधाम!
भक्त और क्या करे सिवा,
लेने के पावन नाम?

स्वागत नियति-नियत क्षण मेरे!
बजा विजय की भेरी;
मुक्तिदूत! जानें कब से थी
मुझे प्रतीक्षा तेरी।

और कौन तुम तृषित? अरे,
चुल्लू भर शोणित को ही,
तुम आए ले शस्त्र, व्यर्थ
बनकर समाज के द्रोही?

मेरा शोणित शमित सके कर
अगर किसी का ताप,
घर बैठे पहुँचा आऊँ मैं
उसे न क्यों चुपचाप?

क्षमा करो देवाधिदेव!
अपराधी किसका, कौन?
इच्छा राम! प्रधान तुम्हारी,
दोष हमारे गौण।

विदा, युद्धजर्जर वसुधे!
किस तरह करूँ परितोष?
भेजें राम मुझे लेकर फिर
कभी अमृत का कोष।

फूँक जगत के कर्णकुहर में
देव! तुम्हारा नाम,
क्षमा करो देवाधिदेव,
आया, आया हे राम![1]

(धूप और धुआँ, 1949)

1. बापू के मुख से निकले हुए अन्तिम शब्द।

बापू

जो कुछ था देय, दिया तुमने, सब लेकर भी
हम साथ पसारे हुए खड़े हुए हैं आशा में,
लेकिन, छींटों के आगे जीभ नहीं खुलती,
बेबसी बोलती है आँसू की भाषा में।

वसुधा को सागर से निकाल बाहर लाए,
किरणों का बन्धन काट उन्हें उन्मुक्त किया;
आँसुओं, पसीनों से न आग जब बुझ पाई
बापू! तुमने आखिर को अपना रक्त दिया।

(धूप और धुआँ, 1949)

व्याल-विजय

झूमे जहर चरण के नीचे, मैं उमंग में गाऊँ,
तान, तान फण व्याल, कि तुझ पर मैं बाँसुरी बजाऊँ।

(1)

यह बाँसुरी बजी माया के मुकुलित आकुंचन में,
यह बाँसुरी बजी अविनाशी के संवेश गहन में;
अस्तित्वों के अनस्तित्व में, महाशान्ति के तल में,
यह बाँसुरी बजी शून्यासन की समाधि निश्चल में।
कम्पहीन तेरे समुद्र में जीवन-लहर उठाऊँ,
तान, तान फण व्याल, कि तुझ पर मैं बाँसुरी बजाऊँ।

(2)

अक्षय-वट पर बजी बाँसुरी, गगन मगन लहराया,
दल पर विधि को लिये जलधि में नाभि-कमल उग आया।
जन्मी नव चेतना, सिहरने लगे तत्व चलदल-से,
स्वर का ले अवलम्ब भूमि निकली प्लावन के जल से।

अपने आर्द्र वसन की वसुधा को फिर याद दिलाऊँ,
तान, तान फण व्याल, कि तुझ पर मैं बाँसुरी बजाऊँ।

(3)

फूली सृष्टि नाद-बन्धन पर, अब तक फूल रही है,
बंसी के स्वर के धागे में, धरती झूल रही है।
आदि छोर पर जो स्वर फूँका, पहुँचा अन्त तलक है,
तार-तार में गूँज गीत की, कण-कण बीच झलक है।
आलापों पर उठा जगत को भर-भर पेंग झुलाऊँ,
तान, तान फण व्याल, कि तुझ पर मैं बाँसुरी बजाऊँ।

(4)

जगमग ओस-विन्दु गुँथ जाते साँसों के तारों में,
गीत बदल जाते अनजाने मोती के हारों में।
जब-जब उठता नाद, मेघ मंडलाकार घिरते हैं,
आस-पास बंसी के गीले इन्द्रधनुष तिरते हैं।
बाँधूँ मेघ कहाँ बंसी पर? सुरधनु कहाँ सजाऊँ?
तान, तान फण व्याल, कि तुझ पर मैं बाँसुरी बजाऊँ।

(5)

इस बंसी के मधुर नाद पर माया डोल चुकी है,
पटावरण कर दूर भेद अन्तर का खोल चुकी है।
झूम चुकी है प्रकृति चाँदनी में मादक गानों पर,
नचा चुका हूँ महानर्तकी को इसकी तानों पर।
विषवर्षी पर अमृतवर्षिणी का जादू दिखलाऊँ,
तान, तान फण व्याल, कि तुझ पर मैं बाँसुरी बजाऊँ।

(6)

उड़े नाद के जो कण ऊपर, वे बन गये सितारे,
जो नीचे रह गये, कहीं हैं फूल, कहं अंगारे।
भींगे अधर कभी बंसी के शीतल गंगाजल से,
कभी प्राण तक झुलस उठे हैं इसके हालाहल से।

शीतलता पीकर प्रदाह से कैसे हृदय चुराऊँ?
तान, तान फण व्याल, कि तुझ पर मैं बाँसुरी बजाऊँ।

(7)

यह बाँसुरी बजी, मधु के सोते फूटे मधुवन में,
यह बाँसुरी बजी, हरियाली दौड़ गयी कानन में।
यह बाँसुरी बजी, प्रत्यागत हुए विहंग गगन से,
यह बाँसुरी बजी, सट कर विधु चलने लगा भुवन से।
अमृत-सरोवर में धो-धो तेरा भी ज़हर बहाऊँ,
तान, तान फण व्याल, कि तुझ पर मैं बाँसुरी बजाऊँ।

(8)

यह बाँसुरी बजी पनघट पर कालिन्दी के तट में,
यह बाँसुरी बजी मुरदों के आसन पर मरघट में।
बजी निशा के बीच आलुलायित केशों के तम में,
बजी सूर्य के साथ यही बाँसुरी रक्त-कर्दम में।
कालियदह में मिले हुए विष को पीयूष बनाऊँ,
तान, तान फण व्याल, कि तुझ पर मैं बाँसुरी बजाऊँ।

(9)

फूँक-फूँक विष-लपट, उगल जितना हो जहर हृदय में,
यह बंसी निर्गरल, बजेगी सदा क्षान्ति की लय में।
पहचाने किस तरह भला तू निज विष का मतवाला?
मैं हूँ साँपों की पीठों पर कुसुम लादनेवाला।
विषदह से चल निकल, फूल से तेरा अंग सजाऊँ।
तान, तान फण व्याल, कि तुझ पर मैं बाँसुरी बजाऊँ।

(10)

ओ शंका के व्याल! देख मत मेरे श्याम वदन को,
चक्षुःश्रवा! श्रवण कर बंसी के भीतर के स्वन को।
जिसने दिया तुझे विष, उसने मुझको गान दिया है,
ईर्ष्या तुझे, उसी ने मुझको भी अभिमान दिया है।

इस आशिष के लिए भाग्य पर क्यों न अधिक इतराऊँ?
तान, तान फण व्याल, कि तुझ पर मैं बाँसुरी बजाऊँ।

(11)

विषधारी! मत डोल कि मेरा आसन बहुत कड़ा है,
कृष्ण आज लघुता में भी साँपों से बहुत बड़ा है।
आया हूँ बाँसुरी-बीज उद्धार लिये जनगण का,
फण पर तेरे खड़ा हुआ हूँ भार लिये त्रिभुवन का।
बढ़ा, बढ़ा नासिका, रन्ध्र में मुक्ति-सूत्र पहनाऊँ,
तान, तान फण व्याल, कि तुझ पर मैं बाँसुरी बजाऊँ।

(नील कुसुम, 1949)

शबनम की जंजीर

रचना तो पूरी हुई, जान भी है इसमें?
पूछूँ जो कोई बात, मूर्त्ति बतलाएगी?
लग जाए आग यदि किसी रोज देवालय में,
चौंकेगी या यह खड़ी-खड़ी जल जाएगी?

ढाँचे में तो सब ठीक-ठीक उतरा, लेकिन,
बेजान बुतों के कारीगर, कुछ होश करो,
जब तक पत्थर के भीतर साँस नहीं चलती,
सौगन्ध इसी की तुम्हें, न तुम सन्तोष करो।

भर सको अगर तो प्रतिमा में चेतना भरो,
यदि नहीं, निमन्त्रण दो जीवन के दानी को।
विभ्राट, महाबल जहाँ थके-से दीख रहे,
आगे आने दो वहाँ क्षीणबल प्राणी को।

तैरता हवा में जो, वह क्या भारी होगा?
सपनों के तो सारथी क्षीणबल होते हैं;

संसार पुष्प से अपने को भूषित करता,
ये गन्धभार अपनी आत्मा में ढोते हैं।

सपनों का वह सारथी, यान जिसका कोमल
आँखों से ओझल हृदय-हृदय में चलता है;
जिसके छूते ही मन की पलक उधर जाती,
विश्वास भ्रान्ति को भेद दीप-सा बलता है।

सपनों का वह सारथी, रात की छाया में
आते जिसकी श्रुति में संवाद सितारों से,
सरिताएँ जिससे अपना हाल कहा करतीं,
बातें करता जो फूलों और पहाड़ों से।

पपड़ियाँ तोड़ फूटते जिन्दगी के सोते,
रथ के चक्के की लीक जहाँ भी पड़ती है।
प्रतिमा सजीव होकर चलने-फिरने लगती
मिट्टी की छाती में चेतना उमड़ती है।

छनी-टाँकी क्या करें? जिन्दगी की साँसें
लोहे पर धरकर नहीं बनाई जाती हैं;
धाराएँ जो मानव को उद्वेलित करतीं,
यन्त्रों के बल से नहीं बहाई जाती हैं।

विज्ञान काम कर चुका; हाथ उसका रोको,
आगे आने दो गुणी! कला कल्याणी को।
जो भार नहीं विभ्राट, महाबल उठा सके,
दो उसे उठाने किसी क्षीणबल प्राणी को।

मानव-मन को बेधते फूल के दल केवल,
आदमी नहीं कटता बरछों से, तीरों से,
लोहे की कड़ियों की साजिश बेकार हुई,
बाँधो मनुष्य को शबनम की जंजीरों से।

(धूप और धुआँ, 1950)

तुम क्यों लिखते हो?

तुम क्यों लिखते हो? क्या अपने अन्तरतम को
औरों के अन्तरतम के साथ मिलाने को?
अथवा शब्दों की तह पर तह पोशाक पहन
जग की आँखों से अपना रूप छिपाने को?

यदि छिपा चाहते हो दुनिया की आँखों से,
तब तो मेरे भाई! तुमने यह बुरा किया।
है किसे फिक्र ही यहाँ, कौन क्या लाया है?
तुमने ही क्यों अपने को अद्भुत मान लिया?

कहनेवाले जाने, क्या-क्या कहते आए,
सुननेवालों ने मगर, कहो, क्या पाया है?
मथ रहीं मनुज को जो अनन्त जिज्ञासाएँ,
उत्तर क्या उनका कभी जगत में आया है?

अच्छा बोलो, आदमी एक मैं भी ठहरा,
अम्बर से मेरे लिए चीज क्या लाए हो?
मिट्टी पर हूँ मैं खड़ा, जरा नीचे देखो,
ऊपर क्या है जिस पर टकटकी लगाए हो?

'तारों में है संकेत? चाँदनी में छाया?'
बस, यही बात हो गई सदा दुहराने की?
सनसनी, फेन, बुद्बुद, सब कुछ सोपान बना,
अच्छी निकली यह राह सत्य तक जाने की।

दावा करते हैं शब्द जिसे छू लेने का
क्या कभी उसे तुमने देखा या जाना है?
तुतले कम्पन उठते हैं जिस गहराई से,
अपने भीतर क्या कभी उसे पहचाना है?

जो कुछ खुलता सामने, समस्या है केवल,
असली निदान पर जड़े वज्र के ताले हैं;
उत्तर, शायद, हो छिपा मूकता के भीतर,
हम तो प्रश्नों का रूप सजानेवाले हैं।

तब क्यों रचते हो वृथा स्वाँग, मानो, सारा
आकाश और पाताल तुम्हारे कर में हो?
मानो, मनुष्य नीचे हो तुमसे बहुत दूर
मानो, कोई देवता तुम्हारे स्वर में हो।

मिहिका रचते हो? रचो; किन्तु, क्या फल इसका?
खुलने की जोखिम से वह तुम्हें बचाती है?
लेकिन मनुष्य की द्वाभा और सघन होती,
धरती की किस्मत और भरमती जाती है।

धो डालो फूलों का पराग गालों पर से,
आनन पर से यह आनन अपर हटाओ तो,
कितने पानी में हो? इसको जग भी देखे,
तुम पल भर को केवल मनुष्य बन आओ तो।

सच्चाई की पहचान कि पानी साफ रहे,
जो भी चाहे, ले परख जलाशय के तल को;
गहराई का वे भेद छिपाते हैं केवल,
जो जान-बूझ गदला करते अपने जल को।

(धूप और धुआँ, 1950)

व्यष्टि

तुम जो कहते हो, हम भी हैं चाहते वही,
हम दोनों की किस्मत है एक दहाने में;
है फर्क मगर, काशी में जब वर्षा होती
हम नहीं तानते हैं छाते बरसाने में।

तुम कहते हो, आदमी नहीं यों मानेगा,
खूँटे से बाँधों इसे और रिरियाने दो;
सीधे मन से यह पाठ नहीं जो सीख सका,
लाठी से थोड़ी देर हमें सिंखलाने दो।

हम कहते हैं, आदमी तभी सीधा होगा,
जब ऊँचाई पर पहुँच स्वयं वह जागेगा;
यों, सदी-दो-सदी तक खूँटे से बाँध रखो,
जंजीरें ढीली हुईं कि वह फिर भागेगा।

है आँख तुम्हारी निराकारता के ऊपर,
तुम देख रहे कल्पित समाज की छाया को;
हमको तो केवल व्यष्टि दिखाई पड़ती है,
मुट्ठी कैसे पकड़े समष्टि की माया को?

मढ़ कभी सकोगे चाम निखिल भूमंडल पर?
बेकार रात-दिन इतना स्वेद बहाते हो।
काँटे पथ में हैं अगर, व्यक्ति के पाँवों में
तुम अलग-अलग जूते क्यों नहीं पिन्हाते हो?

(धूप और धुआँ, 1950)

एक भारतीय आत्मा के प्रति

[कवि की साठवीं वर्ष-गाँठ के अवसर पर]

रेशम के डोरे नहीं, तूल के तार नहीं,
तुमने तो सब कुछ बुना साँस के धागों से;
बेंतों की रेखाएँ रंगों में बोल उठीं,
गुलबदन किरण फूटी कड़ियों के रागों से

चीखें जब बनतीं टेक, अन्तराएँ आहें,
मन की कचोट जब पिघल गीत में घुलती है;

दुनिया सुनती चुपचाप आप अपने भीतर,
आँखें भींगें, लेकिन, जबान कब खुलती है?

ये खूब कुहासे लाल-लाल, झीने-झीने,
यह खूब घटा रंगीन सँवरकर छाई है।
दुलहन कोई है छिपी? याकि मंजूषा में
धरती की पहली उषा सिमट कर आई है?

तुम साठ साल के हुए, साठ ही और लगें,
पर, यह दुलहन क्या कभी मलिन हो पाएगी?
हर भोर कली पर नई-नई शबनम होगी,
हर रोज वेदना रंगों-बीच नहाएगी।

है कौन सत्य? पत्ते जिसके झरते रहते?
या वह जिसमें नित नूतन पत्र निकलते हैं?
दो रूप, एक से नाश हमें अनुगत करता
दूसरा, मृत्यु पर हमीं पाँव दे चलते हैं।

(धूप और धुआँ, 1950)

इच्छा-हरण

धरती ने भेजा था सूरज-चाँद स्वर्ग से लाने,
भला द्वीप लेकर लौटूँ किसको क्या मुख दिखलाने?

भर न सका अंजलि, तू पूरी कर न सका यह आशा,
उलटे, छीन रहा है मुझसे मेरी चिर-अभिलाषा।

रहने दे निज कृपा, हुआ यदि तू ऐसा कंगाल,
मनसूबे मत छीन, कलेजे से मत कसक निकाल।

माना, है अधिकार तुझे दानी सब कुछ देने का,
मगर, निराला खेल कौन इच्छाएँ हर लेने का?

अचल साध्य-साधक हम दोनों, अचल कामना-कामी,
इतनी सीधी बात तुझे ही ज्ञात न अन्तर्यामी!

माँग रहा चन्द्रमा स्वर्ग का, माँग रहा दिनमान,
नहीं माँगने मैं आया इच्छाओं का अवसान!

(धूप और धुआँ, प्र.सं.)

भावी पीढ़ी से

हम तुम में साकार नहीं तो छिपे हुए हैं।
तुम भी लेकर नाव हमारे उष्ण रुधिर में
घूम रहे इच्छाओं की दुनिया टटोलते,
ले जाने को उसे, तत्व जो अविनश्वर है,
जा सकता है जो कुम्हलाए बिना वहाँ तक
जहाँ पहुँच तट छोड़ तुम्हें ऊपर आना है।

ये कुछ भींगे कमल और ये गीली कलियाँ?
ऐसी ही थीं, हम सब की ईजाद नहीं हैं।
जो हम को दे गये, उन्होंने भी पाया था,
अपने पूर्व-पुरुष के हाथों से ऐसा ही।
जीत वही जो मनु के चरणों में लौटी थी;
हार वही जिसके नीचे वह काँप उठा था।
रहे धूल में पड़ा कि गंगा में नहलाओ,
आदम का बेटा आदम का ही बेटा है।

नयी बात क्या कहें? नया हमने क्या सीखा?
उलट-पुलट कर शब्द खेल जितने दिखलावें;

किन्तु, बात है यही कि जल ठण्डा होता है,
और आग पर चढ़ा उसे जितना खौलाओ,
किन्तु, आग उस पानी से भी बुझ जाती है।

जिज्ञासा का धुआँ उठा जो मनु के सिर से,
सब के माथे से वह उठता ही आया है,
घटी-बढ़ी, पर, नहीं तनिक नीलिमा गगन की,
और न बरसा समाधान कोई अम्बर से।

श्रम है केवल सार, काम करना अच्छा है,
चिन्ता है दुख-भार, सोचना पागलपन है।
पियो सोम या चाय, नाम में जो अन्तर हो,
मगर, स्वाद का हाल वही खट्टा-मीठा है।

(नील कुसुम, 1951)

स्वप्न और सत्य

तबीयत चाहती है, बात कुछ तुमको सुनाऊँ,
मगर, तुम कौन हो जो पंक्ति मेरी पढ़ रहे हो?

कला के पारखी हो? चाँदनी के चाहनेवाले?
हवा की साँस में जो दर्द है उसको समझते हो?
बितायी है कभी क्या पूर्णिमा की रात खेतों में
खड़ी हरियालियों को देखते, बोले बिना कुछ भी?

पहाड़ों को कभी क्या देखकर यह भाव जागा है,
तुम्हारी और उनकी रूह आपस में सहेली हैं?

सितारों की सभा में बैठते हो? घूमते हो क्या
उषा के जावकों में और सन्ध्या के जुही-वन में?

जवानी की लटों को देख मन करवट बदलता है?
भरे-उभरे बदन से क्या घनों की याद आती है?

रखा है याद सौ में एक कोई गीत वह चुनकर
कि जिस में रूपसी कोई सरोवर में नहाती हो,
पलों के दो दलों पर, बाहु-मूलों पर, कपोलों पर
झलकते हों फुहारे शुभ्र जल के मोतियों-जैसे,
कमल-दल पर सुबह में जिस तरह शबनम चमकती है?

बुलाते हैं इशारों से कभी वे स्वप्न तुमको भी
हमारे हाथ से दो इंच जो आगे बने रहते?
न छू सकते जिन्हें हम औ' न जिनको छोड़ ही सकते,
यही दो इंच की दूरी हजारों कोस बन जाती।
मगर, बेचैनियों से रोशनी कैसी उमड़ती है?

तुम्हें भी रात के सुनसान में आकाश पर दिखते
किसी की माँग के मोती, किसी के हाथ का दर्पण?
किसी के मुक्त कुन्तल-जाल लहराते हुए घन-से
कि जिनमें से चमेली के हजारों फूल झरते हैं?

अहा! क्या बात? ये आकाशवाली सूरतें भोली,
कि जिनके नाम से आहट नयी महसूस होती है;
हृदय में सुगबुगा उठती जुही के फूल-सी कविता,
लहू में रेंगने लगते हजारों साँप सोने के।

सुकेशी, उर्वशी, रम्भा, मृणाली, मेनका, शीला,
न किसके नाम में वैकुण्ठ सिमटा झिलमिलाता है?
न किसके नाम से ही प्राण जगकर बैठ जाते हैं,
समझकर, यह किसी संगीत की पहली कड़ी होगी?

जरा लो नाम, फिर दोनों दृगों को मूँदकर सूँघो,
तुम्हारे घ्राण में सम्पूर्ण दिव की गन्ध आयेगी।

प्रणय की चिर-किशोरी मूर्तियों को काम ही क्या है?
सदा किलकारियाँ भरना, मचलते, खेलते रहना
कभी मन्दार के नीचे, कभी मन्दाकिनी-तट पर।

न इनकी आयु बढ़ती है, न इनका रूप घटता है,
बुढ़ापा क्या? जवानी ही कभी ढीली नहीं होती।

किसी की कुक्षि की कोंपल? नहीं, ये कल्पनाएँ हैं।
निकलती है जवानी की उमंगों से परी उस दिन
मनुज का मन भरे मधुमास में जिस रोज होता है।

टँगे हैं कल्पना की खूँटियों पर चित्र वे, जिनमें
अछूते रंग में हिलडुल मनुज की प्यास जलती है।

कुहासे में, धुएँ में रंग के तूफान पर चढ़कर
हवा पर दौड़ना भी खूब है आगे अगर कोई
परी संकेत करती हो कि मन का देवता उगकर
बुलाता हो तिमिर में, फिर बुलाकर डूब जाता हो।

बड़ा आनन्द है रंगीनियों के बीच चलने में।
बुरा क्या है, कभी यदि मेनका के साथ बादल पर
टहलते-घूमते तुम बेखबर नीचे फिसल जाओ?
अरे, ये मेघ हैं, सड़कें नहीं कंक्रीट-पत्थर की,
गिरो भी तो नहीं तन में तनिक भी चोट लगती है।

बुरा क्या है, किसी दिन घूमते-फिरते भटक जाओ,
गली सूझे नहीं कोई सितारों से निकलने की?

मजे में रात भर घूमो कभी दाएँ, कभी बाएँ,
उमड़ती बाढ़ में ज्यों गाँव की डोंगी निकलती है
घरों के पास से होकर, बचाकर पेड़-पौधों को;
कि जैसे पर्वतों की गोद में नदियाँ बहा करतीं;
कि जैसे टापुओं के बीच से जलयान चलते हैं,
कि जैसे रेंगते हैं साँप नीचे फूल के वन में,
कि जैसे नाव 'वेनिस' में गृहों के बीच फिरती है।

सितारों की जमीं पर ओस की अच्छी नमी होगी,
धुमैली गन्ध बादल की भरेगी ताजगी मन में।
मजे में रात भर घूमो, मगर, जब भोर होता हो,
क्षितिज के पास कंचन के सरोवर में उतर जाओ,
मिटा लो क्लान्ति, रँग लो प्राण को सौरभ भरे जल से,
उषा को बाँधकर भुज में उतरते-तैरते जाओ,
क्षितिज के पास से पृथ्वी नहीं दो हाथ भर भी है।

अहा! पृथ्वी!
धुओं का जाल ऊपर रह गया उन भावनाओं-सा
उमड़ती हैं घटा-सी जो, नहीं पर, हाथ में आतीं,
तुम्हारे पाँव के नीचे हुई आवाज कुछ ठक-सी?
लगा ऐसा कि जैसे नींद से तुम जाग बैठे हो?
हुआ अनुमान कुछ ऐसा कि जैसे आँख के ऊपर
हरी ऐनक पड़ी थी जो कहीं वह गिर गयी खुलकर?
अभी तो भोर की भी धूप आँखों में कड़कती है।
यही है जिन्दगी जिसकी गगन में कामना फैली,
मगर, जो खुद खड़ी चट्टान से लोहे बजाती है।
छिटक चिनगारियाँ उड़तीं, वही इसके सितारे हैं,
धुमैली गन्ध जो ऊपर, यहाँ खुशबू पसीने की।

गगन में घूमनेवालो! जिसे तुम खोजते-फिरते,
नहीं वह पूर्णता है शून्य का कीटाणु बनने में।

बढ़ाओ कल्पना का जाल, तब भी व्योम बाकी है,
लगाओ तर्क के सोपान, तब भी प्रश्न रहते हैं।
मृषा ऊहा, वृथा सन्धान, मन का स्वेद यह झूठा,
अमरता खोजते हो तुम, मगर मरते चले जाते।

इधर तुम खींचते अपनी लकीरें वायुमंडल में,
उधर आकर निरन्तर शून्य उनको एक कर जाता।
इसीसे तो समझता हूँ कि वे अच्छे रहे हमसे
नहीं जिनकी लकीरें वायुमंडल पर, मही पर हैं।

जिन्होंने पर्वतों को काटकर मैदान कर डाला,
नदी संकेत पर जिनके सिमटकर गति बदलती है।
सुबह से शाम तक खटकर पुरुष जो लौटते घर को,
अभी भी वीरता-साहस लिये, गौरव भरे मन में,
प्रिया से भी नहीं कहते कि मेरी देह दुखती है।

बड़ी कविता कि जो इस भूमि को सुन्दर बनाती है,
बड़ा वह ज्ञान जिससे व्यर्थ की चिन्ता नहीं होती।
बड़ा वह आदमी जो जिन्दगी भर काम करता है;
बड़ी वह रूह जो रोये बिना तन से निकलती है।

(नील कुसुम, 1952)

नीरव प्रकाश

दूँ तुम को जीभ उधार? सूर्य! क्या बोलोगे?
भाषा जिनकी है बनी, भाव वे जूठे हैं।
जो भेद अछूते हैं, उनको कहना चाहो,
तो वाणी के साधन समस्त ये झूठे हैं।

आँखें सुन सकतीं नहीं मूर्त्त जिन गीतों को,
शब्दों में उनको ढाल कान पढ़ पायेंगे?

गूँगे की लिपियों में न अर्थ जो आ पाते,
कवि की जिह्वा पर ही कैसे चढ़ पायेंगे?

ये शब्द मद्य-रस-जीवी हैं, जितनी पीते
संकेत-सुरा उतना ही खेल दिखाते हैं।
पर, जहाँ वारुणी का मद नहीं ठहर पाता,
उस गहराई पर पहुँच मूक रह जाते हैं।

संकेतों से आगे वाणी की राह नहीं,
कुछ लाभ नहीं किरणों को मुखर बनाने से।
रव की झंकारों से न भेद खुल पायेगा,
जो खुला नहीं नीरव प्रकाश फैलाने से।

(नील कुसुम, 1953)

नर्त्तकी

तुम्हें भी शूल चुभते हैं?

बरसते हैं तुम्हारे अंग पर भी बाण आँखों के
असूया में बुझे, विद्वेष के तीखे जहरवाले?
उन्हीं के सामने हो नाचती जिनकी निगाहों में
नहीं तुम और कुछ, केवल सुयश की भिक्षुणी भर हो?

सुधा से तृप्त कर सब को स्वयं जब लौटती घर को,
तुम्हारे भी हृदय के कूप से आवाज उठती है?
"लगा लायी नया फिर एक धब्बा आज भी तन में,
मरण के हाथ फिर थोड़ी अमरता बेच आयी है।"

हृदय का देवता कहता, न बाहर धूप में घूमो।
नगर के लोग कहते हैं, प्रशंसा की भिखारिन है।

मगर, तब भी नहीं तुम क्यों हृदय के गेह में रुकतीं?
अतल गहराइयों को छोड़ क्यों बाहर निकलती हो,
जहाँ ईर्ष्या, असूया, द्वेष सब भाले लिये फिरते,
जहाँ पर फूल की सारी परख रंगीनियों तक है?
न कोई मूल तक जाता, न कोई गन्ध लेता है।

सतह के फेन के गाहक; कलाएँ मौज हैं इनकी।
कभी जब काम से थक कर महल से ये निकलते हैं,
हमारी ओर भी कुछ घूमते-फिरते चले आते,
नशीली कामनाओं के तिमिर में खोजते शीतल,
फुहारें चाँदनी की और झीना जाल शबनम का।

इन्हें है याद इतना ही कि जब सागर उबलता है
अतल को छोड़ कर आती भुवन में वारुणी केवल।
नहीं यह जानते हैं, कल्पनाएँ जब मथी जातीं,
निकलती है जहर की आग भी, पीयूष का जल भी।

हमारी वारुणी में स्नान करने को बहुत व्याकुल,
बहुत व्याकुल हमारी उर्वशी का रूप पीने को।
नहीं पर, भूल कर भी खोलते पीयूष के घट को,
जहर को देखकर तो दूर से ही भाग जाते हैं।

कला आनन्द की स्रोतस्विनी, इस स्रोत के पीछे
बहुत-से फूल होंगे, दूब होगी, चाँदनी होगी।
बिचारे सोचते हैं, जो हमें आनन्द देती है,
भला क्यों भींगती होगी स्वयं वह स्वेद के जल से?
यती-सी काटती होगी कभी क्यों रात वह जग कर
अगोचर की विभा को बाँध कर गोचर बनाने में?

अगमता से उलझने की उसे क्या बेबसी जिसकी
प्रभा कटि में, नयन में, और ग्रीवा में निवसती है?
रिझाने की अदाओं में बड़ी क्या बात है ऐसी,

जिसे हम सिद्धि की लौ, योग की कोमल विभा समझें?
तपस्या-साधना की नाचने में क्या जरूरत है?

जलो जितना, नहीं, पर, योगियों का मान पाओगी।
तपो, लेकिन, नहीं कोई कहेगा तापसी तुम को।
जहर पीकर अमृत से विश्व का तन सींचती जाओ,
नहीं संसार, पर, इसको तुम्हारा दान मानेगा।
सभी को तृप्ति दो, पर, कौन इतनी बात सोचेगा,
कि तुम सब को खिला करके बिना आहार सोती हो?

कला की सेविके! यह साधना ही है अभागों की,
न माया ही जिन्हें मिलती, न जिनको राम मिलते हैं।
कुसुम को देख कर हम सोचते, सौरभ कहाँ इसका?
अगर सौरभ मिला तो प्रश्न यह हैरान करता है,
जहाँ से गन्ध यह उठती, कहाँ पर वह कुसुम होगा?

न तो हम गन्ध से मिल कर पवन में वास कर पाते,
न फूलों से लिपट कर भूमि पर आराम करते हैं।
न मिलता रूप वह निर्देहता की ज्योति हो जिसमें,
न मिलता स्वप्न वह जो देह धर कर पास आ जाए।
बनाना चाहते जो सेतु वह बन ही नहीं पाता,
इसी संघर्ष में जीवन-समर हम हार जाते हैं।

लगा जब बाँटने धाता सुखों का भोग जीवों को,
रचे दो सोम उसने, एक नभ में, दूसरा जल में।
चतुर थे लोग जो वे तो गगन के चाँद पर दौड़े,
मगर, हम बिक गये बेमोल उसकी एक छाया पर,
कि यह छाया गगन के चाँद से बढ़कर मनोहर थी।

तभी से बिम्ब के पीछे हमारी दौड़ जारी है।
जगत के रूप सारे पाँव के पीछे रहे जाते।

निकलते जा रहे उस ओर को हम तीर की लय से।
जहाँ आकाश से पृथ्वी मिली मालूम होती है।

हमारा व्यय? हवा के खेत में कुछ स्वप्न बो देना।
हमारी आय? अम्बर में हजारों फूल खिलते हैं।

बहुत हैं चाहते, रक्खें चरण चट्टान पर लेकिन,
शिलाएँ भी हमारी बर्फ का निर्माण बन जातीं,
पदों की उष्णता का स्पर्श पाते ही पिघलती हैं।

न जानें आस की नौका कहाँ, किस द्वीप में छोड़ी?
खड़े हम कूल पर अब तक उसी की राह तकते हैं।

असूया देखकर हम को भला क्यों आग होती है।
हमारे पास क्या है? साधना थोड़ी, फकीरी है।
जिसे भी चाह हो इसकी, मुकुट अपना जला डाले,
उठा ले फूल वह जो स्वच्छ दर्पण में चमकता है।
गले से तोड़ कर फेंके प्रतापी हार सोने का।
निकाले राह कोई डूब कर उसको पकड़ने की
सलिल की आरसी में चन्द्रमा जो झिलमिलाता है।

जहाँ सत्य की पूजा, वहीं तक धर्म गेही का,
कला में स्वप्न जब भरते, शुरू संन्यास होता है।

(नील कुसुम, 1953)

नग्नता

एक नग्नता वह थी जब भू के पहले नर-नारी
सहज नग्न थे, किन्तु, नग्न होने का ज्ञान नहीं था;
दोनों के सब अंग खुले थे, सब समान सुन्दर थे,
इस अवयव पर अधिक और उस पर कम ध्यान नहीं था।

नयन देर तक नहीं किसी द्रुम के समीप रुकते थे
विचरण करते हुए देह की उघरी फुलवारी में;
नारी को नर में रहस्य तब तक न भास पाया था,
नहीं जगा था नर का, त्यों ही, कौतूहल नारी में।

तब कहते हैं, दृष्टि पुरुष की भूल भरे उपवन को,
किसी-किसी क्यारी में रमने लगी चेतना खोकर;
जहाँ-जहाँ वह गड़ी, लगी लगने गुदगुदी त्वचा में,
आखिर, जाग पड़ी नारी लज्जा से आकुल होकर।

लज्जा प्रथम शील नारी का, शीलमयी सकुचाई,
पत्तों से आवृत कर तन को, करतल से लोचन को;
दृग मूँदे-मूँदे ही सम्भ्रममयी सहम कर बोली,
प्रियतम! तुम भी किसी भाँति आवृत कर लो निज तन को।

तब से ही, सौन्दर्य आवरण में छिपता आया है,
तब से ही, लज्जा का हम आदर करते आये हैं;
खो न जाए वह ज्योति कहीं, जो वसनों में बसती है,
इस विचार से खुली नग्नता से डरते आये हैं।

एक नग्नता यह भी है जब तन तो नग्न नहीं है,
लेकिन, मन है विकल आवरण से बाहर आने को;
लज्जा वसनों में अनेक वातायन खोज रही है,
देह पहनती चीर नग्नता अपनी दिखलाने को।

वत्कल भी थे अलम्; किन्तु, अब नहीं पूर्ण अम्बर भी,
लज्जा का शुभ कवच, न जानें, मन है या कि वसन है।
हृदय नग्न तो सात पटों के भी आवरण वृथा हैं,
वसन व्यर्थ यदि भली-भाँति आवृत भीतर का मन है।

(नील कुसुम, 1953)

जीवन

पत्थरों में भी कहीं कुछ सुगबुगी है?
दूब यह चट्टान पर कैसे उगी है?

ध्वंस पर जैसे मरण की दृष्टि है,
सृजन में त्यों ही लगी यह सृष्टि है।

एक कण भी है सजल आशा जहाँ,
एक अंकुर सिर उठाता है वहाँ।

मृत्यु का तन आग है, अंगार है;
जिन्दगी हरियालियों की धार है।

क्षार में दो बूँद आँसू डाल कर,
और उसमें बीज कोई पाल कर,

चूम कर मृत को जिलाती जिन्दगी।
फूल मरघट में खिलाती जिन्दगी।

निर्झरी बन फूटती पाताल से,
कोंपलें बन नग्न, रूखी डाल से।

खोज लेती है सुधा पाषाण में,
जिन्दगी रुकती नहीं चट्टान में।

बाल भर अवकाश होना चाहिए,
कुछ खुला आकाश होना चाहिए,

बीज की फिर शक्ति रुकती है कहाँ?
भाव की अभिव्यक्ति रुकती है कहाँ?

(नील कुसुम, 1954)

नये सुभाषित

प्रेम

प्रेम की आकुलता का भेद
छिपा रहता भीतर मन में,
काम तब भी अपना मधु वेद
सदा अंकित करता तन में।

सुन रहे हो प्रिय?
तुम्हें मैं प्यार करती हूँ।
और जब नारी किसी नर से कहे,
प्रिय! तुम्हें मैं प्यार करती हूँ,
तो उचित है, नर इसे सुन ले ठहर कर,
प्रेम करने को भले ही वह न ठहरे।

मन्त्र तुमने कौन यह मारा
कि मेरा हर कदम बेहोश है सुख से?
नाचती है रक्त की धारा,
वचन कोई निकलता ही नहीं मुख से।

पुरुष का प्रेम तब उद्‌दाम होता है,
प्रिया जब अंक में होती।
त्रिया का प्रेम स्थिर अविराम होता है,
सदा बढ़ता प्रतीक्षा में।

प्रेम नारी के हृदय में जन्म जब लेता,
एक कोने में न रुक
सारे हृदय को घेर लेता है।
पुरुष में जितनी प्रबल होती विजय की लालसा,
नारियों में प्रीति उससे भी अधिक उद्‌दाम होती है।
प्रेम नारी के हृदय की ज्योति है,

प्रेम उसकी जिन्दगी की साँस है;
प्रेम में निष्फल त्रिया जीना नहीं फिर चाहती।

शब्द जब मिलते नहीं मन के,
प्रेम तब इंगित दिखाता है,
बोलने में लाज जब लगती,
प्रेम तब लिखना सिखाता है।

पुरुष प्रेम सतत करता है, पर, प्रायः, थोड़ा-थोड़ा,
नारी प्रेम बहुत करती है, सच है, लेकिन, कभी-कभी।

स्नेह मिला तो मिली नहीं क्या वस्तु तुम्हें?
नहीं मिला यदि स्नेह बन्धु!
जीवन में तुमने क्या पाया?

फूलों के दिन में पौधों को प्यार सभी जन करते हैं,
मैं तो तब जानूँगी जब पतझर में भी तुम प्यार करो।
जब ये केश श्वेत हो जाएँ और गाल मुरझाए हों,
बड़ी बात हो रसमय चुम्बन से तब भी सत्कार करो।

प्रेम होने पर गली के श्वान भी
काव्य की लय में गरजते, भूँकते हैं।

प्रातःकाल कमल भेजा था शुचि, हिमधौत, समुज्ज्वल,
और साँझ को भेज रहा हूँ लाल-लाल ये पाटल।
दिन भर प्रेम जलज-सा रहता शीतल, शुभ्र, असंग
पर, धरने लगता होते ही साँझ गुलाबी रंग।

उसका भी भाग्य नहीं खोटा
जिसको न प्रेम-प्रतिदान मिला,
छू सका नहीं, पर, इन्द्रधनुष
शोभित तो उसके उर में है।

चुम्बन

सब तुमने कह दिया, मगर, यह चुम्बन क्या है?
"प्यार तुम्हें करता हूँ मैं," इसमें जो "मैं" है,
चुम्बन उस पर मधुर, गुलाबी अनुस्वार है।
चुम्बन है वह गूढ़ भेद मन का, जिसको मुख
श्रुतियों से बच कर सीधे मुख से कहता है।

कविता और प्रेम

ऊपर सुनील अम्बर, नीचे सागर अथाह,
है स्नेह और कविता, दोनों की एक राह।
ऊपर निरभ्र शुभ्रता स्वच्छ अम्बर की हो,
नीचे गम्भीरता अगम-अतल सागर की हो।

सौन्दर्य

निस्सीम शक्ति निज को दर्पण में देख रही,
तुम स्वयं शक्ति हो या दर्पण की छाया हो?

तुम्हारी मुस्कराहट तीर है केवल,
धनुष का काम तो मादक तुम्हारा रूप करता है।

सौन्दर्य रूप ही नहीं, अदृश्य लहर भी है।
उसका सर्वोत्तम अंश न चित्रित हो सकता।

विश्व में सौन्दर्य की महिमा अगम है,
हर तरफ हैं खिल रही फुलवारियाँ।
किन्तु, मेरे जानते सब से अपर हैं
रूप की प्रतियोगिता में नारियाँ।

तुम्हारी माधुरी, शुचिता, प्रभा, लावण्य की समता
अगर करते कभी तो एक केवल पुष्प करते हैं।

तुम्हें जब देखता हूँ, प्राण जानें, क्यों विकल होते,
न जानें, कल्पना से क्यों जुही के फूल झरते हैं।

रूप है वह पहला उपहार
प्रकृति जो रमणी को देती,
और है यही वस्तु वह जिसे
छीन सबसे पहले लेती।

वातायन

निज वातायन से तुम्हें देखता मैं बेसुध,
जब-जब तुम रेलिंग पकड़ खड़ी हो जाती हो,
चाँदनी तुम्हारी खिड़की पर थिरकी फिरती,
तुम किसी और के सपने में मँडराती हो।

नर-नारी

क्या पूछा, है कौन श्रेष्ठ सहधर्मिणी?
कोई भी नारी जिसका पति श्रेष्ठ हो।

कई लोग नारी-समाज की निन्दा करते रहते हैं।
मैं कहता हूँ, यह निन्दा है किसी एक ही नारी की।

पुरुष चूमते तब जब वे सुख में होते हैं,
हम चूमतीं उन्हें जब वे दुख में होते हैं।

तुम पुरुष के तुल्य हो तो आत्मगुण को
छोड़ क्यों इतना त्वचा को प्यार करती हो?
मानती नर को नहीं यदि श्रेष्ठ निज से
तो रिझाने को किसे शृंगार करती हो?

कच्ची धूप-सदृश प्रिय कोई धूप नहीं है,
युवती माता से बढ़ कोई रूप नहीं है।

अच्छा पति है कौन? कान से जो बहरा हो।
अच्छी पत्नी वह, न जिसे कुछ पड़े दिखाई।

नर रचते कानून, नारियाँ रचती हैं आचार,
जग को गढ़ता पुरुष, प्रकृति करती उसका शृंगार।

रो न दो तुम, इसलिए, मैं हँस पड़ी थी,
प्रिय! न इसमें और कोई बात थी।
चाँदनी हँस कर तुम्हें देती रही, पर,
जिन्दगी मेरी अँधेरी रात थी।

औरतें कहतीं भविष्यत् की अगर कुछ बात,
नर उन्हें डाइन बता कर दंड देता है।
पर, भविष्यत् का कथन जब नर कहीं करता,
हम उसे भगवान का अवतार कहते हैं।

शिशु और शैशव

न तो सोचता है भविष्य पर, न तो भूत का धरता ध्यान,
केवल वर्तमान का प्रेमी, इसीलिए, शैशव छविमान।

क्या तुम्हें सन्तान है कोई,
जिसे तुम देख मन ही मन भरे आनन्द से रहते?
भविष्यत् का मधुर उपमान है कोई,
जिसे तुम देखकर सब आपदाएँ शान्त हो सहते?
अगर हाँ, तो तुम्हें मैं भाग्यशाली मानता हूँ,
तुम्हारी आपदाओं को यदपि मैं जानता हूँ।

बच्चों को दो प्रेम और सम्मान भी।
आवश्यक जितना है उससे अधिक बनो मत बाप।
जब-तब कुछ एकान्त चाहिए बच्चों को भी,
पहरा देते समय रखो यह ध्यान भी।

सूक्ष्म होता तृप्ति-सुख माता-पिता का,
सूक्ष्म ही होते विरह, भय, शोक भी।

केवल खिला-पिलाकर ही पालो मत इनको,
इन्हें वक्ष से अधिक नयन का क्षीर चाहिए।

बच्चों को नाहक संयम सिखलाते हो।
वे तो बनना वही चाहते हैं जो तुम हो।
तो फिर जिह्वा को देकर विश्राम जरा-सा
अपना ही दृष्टान्त न क्यों दिखलाते हो?

विवाह

शादी वह नाटक अथवा वह उपन्यास है,
जिसका नायक मर जाता है पहले ही अध्याय में।

शादी जादू का वह भवन निराला है,
जिसके भीतर रहनेवाले निकल भागना चाहते,
और खड़े हैं जो बाहर वे घुसने को बेचैन हैं।

ब्याह के कानून सारे मानते हो?
या कि आँखें मूँद केवल प्रेम करते हो?
स्वाद को नूतन बनाना जानते हो?
पूछता हूँ, क्या कभी लड़ते-झगड़ते हो?

प्रफुल्लता

धूप चाहते हो घर में तो हँसो-हँसाओ, मग्न रहो,
हरदम ज्ञानी बने रहे यदि तो बदली घिर जाएगी।

प्रसाधन कौन-सा है निष्कपट आनन्द से बढ़ कर?
प्रफुल्लित-पुष्प सी हँसती रहो, इतना अलम् है।
मसाले लेप कर क्यों गाल को पंकिल बनाती हो?

यौवन

वय की गम्भीरता से मिश्रित यौवन का आदर होता है,
वार्द्धक्य शोभता वह जिसमें जीवित हो जोश जवानी का।

जवानी का समय भी खूब होता है,
थिरकता जब उँगलियों पर गगन की आँख का सपना,
कि जब प्रत्येक नारी नायिका-सी भव्य लगती है,
कि जब प्रत्येक नर लगता हमें प्रेमी परम अपना।

जवानी और बुढ़ापा

जो जवानी में नहीं रोया, उसे बर्बर कहो,
जो बुढ़ापे में न हँसता है, मनुज वह मूर्ख है।

जब मैं था नवयुवक, वृद्ध शिक्षक थे मेरे,
भूतकाल की कथा गूढ़ बतलाते थे वे।
मैं पढ़ने को नहीं, वृद्ध होने जाता था,
आग बुझा कर शीतल मुझे बनाते थे वे।
पर, अब मैं बूढ़ा हूँ, शिक्षक नौजवान हैं,
उन्हें देख निज सोई वह्नि जगाता हूँ मैं।
भूत नहीं, अब परिचय पाने को भविष्य का।
यौवन के विद्या-मन्दिर में जाता हूँ मैं।

प्रतिभा

कैसे समझोगे कि कौन प्रतिभाशाली है?
प्रतिभा के लक्षण अनेक हैं, किन्तु, कभी जब
सभी गधे मिल एक व्यक्ति पर लात चलाएँ,
अजब नहीं, वह व्यक्ति महा प्रतिभाशाली हो।

आलोचक

रचना में क्या-क्या गुण होने चाहिए,
कूद-फाँदकर भी तुम नहीं बताते हो।

पर, रचना के दुर्गुण अपनी ही कृति में
कदम-कदम पर खूब दिखाए जाते हो।

मैं अगर कुछ बोलता हूँ,
तुम उसे अपराध क्यों कहते?
मक्खियाँ जब बैठती हैं,
सिंह भी रोएँ हिलाता है।

फूल

चिन्ताओं से भरा हुआ जीवन वह भी किस काम का,
विरम सके दो घड़ी नहीं यदि हम फूलों के सामने?

पुस्तक

पुस्तक है वह वाटिका सुगन्धों से पूरित
हम जिसे जेब में लिये घूमते-फिरते हैं।

कल्पना

आत्मा की है आँख, बुद्धि की पाँख है,
मानस की चाँदनी विमल है कल्पना।

सेतु

तरु से तरु तक रज्जु बाँध कर,
वातायन से वातायन तक बाँध कुसुम के हार,
उडु से उडु तक कुमुदबन्धु की रश्मि तान कर
आँखों से आँखों तक फैला कर रेशम के तार;
सेतु मैंने रच दिये सर्वत्र हैं।
कल्पने! चाहो जहाँ भी नाच सकती हो।

खिलनमर्ग

यह शिखर नगराज का है,
दूर है भूतल, निकट बैकुंठ है।

जोर से मत बोल, नीरवता डरेगी,
स्वर्ग की इस शान्ति में बाधा पड़ेगी।

पत्रकार

जोड़-तोड़ करने के पहले तथ्य समझ लो,
पत्रकार, क्या इतना भी तुम नहीं करोगे?

अभिनेता

अभिनेता का सुयश शाम की लाली है,
चमक घड़ी भर फिर गहरी अँधियाली है।

मुक्त छन्द

मुक्त छन्द कुछ वैसा ही बेतुका काम है,
जैसे कोई बिना जाल के टेनिस खेले।

अनुवाद

"जेरेमिया" अवतार थे, वे दूत थे प्रभु के।
रहे वे किन्तु, जीवन भर विलपते, शीश धुनते ही।
तुम्हें मालूम है, क्यों वे बिचारे शीश धुनते थे?
उन्हें था ज्ञात, मैंने आग से जो कुछ लिखा है,
उसे अनुवादकों का दल किसी दिन क्षार कर देगा।

धर्म

दर्शन मात्र विचार, धर्म ही है जीवन।
धर्म देखता ऊपर नभ की ओर,
ध्येय दर्शन का मन।
हमें चाहिए जीवन और विचार भी।
अम्बर का सपना भी, यह संसार भी।

सिकता के कण में मिला विश्व संचित सारा,
प्रच्छन्न पुष्प में देवों का संसार मिला।
मुट्ठी के भीतर बन्द मिला अम्बर अनन्त,
अन्तर्हित एक घड़ी में काल अपार मिला।

अज्ञात, गहन, धूमिल के पीछे कौन खड़े
शासन रहते तुम जगद्व्यापिनी माया पर?
दिन में सूरज, रजनी में बन नक्षत्र कौन
तुम आप दे रहे पहरा अपनी छाया पर?

बहुत पूछा, मगर, उत्तर न आया,
अधिक कुछ पूछने में और डरते हैं।
असम्भव है जहाँ कुछ सिद्ध करना,
नयन को मूँद हम विश्वास करते हैं।

सोचता हूँ जब कभी, संसार यह आया कहाँ से?
चकित मेरी बुद्धि कुछ भी कह न पाती है।
और तब कहता हृदय, "अनुमान तो होता यही है,
घट अगर है, तो कहीं घटकार भी होगा।"

रोटी के पीछे आटा है क्षीर-सा,
आटे के पीछे चक्की की तान है,
उसके भी पीछे गेहूँ है, वृष्टि है,
वर्षा के पीछे अब भी भगवान है।

हुंकार

सिंह की हुंकार है हुंकार निर्भय वीर नर की।
सिंह जब वन में गरजता है,
जन्तुओं के शीश फट जाते,
प्राण लेकर भीत कुंजर भागता है।
योगियों में, पर, अभय आनन्द भर जाता,
सिंह जब उनके हृदय में नाद करता है।

प्रार्थना

प्रार्थना में शक्ति है ऐसी कि वह निष्फल नहीं जाती।
जो अगोचर कर चलाते हैं जगत को,
उन करों को प्रार्थना नीरव चलाती है।

प्रार्थना से जो उठा है पूत होकर
प्रार्थना का फल उसे तो मिल गया।

अर्थ नीचे ही यदि रह गया,
शब्द क्या उड़ते जाते हैं?
अर्थ के बिना शब्द हे मित्र!
स्वर्ग तक पहुँच न पाते हैं।

स्वर्ग

स्वर्ग की जो कल्पना है,
व्यर्थ क्यों कहते उसे तुम?
धर्म बतलाता नहीं सन्धान यदि इसका,
स्वर्ग का तुम आप आविष्कार कर लेते।

भगवान की बिक्री

लोगे कोई भगवान? टके में दो दूँगा।
लोगे कोई भगवान? बड़ा अलबेला है।
साधना-फकीरी नहीं, खूब खाओ, पूजो,
भगवान नहीं, असली सोने का ढेला है।

मन्दिर

जहाँ मनुज का मन रहस्य में खो जाए,
जहाँ लीन अपने भीतर नर हो जाए,
भूल जाए जन जहाँ स्वकीय इयत्ता को,
जहाँ पहुँच नर छुए अगोचर सत्ता को।
धर्मालय है वही स्थान, वह हो चाहे सुनसान में,
या मन्दिर-मस्जिद में अथवा जूते की दुकान में।

संन्यासी और गृहस्थ

तेरा वास गगन-मंडल पर, मेरा वास भुवन में,
तू विरक्त, मैं निरत विश्व में, तू तटस्थ, मैं रण में।
तेरी-मेरी निभे कहाँ तक, ओ आकाश-प्रवासी?
मैं गृहस्थ सबका दुख-भोगी, तू अलिप्त संन्यासी।

राजनीति

सावधान रखते स्वदेश को और बढ़ाते मान भी,
राजदूत हैं आँख देश की और राज्य के कान भी।

तुम्हें बताऊँ यह कि कूटनीतिज्ञ कौन है?
वह जो रखता याद जन्मदिन तो रानी का,
लेकिन, उसकी वयस भूल जाता है।

लगा राजनीतिज्ञ रहा अगले चुनाव पर घात,
राजपुरुष सोचते किन्तु, अगली पीढ़ी की बात।

हो जाता नरता का तब इतिहास बड़ा,
बड़े लोग जब पर्वत से टकराते हैं।
नर को देंगे मान भला वे क्या, जो जन
एक दूसरे को नाहक धकियाते हैं?

'हाँ' बोले तो 'शायद' समझो, स्यात् कहे तो 'ना' जानो।
और कहे यदि 'ना' तो उसको कूटनीतिविद मत मानो।

मन्त्रियों के गुण अनोखे जानते हो?
वे न तो गाते, बजाते, नाचते हैं,
और ख़बरों के सिवा कुछ भी नहीं पढ़ते।
हर घड़ी चिन्ता उन्हें इस बात की रहती,
कि कैसे और लोगों से जरा ऊँचा दिखें हम।
इसलिए ही, बात मुर्दों की तरह करते सदा वे,
और ये धनवान रिक्शों पर नहीं चढ़ते।

शक्ति और सिद्धान्त राजनीतिज्ञ जनों में
खूब चमकते हैं जब तक अधिकार न मिलता।
मन्त्री बनने पर दोनों ही दब जाते हैं।

शासन के यन्त्रों पर रक्खो आँख कड़ी,
छिपे अगर हों दोष, उन्हें खोलते चलो।
प्रजातन्त्र का क्षीर प्रजा की वाणी है,
जो कुछ हो बोलना, अभय बोलते चलो।

मन्त्री के आसन की यह महिमा विचित्र है,
जब तक इस पर रहो, नहीं दिखलाई देगी
शासन की हीनता, न भ्रष्टाचार किसी का।
किन्तु, उतरते ही उससे सहसा हो जाता
सारा शासन-चक्र भयानक पुंज पाप का,
और शासकों का दल चोर नजर आता है।

जब तक मन्त्री रहे, मौन थे, किन्तु, पदच्युत होते ही
जोरों से टूटने लगे हैं भाई भ्रष्टाचारों पर।

मन्त्री के पावन पद की यह शान,
नहीं दीखता दोष कहीं शासन में।
भूतपूर्व मन्त्री की यह पहचान,
कहता है, सरकार बहुत पापी है।

किसे सुनाते हो, शासन में पग-पग पर है पाप छिपा?
किया न क्यों प्रतिकार अघों का जब तुम सिंहासन पर थे?

छीन ली मन्त्रीगिरी तो घूस को भी रोक दो।
अब 'करप्शन' किसलिए, मैं ही न जब मालिक रहा?

जब तक है अधिकार, ढील मत दो पापों को,
सुनते हो मन्त्रियो! नहीं तो लोग हँसेंगे,

कल को मन्त्री के पद से हट जाने पर जब
भ्रष्टाचरणों के विरुद्ध तुम चिल्लाओगे।

प्रजातन्त्र का वह जन असली मीत
सदा टोकता रहता जो शासन को।
जनसत्ता का वह गाली संगीत
जो विरोधियों के मुख से झरती है।

क्रान्तिकारी

क्रान्तिकारी मैं जवानी भर न हो पाया,
सिर्फ इस भय से, कहीं मैं भी बुढ़ापे में
क्रान्ति में फँस कर न दकियानूस हो जाऊँ।

बुनियादी तालीम

गरज-तरज कर कहा एक वक्ता ने उस दिन
"बुनियादी तालीम त्यागियों की शिक्षा है।"
मैं कहता हूँ, अरे त्यागियों! मुझे बता दो,
कौन पिता ऐसा है जो अपने बच्चे को
भोग-मुक्त कर संन्यासी करना चाहेगा?

अबन्ध शिक्षा

शिक्षा जहाँ अबन्ध, मुक्त है,
उन देशों के लोगों को
साथ लगा ले जो चाहे, पर,
कोई हाँक नहीं सकता।

मुक्त देश

मुक्त देश का यह लक्षण है मित्र!
कष्ट अल्प, पर, शोर बहुत होता है।
तानाशाही का पर, हाल विचित्र,
जीभ बाँध जन मन-ही-मन रोता है।

अल्पसंख्यक

अल्पसंख्यकों के आँसू यदि पुँछे नहीं,
वृथा देश में तो कायम सरकार है।
बहुमत को तो अलम् स्वयं अपना बल है,
अल्पसंख्यकों का शासन पर भार है।

युद्ध

युद्ध को वे दिव्य कहते हैं जिन्होंने,
युद्ध की ज्वाला कभी जानी नहीं है।

पागलपन

जब-तब ही देखते व्यक्तियों में हम पागल,
पर, समूह का तो पागलपन नित्य धर्म है।

ज्ञान

ज्ञान अर्जित कर हमें फिर प्राप्त क्या होता?
सिर्फ इतनी बात, हम सब मूर्ख हैं।

चिन्ता

सोचना है मूल सारी वेदना का,
छोड़ दो चिन्ता, बड़े सुख से जियोगे।
शान्ति का उत्संग तब होगा सुलभ, जब
मानसिक निस्तब्धता का रस पियोगे।

निःशब्दता

शब्द जो निःशब्द, नीरव हैं,
समय पाकर वही परिपक्व होते हैं।
घूर्णि जब आती, नहीं दिन भर ठहरती है।
और वह वर्षा नहीं भरती सरोवर को,
पटपटा कर जो बहुत आवाज करती है।

पन्थ

पन्थ लौट कर पहुँचेगा फिर वहाँ
जहाँ से शुरू हुआ था।
घर जाने के लिए बहुत आतुर मत होओ।
बहुत तेज मत चलो, न ठहरो, यही बहुत है।

आग और बर्फ

कुछ कहते हैं, विश्व एक दिन जल जाएगा,
कुछ कहते हैं, विश्व एक दिन गल जाएगा।
मुझे दीखता, दोनों ही सच हो सकते हैं।
तृषा वह्नि है, जगती उसमें जल सकती है,
घृणा बर्फ है, दुनिया उसमें गल सकती है।

बीता हुआ कल

युग मरे, सदियाँ गईं मर, किन्तु, ओ बीते हुए कल!
क्या हुआ तुमको कि तुम अब भी नहीं मरते?
घेरते हर रोज क्यों मुझको मलिन अपने क्षितिज से?
नित्य सुख को आँसुओं से सिक्त क्यों करते?

कानून और आचार

वे रचते कानून कि सब के उज्ज्वल रहें सदा आचार,
हम आचरण शुद्ध रखकर विश्राम नियम को देते हैं।

समझौते की शान्ति

ज्वर में सिर पर बर्फ रखा करते हैं,
यही बहुत कुछ समझौते की शान्ति है।
किन्तु, कभी क्या ज्वर भागा है बर्फ से?
हिम को ज्वर की दवा समझना भ्रान्ति है।

प्रशंसा

बुद्धिमान की करो प्रशंसा जब वह नहीं वहाँ हो,
पर, नारी की करो बड़ाई जब वह खड़ी जहाँ हो।

प्रसिद्धि

मरणोपरान्त जीने की है यदि चाह तुझे,
तो सुन, बतलाता हूँ मैं सीधी राह तुझे,
लिख ऐसी कोई चीज कि दुनिया डोल उठे,
या कर कुछ ऐसा काम, जमाना बोल उठे।

जिस ग्रन्थ में लिखते सुधी, यश खोजना अपकर्म है,
उस ग्रन्थ में ही वे सुयश निज आँक जाते हैं।

देशभक्ति

देशभक्ति किसकी सबसे उत्तम है?
उसकी जो गाता स्वदेश की उत्तमता का गान नहीं,
किन्तु, उसे उत्तम से उत्तम रोज बनाये जाता है।

परिवार

हरि के करुणामय कर का जिस पर प्रसार है,
उसे जगत भर में निज गृह सबसे प्यारा लगता है।

आशा

सारी आशाएँ न पूर्ण यदि होती हों,
तब भी अंचल छोड़ नहीं आशाओं के।

मर गया होता कभी का
आपदाओं की कठिनतम मार से,
यदि नहीं आशा श्रवण में
नित्य यह सन्देश देती प्यार से—
"घूँट यह पी लो कि संकट जा रहा है।
आज से अच्छा दिवस कल आ रहा है।"

सभी दुखों की एक महौषधि धीरज है,
सभी आपदाओं की एक तरी आशा।

आत्मविश्वास

गौण, अतिशय गौण है, तेरे विषय में
दूसरे क्या बोलते, क्या सोचते हैं।
मुख्य है यह बात, पर, अपने विषय में
तू स्वयं क्या सोचता, क्या जानता है।

उलटा समझें लोग, समझने दे तू उनको,
बहने दे यदि बहती उलटी ही बयार है,
आज न तो कल जगत तुझे पहचानेगा ही,
अपने प्रति तू आप अगर ईमानदार है।

निश्चिन्त

व्योम में बाकी नहीं अब बदलियाँ हैं,
मोह अब बाकी नहीं उम्मीद में,
आह भरना भूल कर सोने लगा हूँ
बन्धु! कल से खूब गहरी नींद में।

चीनी कवि

वेणुवन की छाँह में बैठा अकेला
मैं कभी बंसी, कभी सीटी बजाता हूँ।
खूब खुश हूँ, आदमी कोई नहीं आता।
चाँद केवल रात में आ झाँकता है।
सूर्य, पर, दिन में चला जाता बिना देखे।
कौन दे उसको खबर इस कुंज में कोई छिपा है?

आत्मशिक्षण

विश्व में सब से वही है वीर,
है जिन्होंने आप अपने को गढ़ा।
और वे ज्ञानी अगम गम्भीर,
है जिन्होंने आप अपने से पढ़ा।

सत्य

शुभ्र नभ, निर्मेघ, सज्जन सत्यवादी,
ईश के ये अप्रतिम वरदान हैं।

यदि अयोग्य है तो फिर मत वह काम करो,
यदि असत्य है तो वह बात नहीं बोलो।

जो असत्यभाषी हैं उनसे अपने जन भी डरते हैं,
किन्तु, सत्यवादी मानव का अरि भी आदर करते हैं।

परिचय

सब के प्रति सौजन्य और बहुतों से रक्खो राम-सलाम,
मेलजोल थोड़े लोगों से, मैत्री किसी एक जन से।

सुख और आनन्द

जीवन उनके लिए मधुरता की उज्ज्वल रसधार है,
जिनकी आत्मा निष्कलंक है और किसी से प्यार है।

सुखी जीवन अधिकतर शान्त होता है।
जहाँ हलचल बढ़ी आनन्द चल देता वहाँ से।

सुख का रहस्य जानोगे क्या?
जीवन में हैं जो शूल उन्हें सह लेते हैं,
अनबिंधे कंटको में जो जन रह लेते हैं।
सब उन्हें सुखी कहते, अब पहचानोगे क्या?

आगे के सुख की तैयारी की एक राह,
जोगो कल के हित, अगर कभी कुछ जोग सका।
पर, आज प्राप्त है जितना भी आनन्द तुम्हें,
भोगो उसको निर्द्वन्द्व, जहाँ तक भोग सको।

आँख और कान

देख रहे जो कुछ उसमें भी सब का मत विश्वास करो,
सुनी हुई बातें तो केवल गूँज हवा की होती हैं।

आलस्य

मेल बैठता नहीं सदा दर्शन-जीवन का।
कहते हैं, आलस्य बड़ा भारी दुर्गुण है।
किन्तु, आलसी हुए बिना कब सुख मिलता है?
और मोददायिनी वस्तुएँ सभी व्यर्थ हैं।
फूल और तारे, इनका उपयोग कौन है?

ज्ञान और अज्ञान

विश्व में दुःशान्ति यह क्यों छा रही है?
आग पर क्यों आग लगती जा रही है?
एक है कारण कि जो है मूर्ख वह तो
हर विषय में ठीक निज को ही समझता है।
किन्तु, जो ज्ञानी पुरुष हैं,
वे घिरे हैं हर तरफ सन्देह से।
मूर्ख की ललकार वे दिन-रात सहते हैं।
जोर से लेकिन, न कोई बात कहते हैं।

मूर्ख

प्रत्येक मूर्ख को उससे भी
कुछ बड़ा मूर्ख मिल ही जाता,
जो उसे समझता है पंडित,
जो उसका आदर करता है।

मित्र

शत्रु से मैं खुद निबटना जानता हूँ,
मित्र से पर, देव! तुम रक्षा करो।

वातायन के पास खड़ा यह वृक्ष मनोहर
कहता है, यदि मित्र तुम्हें छोड़ने लगे हैं,
तो विपत्ति क्या? इससे तुम न तनिक घबराना।
कवि को कौन असंग बना सकता है भू पर?
लो, मैं अपना हाथ बढ़ाता हूँ खिड़की से,
मैत्री में तुम भी अब अपना हाथ बढ़ाओ।

ईर्ष्या

सब की ईर्ष्या, द्वेष, जलन का
भाजन केवल मात्र हूँ,
फिर भी, हरि को धन्यवाद है,
मैं न दया का पात्र हूँ।

संकट

भीरु पूर्व से ही डरता है, कायर भय आने पर,
किन्तु, साहसी डरता भय का समय निकल जाने पर।

संकट से बचने की जो है राह,
वह संकट के भीतर से जाती है।

समुद्र

चूर्ण तरंगों से शोभित जब सागर लहराता है,
लगता है, मानो, अम्बर का दर्पण टूट गया हो।

वृक्ष

पहली पंक्ति लिखी विधि ने जिस दिन कविता की,
उस दिन पहला वृक्ष स्वयं उत्पन्न हो गया।
प्रथम काव्य है वृक्ष विश्व के पहले कवि का।

द्रुमों को प्यार करता हूँ।
प्रकृति के पुत्र ये

माँ पर सभी कुछ छोड़ देते हैं,
न अपनी ओर से कुछ भी कभी कहते।
प्रकृति जिस भाँति रखना चाहती
उस भाँति ये रहते।

क्वाँरा

क्वाँरा कहते उसे, पुरुष जो मेले में जाता तो है,
मूल्य पूछता फिरता, लेकिन, कुछ भी मोल नहीं लेता।

परोपदेश

औरों को उपदेश सुनाना चुम्बन-सा ही है यह काम,
खर्च नहीं इसमें कुछ पड़ता, मन को मीठा लगता है।

आयु के दो भाग हैं, पहली उमर में
आदमी रस-भोग में आनन्द लेता है।
और जब पिछली उमर आरम्भ हो जाती,
वह सभी को त्याग का उपदेश देता है।

खिलौने

दस के हों कि पचास साल के,
सभी खेलते ही तो हैं,
हाँ, वय के अनुसार चाहिए
उन्हें खिलौने अलग-अलग।

लज्जा

जीवों में है एक जीव
मानव ही जो लज्जित होता,
या कि जिसे लज्जित होने की
आवश्यकता होती है।

जनमत

करो वही जो तेरे मन का ब्रह्म कहे,
और किसी की बातों पर कुछ ध्यान न दो।
मुँह बिचकाएँ लोग अगर तो मत देखो,
बजती हों तालियाँ, अगर तो कान न दो।

श्रम

स्वर्ग की सुख-शान्ति है आराम में,
किन्तु, पृथ्वी की अहर्निश काम में।

सुख क्या है, पूछ श्रम-निरत किसान से;
पूछता है बात क्या तू बाबु-बबुआन से?

अध्ययन

जब साहित्य पढ़ो तब पहले पढ़ो ग्रन्थ प्राचीन,
पढ़ना हो विज्ञान अगर तो पोथी पढ़ो नवीन।

विज्ञान

बढ़ गया है दूर तक विज्ञान,
बढ़ गयी है शक्ति यातायात की।
किन्तु, क्या गन्तव्य कोई स्थान
है बढ़ा सारे जगत में एक भी?

निन्दा

सन्त की बातें बहुत कर सत्य होती हैं।
एक का तो साक्ष्य किंचित हम स्वयं भरते;
उन्हें भी निन्दा-श्रवण में रस उपजता है,
जो किसी की भी स्वयं निन्दा नहीं करते।

सब जिसकी निन्दा करते हैं,
उसमें भी कुछ गुण हैं.

सब सराहते जिसे, बड़े
उसमें भी कुछ दुर्गुण हैं।

पाप

मानव है वह जो गिरा है पाप-पंक में,
सन्त है जो रो रहा है ग्लानि-परिताप से।
किन्तु, जो पतन को समझ ही न पाता है,
राक्षस है, दोष कर रोष भी दिखाता है।

साहस

सब कहते हैं, जाँच साहसी की है प्राण गँवाने में;
कभी-कभी जीवित रहने में हिम्मत देखी जाती है।

तथ्य और सत्य

आँख मूँद कर छूता हूँ जब शिला-खंड को,
मन कहता आप ही आप, यह तथ्य है।
आँख मूँद कर छूता हूँ जब नभ अखंड को,
मन कहता आप ही आप, यह सत्य है।

दर्द

दर्द को तुम फेन की धारा बनाओ।
फेन तो बह जाएगा;
नील निर्मल सिन्धु में रह जाएगा।

वायु

चाहता हूँ, मानवों के हेतु अर्पित
आयु यह हो जाए।
आयु यानी वायु जो छूकर सभी को
शून्य विस्मृति-कोष में खो जाए।

भूल

भूल जो करता नहीं कोई, असल में,
देवता है, वह न कोई काम करता है।
शून्य को भजता सदा सुनसान में रहकर,
मसनदों पर लेट कर आराम करता है।

अनुभव

सबसे बड़ा विश्वविद्यालय अनुभव है,
पर, इसकी देनी पड़ती है, फीस बड़ी।

अनुभवी किसको कहोगे?
उस पुरुष को जो बहुश्रुत, वृद्ध है, बहुदृष्ट है?
या उसे जो अनुभवों का रस जुगाना जानता है?

अनुभव वह कंघी है जो मिलती मनुष्य को
तब जब हो चुकता उसका सिर पूर्ण खांडु है।

विकास

भ्रष्ट देवता कहलाने में कौन सुयश है?
क्या कलंक है उन्नत शाखामृग होने में?

यती

जहाँ-जहाँ है फूल, वहाँ क्या साँप है?
जहाँ-जहाँ है रूप, वहाँ क्या पाप है?
शूलों में क्या है कि प्रेम से चुनते हो?
पर, फूलों को देख शीश क्यों धुनते हो?

नाटक

समय तुरत क्यों हो जाता उड्डीन,
प्रेमी का अभिनय हम जब करते हैं?
और मंच क्यों हो जाता संकीर्ण,
कभी सन्त का बाना यदि धरते हैं?

किन्तु, विदूषक बनने पर भगवान!
जानें, क्यों यह जगह फैल जाती है!
और हमारा करने को सम्मान
सभा रात भर बैठी रह जाती है!

गिरगिट

पथ की जलती हुई भूमि पर
मैंने देखा ध्यानमग्न बूढ़े गिरगिट को
(गिरगिट यानी एक बूँद घड़ियाल की)
खड़ा, देह को ताने पहने हरा कोट,
गरदन पर कालर की उठान,
सब ठीक-ठाक।
ऐसा लगता था, ज्यों कोई पादड़ी खड़ा हो,
या कोई बूढ़ा प्राध्यापक
खड़ा-खड़ा कुछ सोच रहा हो
निज में डूबा हुआ भूल कर सारे जग को।

कवि

इतना भी है बहुत, जियो केवल कवि होकर;
कवि होकर जीना यानी सब भार भुवन का।
लिये पीठ पर मन्द-मन्द बहना धारा में;
और साँझ के समय चाँदनी में मँडला कर
श्रान्त-क्लान्त वसुधा पर जीवन-कण बरसाना।
हँसते हो हम पर! परन्तु, हम नहीं चिढ़ेंगे।
हम तो तुम्हें जिलाने को मरने आये हैं।
मिले जहाँ भी जहर, हमारी ओर बढ़ा दो।

यह अँधेरी रात जो छाई हुई है,
छील सकते हो इसे तुम आग से?
देवता जो सो रहा उसको किसी विध
तुम जगा सकते प्रभाती राग से?

अन्वेषी

रोटी को निकले हो? तो कुछ और चलो तुम।
प्रेम चाहते हो? तो मंजिल बहुत दूर है।
किन्तु, कहीं आलोक खोजने को निकले हो
तो क्षितिजों के पार क्षितिज पर चलते जाओ।

आँसू

खिड़की के शीशे पर कोई बूँद पड़ी है;
अर्धरात्रि में यह आँसू किसका टपका है?
देख न सकता तुम्हें, किन्तु, ओ रोनेवाले!
रजनी हो दीर्घायु भले, पर, अमर नहीं है।
अरुण-बिन्दु-धारिणी उषा आती ही होगी।

नाव

प्रत्येक नया दिन नयी नाव ले आता है,
लेकिन, समुद्र है वही, सिन्धु का तीर वही।
प्रत्येक नया दिन नया घाव दे जाता है,
लेकिन, पीड़ा है वही, नयन का नीर वही।

स्मृति

शब्द साथ ले गये, अर्थ जिनसे लिपटे थे।
छोड़ गये हो छन्द, गूँजता है वह ऐसे,
मानो, कोई वायु कुंज में तड़प-तड़प कर
बहती हो, पर, नहीं पुष्प को छू पाती हो।

प्रकाश

किरणों की यह वृष्टि! दीन पर दया करो,
धरो, धरो, करुणामय! मेरी बाँह धरो।
कोने का मैं एक कुसुम पीला-पीला,
छाया से मेरा तन गीला, मन गीला।
अन्तर की आर्द्रता न कहीं गँवाऊँ मैं,

बीच धूप में पड़ कर सूख न जाऊँ मैं।
छाया दो, छाया दो, मुझे छिपाओ हे!
इस प्रकाश के विष से मुझे बचाओ हे!

आधुनिकता

प्रश्न–आधुनिकता की बही पर नाम अब भी तो चढ़ा दो,
नायलॅन का कोट हम सिलवा चुके हैं;
और जड़ से नोच कर बेली-चमेली के द्रुमों को
कैक्टसों से भर चुके हैं बाग हम अपना।
उत्तर–ठीक है, लेकिन, प्रयोगी काव्य भी कुछ जोड़ते हो?
और घर में चित्र हैं कितने पिकासो के?

समर्पण

धधका दो सारी आग एक झोंके में,
थोड़ा-थोड़ा हर रोज जलाते क्यों हो?
क्षण में जब यह हिमवान् पिघल सकता है,
तिल-तिल कर मेरा उपल गलाते क्यों हो?
मैं चढ़ा चुका निज अहंकार चरणों पर,
हो छिपा कहीं कुछ और, उसे भी ले लो।
चाहो, मुझको लो पिरो कहीं माला में,
चाहो तो कन्दुक बना पाँव से खेलो।

भारत

वृद्धि पर है कर, मगर, कल-कारखाने भी बढ़े हैं;
हम प्रगति की राह पर हैं, कह रहा संसार है।
किन्तु, चोरी बढ़ रही इतनी कि अब कहना कठिन है,
देश अपना स्वस्थ या बीमार है।

रूस में ईश्वर नहीं है,
और अमरीकी खुदा है बुर्जुआ।
याद है हीरोशिमा का कांड तुमको?
और देखा, हंगरी में जो हुआ?

रह सको तो तुम रहो समदूर दोनों की पहुँच से
और अपना आत्मगुण विकसित किये जाओ।
आप अपने पाँव पर जब तुम खड़े होगे,
आज जो रूठे हुए हैं,
आप ही उठ कर तुम्हारे साथ हो लेंगे।

खींचते हैं जो तुम्हें दाएँ कि बाएँ, मूर्ख हैं।
ठीक है वह बिन्दु, दोनों का विलय होता जहाँ है,
ठीक है वह बिन्दु, जिससे फूटता है पथ भविष्यत् का।
ठीक है वह मार्ग जो स्वयमेव बनता जा रहा है
धर्म औ' विज्ञान
नूतन औ' पुरातन
प्राच्य और प्रतीच्य के संघर्ष से।

जब चलो आगे,
जरा-सा देख लो मुड़ कर चिरन्तन रूप वह अपना,
अखिल परिवर्तनों में जो अपरिवर्तित रहा है।
करो मत अनुकरण ऐसे
कि अपने आप से ही दूर हो जाओ।
न बदलो यों कि भारत को
कभी पहचान ही पाये नहीं इतिहास भारत का।

सीखो नित नूतन ज्ञान, नयी परिभाषाएँ,
जब आग लगे, गहरी समाधि में रम जाओ।
या सिर के बल हो खड़े परिक्रम में घूमो,
ढब और कौन हैं चतुर बुद्धि-बाजीगर के?

गांधी को उलटा घिसो, और जो धूल झरे
उसके प्रलेप से अपनी कुंठा के मुख पर
ऐसी नक्काशी गढ़ो कि जो देखे, बोले,
"आखिर बापू भी और बात क्या कहते थे?"

डगमगा रहे हों पाँव, लोग जब हँसते हों,
मत चिढ़ो, ध्यान मत दो इन छोटी बातों पर।
कल्पना जगद्गुरुता की हो जिसके सिर पर
वह भला कहाँ तक ठोस कदम धर सकता है?

औ' गिर भी जो तुम गये किसी गहराई में,
तब भी तो इतनी बात शेष रह जाएगी?
यह पतन नहीं, है एक देश पाताल गया
प्यासी धरती के लिए अमृत-घट लाने को।

जवाहरलाल

तुम न होगे, कौन तब इस नाव का मल्लाह होगा?
देश में हर व्यक्ति को दिन-रात इसका सोच है।
देश के बाहर हमें तुमने प्रतिष्ठा तो दिला दी,
देश के भीतर बहुत, पर, बढ़ गया उत्कोच है।

एक कहता है कि मूँदो आँख, अमरीका चलो सब,
दूसरा कहता है, तुम्हें हम रूस ही ले जाएँगे।
मैं चकित हूँ सोचकर क्यों भाग जाना चाहते हैं
हिन्द को लेकर हमारे लोग हिन्दुस्तान से?

जयप्रकाश

लोग कहते हैं कि तुम हर रोज भटके जा रहे हो,
और यह सुन कर मुझे भी खेद होता है।
पर, तुरत मेरे हृदय का देवता कहता,
चुप रहो, मन्त्रित्व ही सब कुछ नहीं है।

विनोबा

विनोबा रात-दिन बेचैन होकर चल रहे हैं,
अभी हैं भींगते पथ में, अभी फिर जल रहे हैं।
हमीं हैं खूब सन्ध्या को निकल संसद-भवन से
किन्हीं रंगीनियों के पास मग्न टहल रहे हैं।

दिनकर

पूछता हूँ मैं तुझे दिनकर! कि तू क्या कर रहा है?
राजनगरी में पड़ा क्यों दिन गँवाता है?
दौड़ता फिरता समूचे देश में किस फेर में तू?
छाँह में अब भी नहीं क्यों बैठ जाता है?

मार्क्स और फ्रॉयड

प्रेम के नैराश्य की कविता लिखो तो
मार्क्स कहते हैं कि यह सब बुर्जुआपन है।
युवतियों को देख कर देखो मुकुर तो
फ्रॉयड इसको "ओडिपस कम्प्लेक्स" कहते हैं।

गांधी

छिपा दिया है राजनीति ने बाबू! तुमको,
लोग समझते यही कि तुम चरखा-तकली हो।
नहीं जानते वे, विकास की पीड़ाओं से
वसुधा ने हो विकल तुम्हें उत्पन्न किया था।

कौन कहता है कि बापू शत्रु थे विज्ञान के?
वे मनुज से मात्र इतनी बात कहते थे,
रेल, मोटर या कि पुष्पक-यान, चाहे जो रचो, पर,
सोच लो, आखिर तुम्हें जाना कहाँ है।

सत्य की सम्पूर्णता देती न दिखलाई किसी को,
हम जिसे हैं देखते, वह सत्य का, बस, एक पहलू है।
सत्य का प्रेमी भला तब किस भरोसे पर कहे यह
मैं सही हूँ और सब जन झूठ हैं?

चलने दो मन में अपार शंकाओं को तुम,
निज मत का कर पक्षपात उनको मत काटो।
क्योंकि कौन हैं सत्य, कौन झूठे विचार हैं,
अब तक इसका भेद न कोई जान सका है।

सत्य है सापेक्ष्य, कोई भी नहीं यह जानता है,
सत्य का निर्णीत अन्तिम रूप क्या है? इसलिए,
आदमी जब सत्य के पथ पर कदम धरता,
वह उसी दिन से दुराग्रह छोड़ देता है।

हम नहीं मारें, न दें गाली किसी को,
मत कभी समझो कि इतना ही अलम् है।
बुद्धि की हिंसा, कलुष है, क्रूरता है कृत्य वह भी
जब कभी हो क्रुद्ध चिन्तन के धरातल पर
हम विपक्षी के मतों पर वार करते हैं।

शान्ति-सिद्धि का तेज तुम्हारे तन में है,
खड्ग न बाँहों को, न जीभ को व्याल करो।
इससे भी ऊपर रहस्य कुछ मन में है,
चिन्तन करते समय न दृग को लाल करो।

तुम बहस में लाल कर लेते दृगों को,
शान्ति की यह साधना निश्छल नहीं है।
शान्ति को वे खाक देंगे जन्म जिनकी
जीभ संकोची, हृदय शीतल नहीं है।

काम हैं जितने जरूरी, सब प्रमुख हैं,
तुच्छ इसको औ' उसे क्यों श्रेष्ठ कहते हो?
मैं समझता हूँ कि रण स्वाधीनता का
और आलू छीलना, दोनों बराबर हैं।

लो शोणित, कुछ नहीं अगर यह आँसू और पसीना,
सपने ही जब धधक उठें तब क्या धरती पर जीना?
सुखी रहो, दे सका नहीं मैं जो कुछ रो-समझा कर,
मिले तुम्हें वह कभी भाइयो-बहनो! मुझे गवा कर।

जो कुछ था देय, दिया तुमने, सब लेकर भी
हम हाथ पसारे हुए खड़े हैं आशा में;

लेकिन, छींटों के आगे जीभ नहीं खुलती,
बेबसी बोलती है आँसू की भाषा में।
वसुधा को सागर से निकाल बाहर लाए,
किरणों का बन्धन काट उन्हें उन्मुक्त किया,
आँसुओं-पसीनों से न आग जब बुझ पाई,
बापू! तुमने आखिर को अपना रक्त दिया।

बापू! तुमने होम दिया जिसके निमित्त अपने को,
अर्पित सारी भक्ति हमारी उस पवित्र सपने को।
क्षमा, शान्ति, निर्भीक प्रेम को शतशः प्यार हमारा,
उगा गये तुम बीज, सींचने का अधिकार हमारा।
निखिल विश्व के शान्ति-यज्ञ में निर्भय हमीं लगेंगे,
आएगा आकाश हाथ में, सारी रात जगेंगे।

बड़े-बड़े जो वृक्ष तुम्हारे उपवन में थे,
बापू! अब वे उतने बड़े नहीं लगते हैं।
सभी ठूँठ हो गये और कुछ ऐसे भी हैं,
जो अपनी स्थितियों में खड़े नहीं लगते हैं।

कुर्ता-टोपी फेंक कमर में भले बाँध लो
पाँच हाथ की धोती घुटनों से ऊपर तक,
अथवा गांधी बनने के आकुल प्रयास में
आगे के दो दाँत डॉक्टर से तुड़वा लो।
पर, इतने से मूर्तिमान गांधीत्व न होता,
यह तो गांधी का विरूपतम व्यंग्य-चित्र है।
गांधी तब तक नहीं, प्राण में बहनेवाली
वायु न जब तक गन्धमुक्त सबसे अलिप्त है।
गांधी तब तक नहीं, तुम्हारा शोणित जब तक
नहीं शुद्ध गैरेय! सभी के सदृश लाल है।

स्थान में संघर्ष हो तो क्षुद्रता भी जीतती है,
पर, समय के युद्ध में वह हार जाती है।

जीत ले दिक् में "जिना", पर, अन्त में बापू! तुम्हारी
जीत होगी काल के चौड़े अखाड़े में।

एक देश में बाँध संकुचित करो न इसको,
गांधी का कर्त्तव्य-क्षेत्र दिक् नहीं, काल है।
गांधी है कल्पना जगत के अगले युग की,
गांधी मानवता का अगला उद्विकास है।

(नये सुभाषित, प्र.सं.)

कोयला और कवित्व

[एक विदुषी को लिखा गया पत्र इस विषय में कि कला फलाशा से युक्त होती है या वियुक्त और कोयले का उत्पादन बढ़ाने को यदि गीत लिखे जाएँ तो कैसा रहे?]

देवि! कला के लिए कला से आप व्यर्थ चिढ़ती हैं।
कर्म, विकर्म, अकर्म एक ही आरोहण के पद हैं।
एकमात्र आश्रय अकर्म ही है समस्त कर्मों का।
और जानती ही होंगी, दुर्लभ अकर्म यह क्या है!

प्रेरित किसी लोभ से अथवा भीत किसी शंका से
कोयले की उत्पत्ति बढ़ाने को हम जब लिखते हैं,
वह लेखन की क्रिया होती है; और क्रिया यह
सीमित नहीं मानवों तक'; पशु भी उसको करते हैं
प्रेरित क्षुधा, भीति या जैविक किसी अन्य चिन्ता से।

उपयोगिता जहाँ तक सम्मुख, जब तक हम कहते हैं,
वे ही कर्म-कलाप विहित हैं जिनके सम्पादन से,
हमें अन्न, धन, वस्त्र याकि कोयला प्रभूत मिलता है,
तब तक मानव किसी भाँति भी पशु से भिन्न नहीं है।
और कहीं कुछ है भी तो गुण नहीं, मात्र गणना में।

सच है, मनुज बहुत ऊपर उठ आया है पशुता से;
किन्तु, मात्र जैविक ध्येयों पर जब भी वह अड़ता है,
पशुता आती उभर, शुद्ध मानवता दब जाती है।

देख जाइए आँख खोल कर, सारे जीव-जगत् में,
जो कुछ भी हो रहा, सभी जैविक आवश्यकता है।
जो भी कृत्य अनावश्यक हैं याकि अनुपयोगी हैं,
सब निसर्ग-वर्जित हैं पशु को। यह क्या कभी सुना है,
कोई मदकल द्विरद आत्महत्या कर कहीं मरा हो
प्रणय-निराशा से विषण्ण या जीवन से घबरा कर?

यह तो मानव ही है जो उपयोगों की सीमा से
बाहर निकल नाचता है, जब घर की चुल्लि बुझी हो;
करता है संगीत सिद्ध संचित सम्पत्ति लुटा कर,
और प्रेम के लिए महा साम्राज्य छोड़ देता है।

ज्ञान ज्ञान के लिए नहीं होता, तो क्यों उत्तर से
आविष्कार चमक उठता उस समय, ज्ञानयोगी जब
किसी बात के लिए जमा दक्षिण को देख रहा हो?

उपयोगिता समग्र सत्य है, रहस्य यह क्या है?
लोग दूसरों के निमित्त क्यों प्राण दिया करते हैं?
और छोड़ धन, धाम, रूपसी प्रिया, पुत्र परिजन को
क्यों मनुष्य वन का फकीर, संन्यासी बन जाता है?

गहराई में उतर देखिए तो यह साफ दिखेगा,
उसी बिन्दु से मानव का मनुजत्व शुरू होता है
जिसके इधर जगत उपयोगी, उधर अनुपयोगी है।

उपयोगिता समग्र सत्य थी, जब मनुष्य बर्बर था।
पर, ज्यों-ज्यों सभ्यता बढ़ी, त्यों-त्यों, मनुष्य के मन में

उन तत्त्वों के लिए प्रेम पग-पग बढ़ता आया है,
जिनका कोई स्थूल याकि जैविक उपयोग नहीं है।

विवरों का वासी मनुष्य अब महलों में रहता है।
और महल भी कैसे? जो अम्बर को चूम रहे हों;
नहीं मात्र आश्रय देने को वर्षा, धूप, तुहिन से,
पर, ऐसे, जिनमें सुरम्यता, शोभा हो, सुषमा हो;
सोई हो कल्पना दूधिया चूने की आभा में,
और खिड़कियों पर सुरंग में सपने झूल रहे हों।

बाहर जब से चला मनुज उपयोगों के घेरों से,
तब से उसके हाव-भाव, ढब-ढाँचे बदल गए हैं।
पशुओं में जो काम, मात्र, कारण भर था प्रजनन का,
वही मनुष्यों में आकर अब कितना बिफर गया है?

पशु कह पाते नहीं भेद जो मन का कूद, रँभा कर,
वही भेद नारी-नर अनबोले ही कह जाते हैं
केवल आँखों से निहार चोरी-चोरी आँखों में।

और काम अब राज रहा है कितनी व्यापकता से?
ध्यानमग्न किस भाँति बारहों मास विकल रहते हैं
नर नारी के लिए और नारियाँ नरों को लेकर?
कहाँ गई ऋतु की मर्यादा, वह देशना प्रकृति की?

लगता है, मानो, छिपकर ली चुरा पुष्पधन्वा ने
ताली ही संभ्रान्त, सभ्य, शिक्षित समाज के मन की।
एक काम से अब अनेक उलझनें जन्म लेती हैं।

देख लिया यदि आज किसी ने आसव-भरे नयन से,
कल ही से युवती के सारे भाव बदल जाते हैं;
स्वयं खोज लेती अनन्त आकर्षण के स्रोतों को,
नई भंगिमा भर लाती है चितवन और हँसी में,

रंग चढ़ा लेती कपोल पर, भ्रुवों और अधरों पर,
चलने में अनुकरण हंस, गज का करने लगती है।

और प्रेम की झंकृतियों से जगे हुए मानव की
त्वचा नहीं सन्तुष्ट देर तक रहती रुक्ष वसन में,
बहुत शीघ्र कामना मृदुलता की करने लगती है।
जीभ माँगती स्वाद, नयन खोजते लोक फूलों का,
मन मादकता की तरंग पर उड़ा-उड़ा फिरता है
गहन, गुह्य, निस्सीम गगन में, जहाँ पहुँच जाने पर
कनक नहीं, केवल अन्तर्मन का प्रसार मिलता है।

यह सौभाग्य कहाँ था, जब हम शाखामृग बर्बर थे?
इतनी विपद कहाँ थी, जब मानव पशु का भाई था?

मात्र स्वास्थ्य ही नहीं, सभ्यता में कोई रुज भी है;
जिसको भी यह रोग भयानकता से लग जाता है,
शक्ति न रहती शेष देह में बाघों से लड़ने की,
वृक, शृंगाल भी आसानी से उसे फाड़ खाते हैं।
अधःपात है हुआ अमित देशों, व्यक्तियों, जनों का,
नहीं लोभ या निर्दयता से; पर, इससे कि उन्होंने
करुणा, दया, त्याग, यानी, सभ्यता बहुत सीखी थी।

तो क्या हो? सभ्यता छोड़ फिर वापस लौट चलें हम
नीचे वहाँ, जहाँ दन्तासुर डाढ़ें पजा रहा है?
और पहन लें, हम भी फिर फौलादी व्याघ्रनखों को?
अथवा बढ़ते चलें लक्ष्य की ओर सोच यह मन में,
अभी शृंग चढ़ते-चढ़ते बलिदान बहुत होना है,
नहीं मात्र तन के शोणित का, मन के भी सपनों का?

उपयोगों पर अड़े रहें हम, तो यह बात सही है,
अन्न, वस्त्र, धन, धाम, प्रचुरताओं की कमी न होगी।
पर, उड्डयनशील, चिन्तन-लोभी मन का क्या होगा,

वह मन जो अब भी पशुओं में बहुत सरल, सीमित है,
पर, मनुष्य में आ असीम अम्बर-सा फैल गया है?

इन्द्रधनुष, तारे, हरीतिमा और गुप्त जगती वह
जो अदृश्य में उड़ने का आमन्त्रण भेज रही है,
ये, सच ही, हैं त्याज्य, क्योंकि इनका उपयोग नहीं है?

खा-पीकर सो जाए, हाय, इतना ही मनुज नहीं है।
निद्रा के वन में भी वह सपना देखा करता है
उन अभुक्त छवियों का जो जीवन में नहीं मिली हैं,
या उनका जो दौड़ रही हैं अभी रक्त के कण में
अनाख्यात, अव्यक्त, राह देखती हुई भाषा की।

बड़ा भाग्य उस पशु का जिसके मन को पंख नहीं है,
बड़े सुखी वे लोग जिन्होंने चिन्ता से बचने को
अपने मन के पंख नोंच कर बाहर फेंक दिए हैं;
सुख से जो कर काम, तृप्त खा-पीकर सो जाते हैं,
जैसे पशु कुछ नहीं खोजते भोजन पा लेने पर।

पर, पशु को क्यों हँसें? अभी भी बहुत भाव पशुता के
सत्य कहूँ तो, ज्यों के त्यों, मानव में भरे हुए हैं।
वन में थी जो आग, बहुत जीवित है राजपुरी में;
दाहकता है एक, मात्र वाचक भर बदल गया है।

टिकने देती भैंस नहीं बाहरवाली भैंसों को,
अपने खूँटे से ढकेल कर बाहर कर देती है;
यही भाव विकसित, प्रशस्त होकर नर की भाषा में
राष्ट्र, राष्ट्र का प्रेम, राष्ट्र का गौरव कहलाता है।

और आपको विदित नहीं क्या, राष्ट्रवाद यह कैसे,
विश्व-मनुज को जन्म ग्रहण करने से रोक रहा है?
कारण? राष्ट्रवाद उपयोगी भाव, निरी पशुता है।

विश्व-पुरुष पाशविक धरातल पर कैसे जनमेगा?
वह जनमेगा जब निहीन उपयोगों के घेरों को
अतिक्रमित कर हम असीम उस जग में चरण धरेंगे,
जहाँ न होगा ज्वलन-ताप जैविक आवश्यकता में
काम प्रेम से और लोभ अपरिग्रह से हारेगा;
जहाँ पहुँच कर मनुज विरत होगा सब संग्रामों से,
नहीं भीत इससे कि शान्ति की मुट्ठी बड़ी प्रबल है,
पर, इसलिए कि मार-पीट करना ही बहुत बुरा है।

जहाँ गीत श्रमिकों की श्रुतियों में रस बरसाएँगे
नहीं मात्र इस हेतु, काम से वे थक कर आए हैं
और श्रान्ति को मिटा काम पर फिर उनको जाना है;
पर, इसलिए कि वे मनुष्य हैं और सभी मनुजों में
निरुद्देश्य आनन्द पान करने की सहज तृषा है।

और श्रमिक ही क्यों? समेट मुरली, फावड़े उठा कर
कवि-गायक क्यों नहीं जाएँगे कोयले के खानों में?
मात्र लेखनी ही लिखती है नहीं काव्य जीवन का,
लिखा जा रहा महा रोर में वह पन्ने-पन्ने पर
हल की नोकों से, कुदाल से और ट्रैक्टरों से भी।

गीतों की फुहियाँ पड़ने से स्वेद सूख जाते हैं।
और पसीनों के जल में जब ज्ञान स्नान करता है,
नयन शुद्ध होते, दर्शन की रीढ़ सुधर जाती है।

सिद्ध गीत, जो रचा गया हो करघों की घर्घर में,
सिद्ध पुरुष जो नानाविध कर्मों में लगा हुआ है,
बरबस नहीं, सहर्ष, स्वयं प्रेरित अपनी इच्छा से,
क्योंकि कर्म श्रम नहीं, कर्म मुदिता, आनन्द पुलक है।

धन्य मनुज वह, जिसे कर्म निज में रत कर लेता है
जैसे प्रिया कान्त प्रेमी को, कला कलाकारों को;

धन्य पुरुष, जो निरुद्देश्य निज कर्म किया करते हैं,
जैसे उगता सूर्य, समय पर सदा सिर्फ उगने को,
इस चिन्ता में नहीं, न जानें, कितना तम हरना है।
जैसे बहती वायु, विचारे बिना बात यह मन में,
जानें, शीतलता बिखेरनी होगी आज कहाँ पर।
जैसे खिलते कुसुम, कर्म-रत बिना किसी आशा के,
आज कुन्तलों में गुँथना या मन्दिर में चढ़ना है।

सविता, पुष्प, समीर, चाँदनी इन सुन्दरताओं का,
जो भी हो परिणाम, किन्तु, कोई उद्देश्य नहीं है।
तब भी ये अवयव निसर्ग के कितने कर्म-निरत हैं?
और आइए, अब अकर्म कर्मों की बात करें हम।

जब भी मनुज कर्म करता है फल की आस लगा कर,
जब भी करते हुए कर्म वह यह सोचा करता है,
यह तो बहुत-बहुत अप्रिय है, पर, क्या हाय, करें हम?
इसे छोड़ भागें तो घर पर जाकर क्या खाएँगे?
अथवा यह कि गीत होने पर भी ये गीत नहीं हैं,
तब भी लिखो, क्योंकि, अपने में ये कुछ भले नहीं हों,
पर, क्या बुरा, वृद्धि हो यदि कोयले के उत्पादन में?
तभी कर्म से मानव की ग्रन्थियाँ जन्म लेती हैं,
तभी कर्म नर के जन्मों का बन्धन बन जाता है।

यही कर्म है वह, जिसके निष्प्राण भार के नीचे
चूर्ण-चूर्ण हो गिर जाता है शिखर मनुज के मन का।
यह कुछ वैसा ही है, जैसे, को मृदुल जुही को
उठा चाँदनी से रख दे भुट्ठी के पास सटा कर;
या जैसे अप्रिय नर के नीरस, बलात् चुम्बन से
बार-बार कुंठिता व्यग्र रमणी कुम्हला जाती है।

किन्तु, कर्म जब छा जाता कर्मी के पूरे मन में,
जबकि कर्म के सम्पादन में नहीं हाथ ही केवल,

पर, सारा अस्तित्व, प्राण, तन, मन, सब लग जाते हैं,
तभी कर्म के भीतर से आनन्द फूट पड़ता है।
कर्त्ता सहज प्रसन्न पहुँचते ही समाधि की स्थिति में
जाता भूल, कर्म यह क्या है? और कौन फल होगा?

कर्म कर्म-पद छोड़ बन जाता तब कर्मी का,
जैसे शीतलता जल का, दाहकता धर्म अनल का,
जैसे बहना धर्म वायु का, सूरज का उगना है।

जहाँ कर्म बदला स्वधर्म में, फिर तो कर्त्ता नर की,
कर्म छोड़ कर और अन्य गति ही न शेष रहती है।
ऐसी कुछ रसदशा प्राण की, मन की हो जाती है,
न तो भाग सकता स्वकर्म से, न तो कभी थकता है।

कभी श्रान्त होते देखा है कहीं किसी ने रवि को
बार-बार के उगने या निशदिन चलते रहने से?
जब स्वधर्म मिल गया मनुज को, फिर विक्लान्ति नहीं है।
और थकेगा मानव क्यों अपने प्रिय कर्त्तव्यों से?

प्रेम-सिन्धु में डूब गया जो, फिर उसके जीवन में
श्रान्ति और विश्रान्ति-बीच की रेखा मिट जाती है।
रहता निरत अनिद्र, सजग दिन भर जिसकी रचना में,
सो जाता है उसी कर्म का ध्यान स्वप्न में लेकर।
कवि लिखता जब नहीं, काव्य तब भी चलता रहता है।

कवि का ही दृष्टान्त दिया क्यों? निखिल महीमंडल में
कवि प्रतीक है उस अजस्र मनमोहक कर्मठता का
जो कर्मी का भार नहीं, आनन्द, निदिध्यासन है।
और छूट सारे प्रलोभनों, सारी आशाओं से
कवि हो रहता जिस प्रकार एकान्त-लीन रचना में
किसी लाभ के लिए नहीं, केवल अदृश्य में धँस कर,
जो अरूप हैं भाव, पकड़ कर उन्हें रूप देने को;

केवल मन का ताप बहाने को प्रगति-छन्दों में;
केवल अपना मेघ प्राण से बाहर कर देने को;
केवल स्वयं श्रवण करने को, युग के मूक हृदय में
कौन गन्ध छटपटा रही है, पवन कौन चलता है;
केवल क्रुद्ध गरज उठने को जब निरीह गो-शिशु को
कोई वृक हो लिए जा रहा अपने अन्ध विवर में;
केवल जल उठने का जब चारों दिशि आग बुझी हो,
करता हो प्रतिकार नहीं कोई दुर्दान्त अनय का;
वैसे ही, कोयला निकालनेवालों के भी मन में
एकनिष्ठ साधना चाहिए कोयला-उत्पादन की,
किसी लाभ के लिए नहीं, केवल इस शुभ्राशय से,
है स्वधर्म ही सब से उज्ज्वल धर्म कर्मसाधक का,
कोयला-उत्पादन से बढ़कर कोई काम नहीं है।

यही कर्म की वह स्थिति है, जिसको विकर्म कहते हैं।
यह विकर्म वाचक है दूषित नहीं विशिष्ट क्रिया का।
कर्मी वह जो कर्म-निरत है किसी लोभ या भय से,
किन्तु, विकर्मी वह जिसमें शंका, भय लोभ नहीं है।
पर, तब भी, जो लगा हुआ है अपने कर्त्तव्यों में
क्योंकि धर्म का त्याग कभी सम्भव या साध्य नहीं है।
देह कूद कर कभी निकल सकती है बाह्य त्वचा से?
दाहकता को छोड़ कभी क्या पावक जी सकता है?

ठहर गया जिसका विकर्म, उस सहज कर्मयोगी के
सारे कर्म अकर्म-भाव में स्वयं बदल जाते हैं।
यह अकर्म संन्यास नहीं है, न तो त्याग कर्मों का;
चरम-बिन्दु पर चढ़े प्राण की यह एकायन स्थिति है,
जब कर्मातिरेक के कारण कर्म नहीं दिखते हैं।
चक्र दीखता स्थिति जब वह तेजी से घूम रहा हो।

कला कर्म का चरम रूप है; जिस एकान्त लगन से
कलाकार अपनी रचनाओं में खोया रहता है,

वही आत्म-विस्मृति मिलती है कहाँ अन्य कर्मी में?
और मिले तो वह मनुष्य भी श्रमिक नहीं, स्रष्टा है।

जब तक नहीं सुई ध्रुव-सम्मुख, कुछ भी इधर-उधर है,
सभी कर्म तब तक श्रम होते और श्रान्तिकारी भी।
पर, जब सुई खड़ी हो जाती ठीक सामने ध्रुव के,
रचना का आनन्द निर्झरों-सा झरने लगता है।
श्रम हो जाता सृजन, श्रमिक तब स्रष्टा बन जाता है।

श्रम की करके बात लोग जो कवियों को हँसते हैं,
कहिए उन्हें कि दूर अभी दिल्ली है मानवता की।

जिस दिन श्रम में श्रमिक लगेंगे कवि की तन्मयता से,
यह धरती उस रोज, सत्य ही, सुरपुर हो जाएगी।
भेद नहीं रह जाएगा कोई कवित्व-कोयले में,
सभी करेंगे बात सृजन की, श्रम का नाम न होगा।

कला कला के लिए कहें तो इससे क्यों जीवन का
मुख मलीन होता, मन में कुछ चोट कहीं लगती है?
कला-पुष्प खिलता जिस द्रुम पर, उसकी मूल-शिराएँ
जीवन में यदि नहीं, कहाँ पर और गड़ी होती हैं?

कला नहीं वह फेन, हवा में जो उड़ता फिरता है
डरा हुआ सूखी जमीन की धूलों से, ज्वाला से।
कला नहीं वह रंग-बिरंगा फलक रिक्त, जिस पर से
सपने का पंखी केवल मँडरा कर भाग गया हो।

कला नहीं वह गान, सितारें जिसे शुरू करते हैं,
बड़े नाज से, बड़ी अदाओं से, आकाशी सुर में;
पर देते हैं छोड़ बीच में ही, मानो, आगे की
बातें उनको याद नहीं या कड़ियाँ भूल गए हों।

कला नहीं वह स्पर्श, (बात क्या गहन प्राण-गंगा की?)
बाहर की भी त्वचा नहीं जिससे कम्पित होती है।
शोणितहीन, विषण्ण चित्र ये, जो भी उतर रहे हैं,
आभिजात्य के रोग, कुलीनों की मानस-क्रीड़ा हैं।

सच है, कला निसर्ग-मुक्त है नियति-रचित नियमों से,
न तो नीति-सेविका, न तो चेटिका किसी दर्शन की;
किन्तु, कौन है ज्ञान, नहीं सौरभ जिसके फूलों का
कला-लोक पर घिरे व्योममंडल में मँडराता है?

कला बैठती वहाँ, जहाँ से सभी ज्ञान चलते हैं,
और वहाँ भी, जहाँ सभी ज्ञानों का लय होता है।
आदि-अन्त के बीच तार जितने भी लगे हुए हैं,
सब उठते झनझना, कला जब उन्हें कभी छूती है।

जितने भी हैं ज्ञान, उर्मियाँ हैं अगाध सागर की।
कला संगिनी उस वड़वानल की, जो बैठ अतल में।
अपनी लौ से महासिन्धु के मन को औंट रहा है।

इसीलिए, जब कला बोलती, सिन्धु गरज उठता है,
अट्टहास से महाशैल की छाती फट जाती है;
अँचल जब घूमता, लाल हो उठते मेघ गगन के,
स्याही की बूँदों में द्वादश सूर्य धधक उठते हैं।

कला नहीं खंडन जीवन का, वह उसकी स्वीकृति है।
लेकिन, मत देखिए सदा, हठ से, एक ही दिशा में।
जीवन की डालियाँ मात्र दो-एक नहीं, लाखों हैं,
और फूटकर निकली हैं वे सभी एक ही तरु से,
वह तरु, जिसके गहन मूल में बैठी कान लगा कर
कला ध्यान से सभी डालियों का स्पन्दन सुनती है।

प्रातःकाल हरे पत्तों पर नर्तन नयी किरण का,
सायं समय चाँदनी का करना प्रवेश कुंजों में,

मलयानिल का मृदुल स्पर्श, दुर्मद झकोर झंझा का,
ग्रीष्म-काल का तपन और फिर शीतलता पावस की,
हिम-निपात में अट्टहास कर हँसना क्रूर मरण का
केवल पत्ते नहीं, छाल, डालें, टहनियाँ चबाकर;
और फूट पड़ना जीवन का फिर यम की घाटी में,
फिर भर जाना सकल मौलि का पत्तों से, फूलों से;
फिर हरीतिमा-सिन्धु उठाए इतराना विटपी का,
मानो, उस पर कहीं नाश की उँगली नहीं पड़ी हो।
कला देखती द्रवित, भाव-विह्वल इन लीलाओं को
और देखकर यथायोग्य अंकन सब का करती है।

पर, इतना ही नहीं, दृश्य के परे, अगाध, अतल में
कला डूबकर, समाधिस्थ, यह भी अनुभव करती है,
दौड़-दौड़ डालों पर जब गिलहरियाँ किलक रही हों,
जगते कहाँ पुलक, तरु को गुदगुदी कहाँ लगती है?
और वृक्ष जब रस पीता पतली, महीन सोरों से,
तब मिट्टी के अन्धकार में साँ-साँ क्या बजता है?

और भेद यह भी, अशब्द, अँधियाले दरवाजे की
ताली मन के किस निगूढ़ कोने में छूट गई है?
एक क्षुद्र कण में समस्त तरु कैसे छिपा हुआ था?
कैसे बन ब्रह्मांड एक छोटा अणु फैल गया है?
यह अपार संसार प्रकट हो आता उछल कहाँ से?
और काल पाकर अदृश्य फिर कहाँ चला जाता है?

कोई उत्तर नहीं। मात्र विस्मित हो रह जाना है,
मानो, जो अज्ञेय, गहन है, अनाख्येय, अगदित है,
विस्मय ही उसकी निगूढ़, निःशब्द, मूक भाषा हो।

जब तक मिलती थाह, तभी तक सारे शब्द मुखर हैं,
पर, आएगा जब अथाह, सब मौन ग्रहण कर लेंगे।
मन में कहीं अगाध एक ऐसी भी गहराई है,

जहाँ पहुँच फूटते न कोई बोल कला के मुख से;
रह जाती निर्वाक्, ठगी की ठगी, महाविस्मय में,
घोर मूकता में कहती सब कथा बिना शब्दों के,
जो शब्दों में किसी भाँति भी कही नहीं जाती है।

शब्द मौन में, रव नीरव में, स्वर विलीन निःस्वर में,
मानो, कर्म अकर्म-सिन्धु में आकर डूब गया हो।

(कोयला और कवित्व, 1960)

हमदर्दी

नकली हमदर्दी में
कदम उठाते चलो।
असली जो मन है,
उसे भीतर का अन्धकार
दाँतों से थामे रहे,
मुख पूर्णिमा में रहे,
आत्मा अमा में रहे।

नकली चेहरा पहन कर चलने से
दोस्त मिलते हैं।
रक्षित रहती है पूँजी,
हलवे के लिए जुटाई गई
चीनी और सूजी।

अगर तुम्हारे पास यश की दुकान है,
मक्खन का ट्रेड मार्क काफी कारगर होगा।
नकली विनम्रता भी भारी वरदान है।
लोग तो कहेंगे नहीं, इसमें अभिमान है?

लेकिन अदृश्य की बही में क्या प्रमाण है?

टूटने दो, नकली झुकान से बचाओ नहीं,
अगर तुम्हारे पास शीशे का महल है।
नकली हमदर्दी में कदम उठाना
एक आदमी नहीं,
सभी आदमियों के साथ छल है।

(कोयला और कवित्व, प्र.सं.)

दर्द

दर्द को तुम फेन की धारा बनाओ।
फेन तो बह जाएगा;
नीर निर्मल सिन्धु में रह जाएगा।

(कोयला और कवित्व, प्र.सं.)

शब्द

सब गया; बाकी बचा जो व्यर्थ है।
शब्द केवल झनझनाहट है हमारी।
लय नहीं, बाकी न कोई अर्थ है।

(प्रण-भंग तथा अन्य कविताएँ, क्षणिकाएँ, 1969)

आत्मनाश

तुम अगर अपने आप को
चोट न पहुँचाओ,
तो कोई दूसरा तुम्हें कैसे मारेगा?
जो परिवार अपना विनाश
आप नहीं करता,

कोई दूसरा उसका क्या बिगाड़ेगा?
राज्य भी अपना संहार
पहले आप करते हैं।
बाद में वे किसी अन्य
राज्य के हाथों मरते हैं।

(प्रण-भंग तथा अन्य कविताएँ, क्षणिकाएँ, 1969)

सावधानी

जो बहुत बोलता हो,
उसके साथ कम बोलो।
जो हमेशा चुप रहे,
उसके सामने हृदय मत खोलो।

(प्रण-भंग तथा अन्य कविताएँ, क्षणिकाएँ, 1969)

सराय

पुरानी कहावत है कि दुनिया सराय है।
यहाँ शान्ति की खोज करना ही व्यर्थ है।
इस सराय में तुम प्रेम-प्रेम पुकारते हो।
आखिर इसका क्या अर्थ है?

यहाँ जितने भी लोग हैं, उन्हें सगा-सम्बन्धी जानो।
और यह मानो
कि जिस तरफ को भी तुम जाओगे,
चोट के सिवा और कुछ नहीं पाओगे।

(प्रण-भंग तथा अन्य कविताएँ, क्षणिकाएँ, 1969)

गृह-कलह

जो बीमार नहीं पड़ा है,
वह स्वास्थ्य की महिमा कैसे जानेगा?
जिसने गृह-कलह नहीं देखा है,
वह उसकी दाहकता क्या पहचानेगा?

(प्रण-भंग तथा अन्य कविताएँ, क्षणिकाएँ, 1969)

वीर

गरीबों में भी श्रद्धेय वीर होते हैं।
निर्धन भी स्वाभिमानी
और गम्भीर होते हैं।
मन ही मन वे दुखों को मारते हैं।
मगर धनियों के आगे
हाथ नहीं पसारते हैं।

(प्रण-भंग तथा अन्य कविताएँ, क्षणिकाएँ, 1969)

डूबने का भय

किनारे पर खड़े रहो,
अगर तूफान के थपेड़ों से
डरते हो।
समुद्र की तरंगों पर
तैरने का लोभ क्यों करते हो?

(प्रण-भंग तथा अन्य कविताएँ, क्षणिकाएँ, 1969)

अग्नि-वृक्ष

पेड़ बाहर से फूला हुआ है;
मगर भीतर उसके चिनगारी भरी है।

इस धोखे में मत रहना
कि पत्ते नये हैं, डालियाँ हरी हैं।

(प्रण-भंग तथा अन्य कविताएँ, क्षणिकाएँ, 1969)

परंपरा

परंपरा को अन्धी लाठी से मत पीटो।
उसमें बहुत कुछ है
जो जीवित है,
जीवन-दायक है,
जैसे भी हो,
ध्वंस से बचा रखने के लायक है।

पानी का छिछला हो कर
समतल में दौड़ना,
यह क्रान्ति का नाम है।
लेकिन घाट बाँध कर
पानी को गहरा बनाना,
यह परंपरा का काम है।

परंपरा और क्रान्ति में
संघर्ष चलने दो।
आग लगी है, तो
सूखी टहनियों को जलने दो।

मगर जो टहनियाँ
आज भी कच्ची और हरी हैं,
उन पर तो तरस खाओ।
मेरी एक बात तुम मान जाओ।

परंपरा जब लुप्त होती है,
लोगों की आस्था के आधार

टूट जाते हैं।
उखड़े हुए पेड़ों के समान
वे अपनी जड़ों से छूट जाते हैं।

परंपरा जब लुप्त होती है,
लोगों को नींद नहीं आती,
न नशा किये बिना
चैन या कल पड़ती है।

परंपरा जब लुप्त होती है,
सभ्यता अकेलेपन के
दर्द से मरती है।

कलमें लगाना जानते हो
तो जरूर लगाओ,
मगर ऐसे कि फलों में
अपनी मिट्टी का स्वाद रहे।

और यह बात याद रहे
कि परंपरा चीनी नहीं, मधु है।

वह न तो हिन्दू है, न मुस्लिम है,
न द्रविड़ है, न आर्य है,
न परंपरा का हर प्रहरी
पुरी का शंकराचार्य है।

(हारे को हरिनाम, प्र.सं.)

उपदेशक

मुजरिम हो कर
मुजरिमों को सुधारने का काम,
यह भी एक स्वांग है

और यह स्वांग हम सभी लोग
भरते हैं।

जिन मजों से हम दूसरों को
रोकना चाहते हैं,
उनसे खुद परहेज नहीं करते हैं।

वैतरणी के छींटे किस पर नहीं पड़े हैं?
किसके दामन पर
फूलों के रस का दाग नहीं है?

सपने की देह को नंगी उँगली से
छूने का लोभ किसमें नहीं जगा है?
कौन इतना जर्जर है
कि उसमें जवानी की आग नहीं है?

तो उपदेशकों
आओ, हम ईमानदार बनें
और मानवता को डरायें नहीं,
बल्कि यह कहें—

कि जिस सरोवर का जल पीकर
तुम पछताते हो,
उस तालाब का पानी
हमने भी पिया है।
और जैसे तुम हँस-हँस कर रोते
और रो-रो कर हँसते हो,
इसी तरह हँसी और रुदन से
भरा जीवन हमने भी जिया है।

गनीमत है कि हर पापी का भविष्य है,
जैसे हर सन्त का अतीत होता है।
आदमी घबरा कर व्यर्थ रोता है।

यह बात दूसरी है
कि कोई समृद्धि में है,
कोई अभाव में है।
मगर जहाँ तक मन का सवाल है,
हम सब एक ही नाव में हैं।

सदियों से हमने तुम्हें धोखा दिया है।
मगर अब हम तुम्हें और नहीं भरमायेंगे।
जहाँ तक पहुँच कर हम रुक गये हैं,
उससे आगे का रास्ता तुम्हें नहीं बतायेंगे।

(हारे को हरिनाम, प्र.सं.)

तुलसीदास

ईश्वर के आसन के नीचे
जो खजाना गड़ा था,
आपने उसे उखाड़ लिया।

और कवि कविता करते रहे,
आपने कविता के माध्यम से
अपने आपको उबार लिया।

तुलसीदास जी,
आप पर मेरी श्रद्धा अटूट है।
लेकिन मैं आपकी नकल नहीं करूँगा।

परंपरा की पूजा नहीं करना।
पानी के बिना प्यास से मरना है।
और परंपरा की नकल करना
अपने गले पर शाणित कृपाण धरना है।

(हारे को हरिनाम, प्र.सं.)

दर्द

जीवन दर्द का झरना है।
जो भी जीते हैं, दर्द भोगते हैं।
और दर्द भोगते-भोगते ही
हमें मरना है।

दर्द नियति की दुकान की निहाई है।
दर्द भगवान के हाथ का हथौड़ा है।

देवता हम पर चोटें देकर
हमें सँवारता और गढ़ता है।

शायद यह बात सच है
कि आदमी दर्द में विकसित होता,
खूबसूरत बनता और बढ़ता है।

(हारे को हरिनाम, प्र.सं.)

आनन्द और शोक

भगवान ने सोने के प्याले में
आनन्द भर कर
मनुष्य को दिया

और कहा,
इसे पियो
और मस्ती में फूल जाओ।
केवल आज का दिन ही सही है।
अतीत और भविष्य,
दोनों को भूल जाओ।

भगवान ने मिट्टी के प्याले में

शोक भर कर
मनुष्य को दिया

और कहा,
इसे पियो
और आनन्द का अर्थ समझो।

अन्त में सबकी किस्मत में
आँसू लिखा है।
दुनिया में जो भी चाकचिक्य है,
उसे व्यर्थ समझो।

(हारे को हरिनाम, प्र.सं.)

गरीबी और औरत

जैसे भी हो, जिन्दगी बसर करो।

गरीबी और औरत का असर
सभी कवियों पर होता है।
फर्क यह है कि कोई चुप रहता है
और कोई रोता है।

सोचो तो, तुलसीदास क्या अमीर थे
और बीवी उन्हें प्यार करती थी?
अरे चुप! तुलसीदास निर्धन थे।
मगर बीवी बड़ी ही जानदार थी।

अकारण ही वह उन्हें सताती थी,
अकारण ही हँसती, अकारण ही रोती
और अकारण ही मायके भाग जाती थी।

तभी तो तुलसीदास नींद से जागे,

धोती-लोटा ले कर घर छोड़ कर भागे।

गरीबी फिर भी कम दुखदायी होती है
मगर औरत?
औरत कमाल है।

तुलसी हों या टाल्सटाय,
इस मामले में दोनों का एक ही हाल है।

(हारे को हरिनाम, प्र.सं.)

सतही जीवन

प्रार्थना छोड़ कर
सब कुछ के लिए समय है।
प्रार्थना फालतू काम है।

सब से अच्छा अपना नाम है,
अगर वह अखबार में छपे।
जिसका नाम सब जपते हैं,
वह किसी और का नाम क्यों जपे?

दिन में दफ्तर की मेज़
और रात में सिनेमा!
बगल में कभी प्रेमलाल और कभी प्रेमा।

कामिनी और कंचन से भागना बेवकूफी है।
मौज-मजे की ज़िन्दगी
क्या सबको मिलती है?
इस नींद से जागना बेवकूफी है।

अपने आपके चोर

सदर दरवाजे से घबराते हैं।
खिड़कियों की राह घर में आते-जाते हैं।

एकान्त और नीरवता उन्हें भारी लगती है।
भीतर जितना ही भय लगता है,
उतना ही और जोर से गाते हैं।

(हारे को हरिनाम, प्र.सं.)

आदमी

जिन्दगी वैसे मुझे प्यारी है।
मगर, बुद्ध ने ठीक ही कहा था
कि सब से अच्छी बात यह है
कि मनुष्य जनमें ही नहीं।

गरचे कहने में थोड़ा डरता हूँ,
मगर, इसी बात का समर्थन
मैं एक दूसरे ढंग से करता हूँ।

ईश्वर के पास रहना अच्छा है,
क्योंकि वह क्षमा करता है।

मगर, आदमी?
उफ, वह तो आँसुओं से दहलता ही नहीं।
जिधर से करुणा की वायु आती है,
उस राह पर चलता ही नहीं।

(हारे को हरिनाम, प्र.सं.)

निस्सीम

काल जब जनमा,
उसके पहले भी काल था।
और काल उसके पूर्व भी
रहा होगा।

आकाश जब बना,
उससे पहले भी जो था,
वह आकाश ही था।

काल और आकाश,
ये हमेशा से थे
और हमेशा रहेंगे।

कल्पना जहाँ तक भी आती है,
काल उससे आगे पहुँच जाता है।
मन जहाँ तक भी दौड़ता है,
आकाश को वह उससे आगे पाता है।

कहते हैं, घटाकाश वह आकाश है,
जो घड़े में बन्दी हो गया है।
लेकिन घट के फूटते ही
वह आकाश कहाँ चला जाता है?

आश्चर्य की बात है
कि घटाकाश के बनने पर
आकाश एक घड़े भर नहीं घटता है।

आकाश और काल,
दोनों अबूझ पहेली हैं।
इनका विस्तार नापने में
दिमाग फटता है।

(हारे को हरिनाम, प्र.सं.)

जीवन और मृत्यु

जीवन से हम उतना प्यार नहीं करते,
जितना मृत्यु से डरते हैं।

जीने वालों का मूल्य थोड़ा होता है।
कीमती वे बन जाते हैं,
जो मरते हैं।

जीवन ऊपर-ऊपर आनन्द भोगता
और हँसता है।
गहरी भावना केवल मृत्यु जगाती है।

बच्चन के साथ मैं हँसता-खेलता हूँ,
लेकिन याद मुझे बेनीपुरी की आती है।

(हारे को हरिनाम, प्र.सं.)

पुरजे की खराबी

जब हर आदमी तुम्हारी
बड़ाई कर रहा हो,
तब तुम जरा हुशियार हो जाओ।
तुम्हारी मशीन का कोई न कोई पुरजा
जरूर खराब हो गया है।

मशीन ठीक रहती है,
तब आदमी में
सिफत के साथ ऐब भी होता है।
और ऐब पकड़ा जाता है।

अपना ऐब हमें खोलना भी चाहिए
कि लोग हमें देवता न समझें।

और अगर तुममें ऐब नहीं है,
तो जो लोग तुम्हें फलों का हार देंगे,
वे ही ईसा और गांधी के समान
तुम्हें गोली मार देंगे।

(हारे को हरिनाम, प्र.सं.)

आम के पेड़

मेरे बाग में आम का एक पेड़ है,
जो बहुत पुराना और बड़ा है।
कोई सौ साल से वह अपनी जगह पर खड़ा है।

जवानी में उसने खूब फल दिये थे।
और बूढ़ा होने पर भी
वह हर साल फलता है।

मुझे यह पता नहीं चलता है
कि उतना फल लेने के बाद भी
उसे और फलने की
क्या जरूरत है?

लेकिन एक ही सूरत है
जिससे पेड़ यह बता सके
कि आत्मदान उसका रुका नहीं है,

बूढ़ा हो जाने पर भी
फलने का शौक उसका चुका नहीं है!

फल पेड़ की आत्माभिव्यक्ति है,
उसकी कविता है।

कविता कवि की सार्थकता है,
उसके जीवित रहने का आधार है।

वह अगर रुक गयी,
तो कवयिता धरती का भार है।

(हारे को हरिनाम, प्र.सं.)

नेकनीयती

आदमी देवता बनेगा।
धरती स्वर्ग बनेगी।
हिटलर हारेगा,
गांधी जीतेंगे।
लड़ाई अब और नहीं ठनेगी।

कविवर, इतनी अच्छी बातें
तुम किस बिरते पर बोलते हो?
यह सुसमाचार किसी देवता ने कहा है?
या तुमने कोई ख्वाब देखा है,
जिसका रहस्य खोलते हो?

केवल अच्छी बातें बोलने से
दुनिया नहीं बदलेगी।

सोचने की बात यह है
कि पैगम्बरों के बावजूद
अच्छाई क्यों सोती जाती है?

तुम तो स्वर्ग को कब से
समीप देख रहे हो,
मगर दुनिया दिनोंदिन
अधिक नरक होती जाती है।
केवल नेकनीयती काफी नहीं है।

क्रान्ति का कथनी से नहीं,
करनी से वास्ता है।
केवल अच्छी बातें बोल कर रह जाना
बुराइयों पर पर्दा डालना है।
कोरी नेकनीयती नरक का रास्ता है।

(हारे को हरिनाम, प्र.सं.)

रेडियम

रेडियम केवल प्रकाश फेंकता है।
वह जल कर भी नहीं जलता।

आदमी की किस्मत
इतनी अच्छी नहीं होती।

फूल की सेज पर उसका
जौहर खुलता नहीं।
तेज उसका तब निखरता है,
जब वह काँटों पर चलता है।

और रोशनी उससे तब फूटती है,
जब वह अपनी ही आग में
जलता है।

(हारे को हरिनाम, प्र.सं.)

प्रतिभा और सौन्दर्य

तुम्हारी कविता और सौन्दर्य में से
कौन अधिक श्रेष्ठ है?

कविता दृष्टि मात्र से समझ में नहीं आती,
उसे समझना या समझाना पड़ता है।

लेकिन खूबसूरती को
दलील देने की हाजत नहीं होती।

रूपसी नारी देखी नहीं,
कि आँखें उसे पहचान लेती हैं।
सौन्दर्य के भीतर जो अर्थ भरा है,
उसे बिना पढ़े ही जान लेती हैं।

प्रसाद-गुण में सौन्दर्य
कविता से अधिक प्रखर है।
मगर एक बात और है,
जो हृदय को जँचती है।

प्रसन्न से प्रसन्न सुन्दरता भी
विनाश को प्राप्त होती है।
किन्तु कविता गूढ़ होने पर भी
बचती है।

(हारे को हरिनाम, प्र.सं.)

जगना और सोना

जगना विज्ञान है,
सोना कला है।
वह आदमी भला है,
जो गाढ़ी नींद में सोता है।
पर इतने से प्रश्न का
समाधान नहीं होता है।

जानने की बात यह है
कि जिसके जागरण और स्वप्न में
दूरी रहेगी,
उसे नींद ठीक से नहीं आयेगी।

विज्ञान अगर कलंकित है,
तो कला भी अधूरी रहेगी।

जिसे नींद ठीक से नहीं आती,
उसके मन में झाँक कर देखो।
अवचेतना दिन में कहीं
चोट खा गयी है।

ईर्ष्या, पछतावे या द्वेष का कीट
उसे दंश मारता है
अथवा उसके प्राणों में
पड़ोस की कोई नारी समा गयी है।

कीर्त्ति और धन,
विज्ञान इनकी खोज करता है।
मगर यह खोज भी
नींद में खलल डालती है।

कीर्त्ति और धन ख़ोजने के क्रम में
बहुत-से साँप उत्पन्न होते हैं।
वे बाहर नहीं रहते,
अवचेतन के जल में बसते हैं।
आदमी जब सोने लगता है,
वे उठ-उठ कर
उसके प्राणों को डँसते हैं।

तब भी कितनी विचित्र बात है
कि जिसे कीर्त्ति नहीं,

बदनामी मिली है,
नींद उसकी भी कमजोरी होती है।
और निर्धन की तो बात ही मत पूछो,
उसकी चिन्ताएँ अत्यन्त कठोर होती हैं।

(हारे को हरिनाम, प्र.सं.)

शंका

शंकाएँ वातायान हैं,
जिनसे बुद्धि सीमा के पार झाँकती है।
और जो सत्य वह
ठीक से नहीं बोल सकती,
उसे तुतलाहट में आँकती है।

कुहरे में छिपी नदी
खूबसूरत लगती है।
और जब तक अनिश्चय है,
उत्सुकता तभी तक जगती है।

शंकाएँ सोपान हैं।
विश्वास सबसे ऊपरी मंज़िल है।

एक समय शंकाएँ पाप समझी जाती थीं।
पर अब हम शंका से
घृणा नहीं, प्यार करते हैं।

धर्म बार-बार अँधियाले में
लुप्त हो जाता है।
और शंकाओं के जरिये
हम बार-बार
उसका नया आविष्कार करते हैं।

(हारे को हरिनाम, प्र.सं.)

इन्द्रियों की पराजय

इन्द्रियो, वैराग्य ने तुम्हें मारना चाहा,
मगर तुम मरी नहीं,
दुश्मन को चकमा देकर भाग गईं।

लेकिन व्यभिचार ने तुम्हें
जब कुंठित बनाना चाहा,
जीत व्यभिचार की हुई,
इन्द्रियो, तुम हार गईं।

मार ने जब बुद्ध पर चढ़ाई की थी,
तब बुद्ध जीते थे, मार हारा था।
मगर जब श्रावकों के साथ
मार की भिड़न्त हुई,
मार ने धनुष तान कर बहुतों को मारा था।

अच्छा होता कि वैराग्य से
तुमने हार मान ली होती
और व्यभिचार को बढ़ने नहीं देतीं।

जहाँ रक्त का उद्दाम वेग नहीं है
वहाँ प्रेम भी नहीं होता।
काम के स्वच्छ कोट पर
लिजलिजे मनुष्य को चढ़ने
नहीं देतीं।

(हारे को हरिनाम, प्र.सं.)

सबसे जरूरी काम

वैसे तो सब कुछ जरूरी है।
मगर सबसे जरूरी बातें क्या हैं?

स्वच्छ शासन
और घूस नहीं खाने वाला तन्त्र,
बड़े नहीं, छोटे-छोटे यन्त्र;
शिक्षा की उन्नति
और खेती का चाव,
जो कुछ उपजे, उसे
बाँट कर खाने का भाव।

राष्ट्र का एक अंग दुबला
और दूसरा मोटा न रहे,
यानी एक आदमी बड़ा
और दूसरा छोटा न रहे।

अमीर बनने के लोभ में
कर्ज खाना बन्द हो।
धन के लिए अमरीका
और यश के लिए रूस जाना बन्द हो।

बहुत कठोर होना अच्छा नहीं,
मगर कोमल होना भी तो बुरा है।
देखते नहीं,
पड़ोसी के हाथ में छुरा है?

प्रेम और अंहिसा काफी नहीं हैं।
उनकी रक्षा के लिए
बाँहों में बल भी चाहिए।

मिट्टी, पानी, हवा और आसमान से
आदमी नहीं बनता।
उसके निर्माण में
थोड़ा अनल भी चाहिए।

(हारे को हरिनाम, प्र.सं.)

संतुलित समाज

फौजियों का मिजाज फौजी नहीं,
जरा लचीला और नर्म हो।

जगद्गुरु बात-बात में
केवल शास्त्र ही न खोलें,
यत्किंचित् ज्ञात उन्हें
समय का भी धर्म हो।

मन्दिरों में भी हम
घर का सोंधापन पायें।
और साधुओं के बदन से
केवल धूप-दीप की ही
गन्ध न आये।

कवि भूखों न मरे।
और जो बहुत खाते हैं,
वे जरा उपवास सीखें।

सेठों और मन्त्रियों में यह लोभ जगे
कि वे भी
जनसाधारण के सामान दीखें।

मर्दाने मर्द और औरतानी औरत ने
सारा खेल खराब कर दिया।
लाजिम यह है
कि हर औरत जरा मर्द
और हर मर्द जरा नारी हो।

दुनिया केवल उन्हीं को न पूजे,
जिन्होंने जीत हासिल की है।

वह उन्हें भी जरा हमदर्दी से देखे,
जिन्होंने जिन्दगी की बाजी हारी हो।

(हारे को हरिनाम, प्र.सं.)

व्यक्तित्व और चरित्र

जीवन समुद्र नहीं,
सरिता या सोता है।
लेकिन वह दो प्रकार का होता है।

एक धारा वह है,
जो बर्फ को पाकर
जग गयी है;

बहुत दूर चल लेने के बाद
अब एक जगह आ कर
थम गयी है।

यह धारा पावन है, पवित्र है।
लेकिन वह जीवन व्यक्तित्व नहीं,
चरित्र है।

और दूसरी धारा वह है,
जिसमें आग बहती है।

उल्लास यहाँ हिलोरें लेता है।
वीरता कड़क कर बोलती है।
इस धारा से
प्रेम का तूफ़ान उठता है।

किनारे पर जो भी वृक्ष खड़े हैं,
उनकी डाल-डाल डोलती है।

जिनको धुओं के धब्बे लग गये,
आग अपनी तरलता से
उन्हें भी धोती और नहलाती है।
यह धारा व्यक्तित्व कहलाती है।

(हारे को हरिनाम, प्र.सं.)

शिखर

'जितने रास्ते थे, वे खत्म हो गये।
मेरे आगे अब कोई रास्ता नहीं है।
मैं शिखर की फुनगी पर हूँ।'
ऐसा कह कर कितने लोग मरते हैं?

चलने की कोशिश बहुत लोग करते हैं।

मगर शिखर जब
सौ-दो सौ गज बाकी रह जाता है,
प्रायः सब के पाँव
लड़खड़ाने लगते हैं।
यही फैसले की जगह है।

शिखर को छूने की कोशिश
तो हर एक करता है,
मगर करोड़ों में कोई एक ही
शिखर को छू कर मरता है।

(हारे को हरिनाम, प्र.सं.)

बड़ी दुनिया

खिड़की तोड़ो
और बाहर हवा में कूद पड़ो।
घर के भीतर तो
अब दम घुटा जाता है।

बड़ी आत्माओं के लिए
अब भी आशा है।
वे छोटी दुनिया से निकल कर
बड़ी दुनिया में जा सकती हैं।
स्वच्छ धूप और
तूफानी हवा का स्वाद पा सकती हैं।

बड़ी दुनिया, जहाँ
सूर्य का निर्भय आलोक
और समुद्र की शीतल शान्ति छायी है।
बड़ी दुनिया, जिसने अपने चारों ओर
लक्ष्मण-रेखा नहीं बनायी है।

बड़ी दुनिया, जहाँ
पूजा कुबेर की नहीं
विश्वकर्मा की होती है;

धन और धन-हीनता
के बीच जीने वाले
विचार-धर्मा की होती है।

बड़ी दुनिया, जो
मूल्य-विधायकों
के पीछे-पीछे चलती है;
जो अभिनेता को

नेता नहीं मानती,
न उसका विश्वास करके
अपने को छलती है।

बड़ी दुनिया, जिसका फाटक
सुई के छेद के समान है।
ऊँट उसके भीतर नहीं समायेगा।

और छोटी दुनिया को
लात मार कर
जो भी मर्द यहाँ आएगा,
धरती उसे अपनी धुरी बनायेगी।

और उसकी पुकार पर
पृथ्वी की रूठी हुई आत्मा
पृथ्वी पर लौट आयेगी।

(हारे को हरिनाप, प्र.सं.)

गांधी

देश में जिधर जाता हूँ,
उधर ही एक आह्वान सुनता हूँ।

"जड़ता का तोड़ने के लिए
भूकंप लाओ।
घूप्प अँधेरे में फिर
अपनी मशाल जलाओ।
पूरे पहाड़ को हथेली पर उठा कर
पवनकुमार के समान तरजो।
कोई तूफान उठाने को
कवि, गरजो, गरजो, गरजो।"

सोचता हूँ, मैं कब गरजा था?
जिसे लोग मेरा गर्जन समझते हैं,
वह असल में गांधी का था,
उस आँधी का था, जिसने हमें जन्म दिया था।

तब भी हमने गांधी के
तूफान को ही देखा,
गांधी को नहीं।

वे तूफान और गर्जन के
पीछे बसते थे।

सच तो यह है
कि अपनी लीला में
तूफान और गर्जन को
शामिल होते देख
वे हँसते थे।

तूफान मोटी नहीं,
महीन आवाज से उठता है।

वह आवाज,
जो मोम के दीप के समान
एकान्त में जलती है;
और बाज नहीं,
कबूतर की चाल से चलती है।

गांधी तूफान के पिता
और बाजों के भी बाज थे।
क्योंकि वे नीरवता की आवाज थे।

(हारे को हरिनाम, प्र.सं.)

सभ्यता

हमारे पीछे पशु हैं,
जिनके हम कभी चचेरे भाई लगते थे।
और हमारे आगे वह मनुष्य है,
जो अभी जनमा नहीं,
बहुत दिन बीत जाने के
बाद आएगा।

हम उन दोनों के बीच की कड़ी हैं।
मगर साधना हमारी भी बड़ी है।

आवेगों का ज्वार
कितना भयानक और अन्ध होता है!
हम उनमें से अनेक को
आन्तरिक इच्छा के विरुद्ध
छिपाते हैं, दबाते हैं
अथवा उनका त्याग करते हैं।

वासनाओं का खुला मुख
हमें पसन्द नहीं आता।
मुखौटे पहना कर
हम उनसे अनुराग करते हैं।

राग और विराग के बीच सतत संघर्ष,
यही हमारा सही मुकाम है।
सभ्यता विधि और विषेध के बीच
समझौते का नाम है।

(हारे को हरिनाम, प्र.सं.)

बुद्धि की पराजय से परे

आओ, ज्वालामुखी के कंठ में
कोकिल बन कर बैठें
और जूही-चमेली के
उजले गीतों का गान करें।

आग जड़ है।
मगर वह इतनी जड़ नहीं है
कि प्रेम को न पहचाने।
आओ, उसकी प्यास बुझाने को
हम आत्मदान करें।

बर्फ की परतों को तोड़कर
पौधे बाहर आते हैं
और हवा में डोलते हैं।
चिताभूमि केवल भैरव का ही
अखाड़ा नहीं है।
वहाँ परियाँ भी नाचती हैं,
नूपुर भी बोलते हैं।

विनाश आया है,
तो उसे खुशी से झेल लो।
अक्ल तो हार गयी।
रास्ते में अब बालक बन जाओ।
और खप्पर मिलें,
तो उनसे भी खेल लो।

(हारे को हरिनाम, प्र.सं.)

नारी

एक नारी नागिनी निकली,
इसलिए सभी नारियों को
दुतकारना सही नहीं है।
तुम मुझ पर बेकार चिढ़ते हो।
असली बात मैंने
कही नहीं है।

नारी सृष्टि के दीपक की लौ है।
नारी जाति के जीवन का प्रकाश है।
नारी सोंधी, स्थूल मिट्टी है।
नारी सूक्ष्म है।
नारी हवा है।
नारी आकाश है।

नारी-रूप पर सोचना
मन को सुवास से भरना है।
नारी के हृदय की झलक पाना
स्वर्ग का दर्शन करना है।

नारी सर्वसहा पृथ्वी है।
नारी वह जाति है,
जो अत्याचारों से
पीड़ित रही है।

किताबें तो बड़ी-बड़ी लिखी गईं,
किन्तु नारी की पूरी व्यथा
किसने कही है?

पुरुष पशु होता है
या फिर अबोध बालक,

जिसे हिताहित का ज्ञान नहीं है।
नारी दोनों हालतों में
उसे पुचकारती और बहलाती है।

घर के बाहर पुरुष
जो विजय और कीर्ति कमाता है,
घर के भीतर उसका मूल्य
नारी चुकाती है।

सखी, स्वसा या कन्या,
नारी जिस रूप में भी उतरे,
वह महिमामयी, पूजनीया
और ललाम है।
किन्तु मनुष्य के अधरों पर
सब से बड़ा माता का नाम है।

(हारे को हरिनाम, प्र.सं.)

शोक की संतान

हृदय छोटा हो,
तो शोक वहाँ नहीं समायेगा।
और दर्द दस्तक दिये बिना
दरवाजे से लौट जाएगा।

टीस उसे उठती है,
जिसका भाग्य खुलता है।
वेदना गोद में उठा कर
सब को निहाल नहीं करती,
जिसका पुण्य प्रबल होता है,
वही अपने आँसुओं से धुलता है।

तुम तो नदी की धारा के साथ
दौड़ रहे हो।
उस सुख को कैसे समझोगे,
जो हमें नदी को देख कर मिलता है?

और वह फूल
तुम्हें कैसे दिखाई देगा,
जो हमारी झिलमिल
अँधियाली में खिलता है?

हम तुम्हारे लिए महल बनाते हैं।
तुम हमारी कुटिया को
देख कर जलते हो।

युगों से हमारा-तुम्हारा
यही सम्बन्ध रहा है।
हम रास्ते में फूल बिछाते हैं,
तुम उन्हें मसलते हुए चलते हो।

दुनिया में चाहे जो भी निजाम आये,
तुम पानी की बाढ़ में से
सुखों को छान लोगे।
चाहे हिटलर ही
आसन पर क्यों न बैठ जाए,
तुम उसे अपना आराध्य
मान लोगे।

मगर हम?
तुम जी रहे हो,
हम जीने की इच्छा को तोल रहे हैं।
आयु तेजी से भागी जाती है
और हम अँधेरे में
जीवन का अर्थ टटोल रहे हैं।

असल में हम कवि नहीं,
शोक की संतान हैं।
हम गीत नहीं बनाते,
पंक्तियों में वेदना के
शिशुओं को जनते हैं।

झरनों का कलकल,
पत्तों का मर्मर
और फूलों की चुपचुप आवाज,
ये गरीब की आह से बनते हैं।

(हारे को हरिनाम, प्र.सं.)

शोहरत

शोहरत को वेश्या समझो।
उसकी खुशामद करना उससे छोटा होना है।
और उसकी उपेक्षा करना
उसे दूसरे की बाँहों में ढकेलना है।
बुरी बात यह है कि कमर कस कर
शोहरत की खोज करना
नीच बन कर उसका
नखरा झेलना है।

(प्रण-भंग तथा अन्य कविताएँ, क्षणिकाएँ, 1970)

वर्तमान

बीता हुआ कल आज स्मृति है।
आने वाला, कल आज का सपना है।
अतीत और भविष्य की चिंता मत करो।
केवल वर्तमान अपना है।

(प्रण-भंग तथा अन्य कविताएँ, क्षणिकाएँ, 1970)

जवानी और बुढ़ापा

जवानी की आँखों में ज्वाला होती है।
बुढ़ापे की आँखों में प्रकाश होता है।
जवानी की बाँहों में पृथ्वी होती है।
बुढ़ापे की मिट्टी में आकाश होता है।

जवानी संचय करती है।
बुढ़ापा दान होता है।
जवानी सुन्दर होती है।
बुढ़ापा महान होता है।

(प्रण-भंग तथा अन्य कविताएँ, क्षणिकाएँ, 1970)

अभागे की पुकार

अपना घाव ईश्वर को दिखाओ।
जिस पर मौसम की मेहरबानी है,
धरती उसी फूल को चुनती है।
सरे-बाज़ार दर्द की गठरी क्यों खोलते हो?
यह वह भीड़ है,
जो अभागे की पुकार नहीं सुनती है।

(प्रण-भंग तथा अन्य कविताएँ, क्षणिकाएँ, 1970)

जवानी का लोभ

जहाँ से हम चल कर आये हैं,
वहाँ फिर से जाना पड़ता है।
जवानी को वापस लाने के लिए
उसकी मूर्खताओं को
दुहराना पड़ता है।

(प्रण-भंग तथा अन्य कविताएँ, क्षणिकाएँ, 1970)

परिशिष्ट

शक्ति या सौन्दर्य

तुम रजनी के चाँद बनोगे?
या दिन के मार्त्तण्ड प्रखर?
एक बात है मुझे पूछनी,
फूल बनोगे या पत्थर?

तेल, फुलेल, क्रीम, कङ्घी से
नकली रूप सजाओगे?
या असली सौन्दर्य लहू का
आनन पर चमकाओगे?

पुष्ट देह, बलवान भुजाएँ,
रूखा चेहरा, लाल मगर,
यह लोगे? या लोगे पिचके
गाल, सँवारी माँग सुघर?

जीवन का वन नहीं सजा
जाता कागज के फूलों से,
अच्छा है, दो पाट इसे
जीवित बलवान बबूलों से।

चाहे जितना घाट सजाओ,
लेकिन, पानी मरा हुआ,
कभी नहीं होगा निर्झर-सा
स्वस्थ और गति-भरा हुआ।

संचित करो लहू; लोहू है
जलता सूर्य जवानी का,

धमनी में इससे बजता है
निर्भय तूर्य जवानी का।

कौन बड़ाई उस नद की
जिसमें न उठी उत्ताल लहर?
आँधी क्या, उनचास हवाएँ
उठीं नहीं जो साथ हहर?

सिन्धु नहीं, सर कहो उसे
चंचल जो नहीं तरंगों से,
मुर्दा कहो उसे, जिसका दिल
व्याकुल नहीं उमंगों से।

फूलों की सुन्दरता का
तुमने है बहुत बखान सुना,
तितली के पीछे दौड़े,
भौरों का भी है गान सुना।

अब खोजो सौन्दर्य गगन-
चुम्बी निर्वाक् पहाड़ों में,
कूद पड़ीं जो अभय, शिखर से
उन प्रपात की धारों में।

सागर की उत्ताल लहर में,
बलशाली तूफानों में,
प्लावन में किश्ती खेने-
वालों के मस्त तरानों में।

बल, विक्रम, साहस के करतब
पर दुनिया बलि जाती है,
और बात क्या, स्वयं वीर-
भोग्या वसुधा कहलाती है।

बल के सम्मुख विनत भेंड़-सा
अम्बर सीस झुकाता है,
इससे बढ़ सौन्दर्य दूसरा
तुमको कौन सुहाता है?

है सौन्दर्य शक्ति का अनुचर,
जो है बली, वही सुन्दर;
सुन्दरता निस्सार वस्तु है,
हो न साथ में शक्ति अगर।

सिर्फ ताल, सुर, लय से आता
जीवन नहीं तराने में,
निरा साँस का खेल कहो
यदि आग नहीं है गाने में।

(धूपछाँह, प्र.सं.)

बल या विवेक

कहते हैं, दो नौजवान
क्षत्रिय घोड़े दौड़ाते,
ठहरे आकर बादशाह के
पास सलाम बजाते।

कहा कि "दें सरकार, हमें भी
घी-आटा खाने को,
और एक मौका अपना कुछ
जौहर दिखलाने को।"

बादशाह ने कहा, "कौन हो तुम?
क्या काम तुम्हें दें?"
"हम हैं मर्द बहादुर," झुककर
कहा राजपूतों ने।

"इसका कौन प्रमाण?" कहा
ज्यों बादशाह ने हँस के,
घोड़ों को आमने-सामने कर,
वीरों ने कस के—

एँड़ मार दी और खींच
ली म्यानों से तलवार,
और दिया कर एक दूसरे
की गरदन पर वार।

दोनों कटकर ढेर हो गये,
अश्व गये रह खाली,
बादशाह ने चीख मार कर
अपनी आँख छिपा ली!

दोनों कट कर ढेर हो गये,
पूरी हुई कहानी,
लोग कहेंगे, भला हुई
यह भी कोई कुरबानी?

"हँसी-हँसी में जान गँवा दी,
अच्छा पागलपन है,
ऐसे भी क्या बुद्धिमान कोई
देता गरदन है?"

मैं कहता हूँ, बुद्धि भीरू है,
बलि से घबराती है,
मगर, वीरता में गरदन
ऐसे ही दी जाती है।

सिर का मोल किया करते हैं
जहाँ चतुर नर ज्ञानी,
वहाँ नहीं गरदन चढ़ती है,
वहाँ नहीं कुरबानी।

जिसके मस्तक के शासन को
लिया हृदय ने मान,
वह कदर्य भी कर सकता है
क्या कोई बलिदान?

(धूपछाँह, प्र.सं.)

कवि का मित्र

आहट हुई; हुई फिर 'कोई है?' की वही पुकार,
कुशल करें भगवान कि आया फिर वह मित्र उदार।
चरणों की आहट तक मैं हूँ खूब गया पहचान,
सुनकर जिसे काँपने लगते थर-थर मेरे प्रान।

मैं न डरूँगा पड़े अगर यमदूतों से भी काम,
मगर, दूर से ही करता हूँ श्रद्धा-सहित प्रणाम
उन्हें, नहीं आकर जो फिर लेते जाने का नाम।

(2)

मेरी कुर्सी खींच बैठ कर बहुत पूछता हाल,
(कह दूँ, आहट सुनी तुम्हारी, और हुआ बेहाल?)
उलट-पुलट कविता की कापी देने लगता राय,
कहाँ पंक्तियाँ शिथिल हुई हैं; कहाँ हुईं असहाय।

देता है उपदेश बहुत, देता है नूतन ज्ञान;
मेरी गन्दी रहन-सहन पर भी देता है ध्यान।
सब कुछ देता, एक नहीं देता अपने से त्राण।

(3)

झपट छीन लेता है मेरे हाथों से अखबार,
कहता, 'क्या पढ़-पढ़ कर डालोगे अपने को मार?
फिर कहता, 'कुछ द्रव्य जुगा कर खड़ा करो कुछ काम,
पैसे भी कुछ मिलें और हो दुनिया में भी नाम।'

सब सिगरेट खत्म कर कहता एक और दो यार,
बक्से खोल, दराज खोलता रह-रह विविध प्रकार।
एक नहीं खोलता कभी बाहर जाने का द्वार।

(4)

कभी-कभी आकर देने लगता है शुभ संवाद,
'रगड़ रहे हैं तुम्हें आजकल फलाँ-फलाँ नक्काद,
मैं सह सकता नहीं तुम्हारा ऐसा तीव्र विरोध,
अभी एक को डाँट दिया, आया ऐसा कुछ क्रोध।'

डिब्बा खोल, पान खा-खा कर करता है आराम,
तरह-तरह की बातें कहता ही रहता अविराम।
लेकिन, कभी नहीं कहता, 'अच्छा, अब चला, प्रणाम।'

(5)

यही नहीं, अनमोल समय की मुझे दिलाकर याद,
कहता, 'तुम गप्पों में करते बहुत वक्त बर्बाद।
जब देखो तब मित्र पड़े हैं डटकर आठो याम!
इस प्रकार कबतक चल सकता है लेखक का काम?

आशा कितनी बड़ी लगा तुमसे बैठा है देश,
और इधर तुम बकवासों में समय रहे कर शेष।'
सिर्फ सुनाता ही है, सुनता स्वयं नहीं उपदेश।

(6)

चाहे जितना सिर खुजलाऊँ, मुद्रा करूँ मलीन,
कलम पकड़, सिर थाम, कल्पना में हो जाऊँ लीन।
चाहे जितने करूँ नाट्य, पर, तनिक न डिगता वीर,
किसी तरह की मुद्रा से होता है नहीं अधीर।

कहता, 'हाँ, तुम लिखो; इधर मैं बैठा हूँ चुपचाप'।
मैं कहता, मन-ही, मन, बाकी अभी बहुत है पाप;
लिखूँ खाक, जब तक दिमाग पर चढ़े हुए हैं आप?

(धूपछाँह, प्र.सं.)

कैंची और तलवार

[अम्बर (जयपुर) के महाराज जयसिंह का विवाह कोटा-राज्य की राजकुमारी हरावती के साथ हुआ था। रानी हरावती गौरवशालिनी राजपूतरमणी थीं और ससुराल में भी अपने पितृ-राज्य का ही लिबास पहना करती थीं। उस समय के लिबास में एक चीज 'जूप' कहलाती थी, जो ओढ़नी या चादर के किस्म की होती थी। अम्बरवालों ने बहुत पहले ही दिल्ली के बादशाह (सुलतान) और दिल्ली-राजघराने के साथ विवाह-सम्बन्ध स्थापित कर लिया था। दिल्ली की रहन-सहन को अपनानेवाला पहला राजस्थानी राज्य अम्बर ही था, जहाँ की स्त्रियाँ भी अपने स्वदेशी लिबास को पिछड़ा हुआ और पुराना जानकर दिल्ली के लिबास को अपनाने लगी थीं। महाराज जयसिंह की इच्छा थी कि उनकी महारानी भी कोटा के भद्दे लिबास को छोड़कर नये ढंग का लिबास पहनें, जो दिल्ली के अनुकरण पर अम्बर के राजघराने में चल रहा था। नीचे की कविता इसी प्रसंग से सम्बन्ध रखती है।]

(1)

दिल्ली से सम्बन्ध जोड़, अपना आदर्श विसार,
तुर्की चालें सीख रहा था अम्बर का दरबार।

रहन-सहन, आचार, सभ्यता, ठाट-बाट, परिधान,
था आदर्श सभी बातों में दिल्ली का सुलतान।

सीख हरे थे नहीं सिर्फ नर ही दिल्ली के ढंग,
था चढ़ रहा नारियों पर भी नया मुगलिया रंग।

अपनी रस्म-रिवाज गयी सब आजादी के साथ,
दिल्ली की थी नकल लगी अम्बर वालों के हाथ।

(2)

नये ढंग से सँवर रहा था अम्बर का दरबार,
मगर, चल रहा था कोटा में पहला ही व्यवहार।

वही पुरानी घँघरी-चोली, वही पुरानी साड़ी,
तन पर लम्बा जूप और कबरी में तेज कटारी।

कोटा की सिंहनी बनी थी नहीं अभी तक मैना,
थी रखती नख तेज, न रँगने अभी लगी थी डैना।

अम्बर वाले बेच चुके थे दिल्ली में ईमान,
किसी तरह थी बची हुई लेकिन, कोटा की शान।

(3)

तन कहते हैं, एक बार (यह किस्मत की लाचारी)
अम्बर की रानी बन आयी कोटा की सुकुमारी।

अम्बर, जिसके राजमहल में भरी हुई थीं परियाँ,
हाव-भाव में, चटक-मटक में मँजी हुई सुन्दरियाँ।

सुघर वेश-विन्यास, अंग में छोटे-छोटे गहने,
नये रंग के कपड़े-लत्ते, नये ढंग से पहने।

साड़ी ऐसी नपी-तुली जो नहीं कहीं से ढीली,
केशों में न कटार, न तन पर चादर घनी फबीली।

(4)

इन परियों के बीच कुमारी कोटा की थी ऐसी,
सचमुच ही, चिड़ियों में कोई लगे सिंहनी जैसी।

चाल-ढाल, पोशाक, सभी कुछ पहला ही अपनाये,
राजपूत-रमणी के गौरव को हर तरह बचाये।

ओढ़े लम्बा जूप, छिपाये भली भाँति निज तन को,
सरल वेश से कम्पित करती सारे राजभवन को।

जीती थी वह लिये आँख में गहरी एक उदासी,
दबी राख में चिनगारी-सी, बँधी हुई महिमा-सी।

(5)

और, इधर जयसिंह चाहते थे नित नया विलास,
उन्हें फिक्र थी, पहनें कैसे रानी नया लिबास।

मगर, सिंहनी के भय से कुछ बोल नहीं पाते थे,
मन के मनसूबे मन में ही उठ कर दब जाते थे।

आखिर, एक दिवस रानी का कुछ प्रसन्न मुख पाके,
हँसी-हँसी में राजा बोले कैंची एक उठाके—

"देवि! थान-भर जूप आपका है कुछ मुझे अखरता,
इसमें तो दब कर रह जाती है सारी सुन्दरता;

(6)

"जरा देखिये अम्बर की सुन्दरियों का परिधान,
भला, आजकल कौन ओढ़ती तीस हाथ का थान?

अच्छा हो, दें छोड़ आज से यह पोशाक पुरानी,
नयी काट के वस्त्र करें धारण अम्बर की रानी।

अगर हुक्म हो, काट गिराऊँ यह कोटा का झूल,
अम्बर का परिधान आज से रानी करें कबूल।"

आगे कहें-कहें कुछ तब तक चमकी तेज कटार,
कोटा की सिंहनी काँपती-हुई उठी हुंकार—

(7)

"सावधान हों महाराज, बोलें सँभाल कर बोली,
कोटा की बेटी सह सकती ऐसी नहीं ठिठोली।

(8)

दिल्ली में बिकतीं जो पोशाकें इज्जत के मोल,
पहना करें उन्हें अम्बर के महाराज जी खोल।

नहीं चाहिए मुझे आपका यह अमूल्य परिधान,
कोटा की बेटियाँ पहनती हैं इज्जत-सम्मान।

वह सम्मान गुँथा है इसके तार-तार के साथ,
खबरदार, जो कभी लगाया फिर चादर पर हाथ।

याद रहे, रखते हैं जैसी कैंची राजकुमार,
उससे कहीं तेज चलती है कोटा की तलवार।''

(धूपछाँह, प्र.सं.)

भारतेन्दु-स्मृति

कवि-पूजन का पुण्य-पर्व है, बन्धु! कहो क्या आज कहूँ!
नवयुग का सन्देश, सुनो तो, इस पूजा के ब्याज कहूँ?

भारतेन्दु थे इन्दु हमारे, तुम आशा के तारे हो;
भावी इन्दु, अमा-अंचल के नन्हें दीप दुलारे हो।

बनने को आलोक देश का करो अभी से तैयारी;
याद रखो, ज्वाला बनती है यही चमकती चिनगारी।

भारतेन्दु-सा ही तुम जीवन में आगे बढ़ना सीखो;
सेवा-व्रती बनो, तुम भी गौरव-गिरि पर चढ़ना सीखो।

मस्ती के पुतले उस कवि को म्रोद नमिला अमीरी में
आग लगा दौलत में आखिर ढूँढ़ी शान्ति फकीरी में।

वत्स! विश्व अज्ञेय जाल है इसमें कैद नहीं होना;
शैशव की निर्मल उमंग यौवन में कभी नहीं खोना।

सींची हिन्दी-लता उन्होंने, तुम वसन्त में फूल बनो;
कुछ पंखुड़ी, रंग कुछ उसका, कुछ मधुरस कुछ धूल बनो।

फैले विभा तुम्हारी जग में, अम्बर-लता अमूल बनो;
सुनो समय की हाँक वत्स! अपने युग के अनुकूल बनो।

हरिश्चन्द्र-सा काल-धर्म पर न्योछावर होना सीखो;
शिशु हो, कैसे कहूँ कि किस्मत पर अपनी रोना सीखो?

तज अतीत का ध्यान खेत में नया बीज बोना सीखो;
सचे कवि की भाँति धूल को भी करना सोना सीखो।

कवि पूजन का पुण्य-पर्व है प्यारे! आज हृदय खोलो;
उगा इन्दु आरती सजाओ भारतेन्दु की जय बोलो।

(धूपछाँह, प्र.सं.)

पुस्तकालय

पानी पर मिट्टी छाली-सी
फैली, जम कर कड़ी हुई,
कहते हैं, धरती यों जनमी
खर-पातों से भरी हुई।

रवि-शशि जनमे; किरण-योग से
जल में सातों रंग बने;
मानव बना; बने पशु-पक्षी;
अगणित कीट-पतंग बने!

दुनिया बनी; मगर, नर को
अब तक न बोलना आता था;
अपने मन का भेद दूसरों
पर न खोलना आता था।

सदियों रहा हाल यह; नर जब
सीख न पाया वचन-कला;
ब्रह्मा रोये "हाय, द्विपद प्राणी
यह भी गूँगा निकला।

'आशा थी, इसके छूने से
तार सृष्टि के बोलेंगे,
फूल करेंगे बात और
पत्थर अपना दिल खोलेंगे।

'सो, खुद भी गूँगा है अब तक;
अब क्या हो? बोलो वाणी?
मैं तो हार थका, दुनिया पर
दया करो हे कल्याणी!"

वाणी ने वरदान दिया,
"लो मनुज आज से बोलेगा;
मुख होगा यह सकल सृष्टि का
भेद सभी का खोलेगा!

"जल में, थल में, आसमान में,
अथवा मिट्टी के अन्दर,
जितने जौहर छिपे हुए हैं,
सब को देख सकेगा नर।

"सब को देख सकेगा, सब पर
मोटे ग्रन्थ बनाएगा,

कभी-कभी मन की पीड़ा को
श्लोक बना कर गाएगा।"

अकस्मात् खुल गयी मनुज की
मुँदी आँख भीतरवाली,
अपने चारों ओर खुशी से
भरी नजर उसने डाली।

खुलने लगे रहस्य प्रकृति के,
गाने लगा मनुज गुन-गुन;
पत्थर या पत्तों पर लिखने लगा
भाव मन के चुन-चुन।

बहुत दिनों तक रहा हाल यह,
तब छापे की कल आयी,
मरे हुए पंडित, कवि, कोविद
ने जिन्दगी नयी पायी।

ग्रन्थों के पन्ने-पन्ने में
देखो बोल रहे हैं वे,
चुप हैं, लेकिन, भेद प्रकृति का
कैसा खोल रहे हैं वे।

देह नहीं उनको है, लेकिन,
दुनिया उनसे डरती है,
उनसे पूछे बिना काम कोई न
बड़ा वह करती है।

और तमाशा यह तो देखो,
व्यास अभी तक गाते हैं,
जीवित हैं मनु वृद्ध, जगत् को
जीवन-धर्म सिखाते हैं।

कालिदास, श्रीहर्ष, वाण,
कोई भी नहीं मरे अब तक;
खुद राजा दुष्यन्त तपोवन में
हैं कहीं खड़े अब तक।

औ' देखो अब तक कबीरजी
कपड़े बुनते जाते हैं,
लरछे पर है हाथ, मगर,
मन से हरि का गुण गाते हैं।

सूरदास जी की आँखों से
अश्रु अभी तक जारी है,
गोपीगण से पूछ रहे हैं,
'मेरा कहाँ मुरारी है'?

'रामायण' के पृष्ठ-पृष्ठ पर
तुलसी पुण्य बिखेर रहे;
रो-रो 'विनय' सुना अपने
दशरथ-किशोर को टेर रहे।

मुकुट कहीं जगमग राजा का,
कहीं सुकवि का सुयश हरा;
सूखी लकड़ी के छोटे घर में
कितना सामान भरा!

जग पर छाप छोड़नेवाले
पंडित, कवि, कोविद, ज्ञानी,
शूर, वीर, सम्राट्, साधु नर,
असुर, नराधम, अभिमानी,

मरण-कूप से उठ-उठ कर ये
सभी यहाँ पर आते हैं,

पहले जो कुछ खेल किया था,
अब उसको दुहराते हैं।

सरस्वती के न्याय-भवन में
अभिनय जाँचा जाता है,
पटाक्षेप के बाद राय अपनी
इतिहास सुनाता है।

कहता है इतिहास, "अमुक का
नाम लिखो कवि, सोने से,
मसतक ऊँचा हुआ मनुज का
जिसके पैदा होने से।

"और अमुक नर पर थूकेंगी
सन्ततियाँ आनेवाली,
तुच्छ स्वार्थ-हित बेच देश भर
की जिसने इज्जत डाली।"

राजा से आसन उठता है
ऊँचा कभी फकीरों का,
मुकुटों से भी कभी मान
बढ़ जाता है जंजीरों का।

देता है इतिहास स्वर्ग जिनको,
वे पूजे जाते हैं,
युग-युग तक साहित्य-बीच
उनके गुण गाये जाते हैं।

किन्तु, दंडभोगी जयचन्दों
को नरकाग्नि जलाती है,
पीढ़ी पर पीढ़ी आ-आ कर
उन्हें थूकती जाती है।

इस जादू-घर-बीच मिलेंगे
बड़े-बड़े सन्देश तुम्हें,
जाओ, हैं मुन्तजिर विज्ञ जन
देने को उपदेश तुम्हें।

(धूपछाँह, प्र.सं.)

कलम और तलवार

दो में से क्या तुम्हें चाहिए, कलम या कि तलवार?
मन में ऊँचे भाव कि तन में शक्ति अजेय, अपार?
अन्ध कक्ष में बैठ रचोगे ऊँचे, मीठे गान?
या तलवार पकड़ जीतोगे बाहर जा मैदान?

जला ज्ञान का दीप सिर्फ फैलाओगे उजियाली?
अथवा उठा कृपाण करोगे घर की भी रखवाली?

कलम देश की बड़ी शक्ति है भाव जगानेवाली,
दिल ही नहीं दिमागों में भी आग लगानेवाली।
पैदा करती कलम विचारों के जलते अंगारे,
और प्रज्वलित-प्राण देश क्या कभी मरेगा मारे?

लहू गर्म रखने को रक्खो मन में ज्वलित विचार,
हिंस्र जीव से बचने को चाहिए किन्तु, तलवार।

एक भेद है और, जहाँ निर्भय होते नर-नारी,
कलम उगलती आग, जहाँ अक्षर बनते चिनगारी।
जहाँ मनुष्यों के भीतर हरदम जलते हैं शोले,
बाँहों में बिजली होती, होते दिमाग में गोले।

जहाँ लोग पालते लहू में हालाहल की धार,
क्या चिन्ता यदि वहाँ हाथ में हुई नहीं तलवार?

(धूपछाँह, प्र.सं.)

मिर्च का मज़ा

एक काबुलीवाले की कहते हैं लोग कहानी,
लाल मिर्च को देख गया भर उसके मुँह में पानी।

सोचा, क्या अच्छे दाने हैं, खाने से बल होगा,
यह जरूर इस मौसिम का कोई मीठा फल होगा।

एक चवन्नी फेंक और झोली अपनी फैलाकर,
कुँजड़िन से बोला बेचारा ज्यों-त्यों कुछ समझाकर।

''लाल-लाल, पतली छीमी हो चीज अगर खाने की,
तो हमको दो तोल छीमियाँ फकत चार आने की।''

''हाँ, यह तो सब खाते हैं''—कुँजड़िन बेचारी बोली,
और सेर भर लाल मिर्च से भर दी उसकी झोली।

मगन हुआ काबुली फली का सौदा सस्ता पाके,
लगा चबाने मिर्च बैठकर नदी-किनारे जाके।

मगर, मिर्च ने तुरत जीभ पर अपना जोर दिखाया,
मुँह सारा जल उठा और आँखों में जल भर आया।

पर, काबुल का मर्द लाल छीमी से क्यों मुख मोड़े?
खर्च हुआ जिस पर उसको क्यों बिना सधाये छोड़े?

आँख पोंछते, दाँत पीसते, रोते औ' रिसियाते,
वह खाता ही रहा मिर्च की छीमी को सिसियाते।

इतने में आ गया उधर से कोई एक सिपाही,
बोला, "बेवकूफ! क्या खाकर यों कर रहा तबाही?"

कहा काबुली ने—"मैं हूँ आदमी न ऐसा-वैसा।
जा तू अपनी राह सिपाही, मैं खाता हूँ पैसा!"

(मिर्च का मजा, प्र.सं.)

पढ़क्कू की सूझ

एक पढ़क्कू बड़े तेज थे, तर्कशास्त्र पढ़ते थे,
जहाँ न कोई बात; वहाँ भी नई बात गढ़ते थे।

एक रोज वे पड़े फिक्र में समझ नहीं कुछ पाये,
"बैल घूमता है कोल्हू में कैसे बिना चलाए?"

कई दिनों तक रहे सोचते, तेली बड़ा गजब है?
सिखा बैल को रक्खा इसने, निश्चय कोई ढब है।

आखिर, एक रोज तेली से पूछा उसने ऐसे,
"अजी, बिना देखे, लेते तुम जान भेद यह कैसे?

"कोल्हू का यह बैल तुम्हारा चलता या अड़ता है?
रहता है घूमता? खड़ा हो या पागुर करता है?"

तेली ने यह कहा, "अजी, इसमें क्या बात बड़ी है?
नहीं देखते क्या, गरदन में घंटी एक पड़ी है?

"जब तक यह बजती रहती है, मैं न फिक्र करता हूँ,
हाँ, जब बजती नहीं, दौड़कर तनिक पूँछ धरता हूँ।"

कहा पढ़क्कू ने सुनकर, "तुम रहे सदा के कोरे!
बेवकूफ! मंतिख[1] की बातें समझ सकोगे थोड़े?

"बैलराम का तुमने तो सीधे विश्वास किया है,
मगर, कभी क्या इस बारीकी पर भी ध्यान दिया है?

"अगर किसी दिन बैल तुम्हारा सोच-समझ अड़ जाए,
चले नहीं, बस खड़ा-खड़ा गरदन को खूब हिलाए।

"घंटी टुन-टुन खूब बजेगी, तुम न पास आओगे,
मगर बूँद भर तेल साँझ तक भी क्या तुम पाओगे?

"बैलराम का काम बिना घूमे भी चल सकता है;
यह चाहे तो किसी रोज भी तुमको छल सकता है।"

तेली थोड़ा हँसा और बोला कि "पढ़क्कू, जाओ;
सीखा है यह ज्ञान जहाँ पर वहीं इसे फैलाओ।

"यहाँ सभी कुछ ठीक-ठाक है, ईश्वर की माया है,
बैल हमारा नहीं अभी तक मंतिख[1] पढ़ पाया है।"

(मिर्च का मजा, प्र.सं.)

चूहे की दिल्ली यात्रा

चूहे ने यह कहा कि चुहिया! छाता और छड़ी दो,
लाया था जो बड़े सेठ के घर से, वह पगड़ी दो।

मटर-मूँग जो कुछ घर में है, वही सभी मिल खाना,
खबरदार, तुम लोग कभी बिल से बाहर मत जाना।

---

1. मंतिख तर्कशास्त्र को कहते हैं।

बिल्ली एक बड़ी पाजी है रहती घात लगाये,
जाने, वह कब किसे दबोचे, किसको चट कर जाए।

सो जाना सब लोग लगाकर दरवाजे में किल्ली,
आजादी का जशन देखने मैं जाता हूँ दिल्ली।
चूँ-चूँ-चूँ, चूँ-चूँ-चूँ, चूँ-चूँ-चूँ।

दिल्ली में देखूँगा आजादी का नया जमाना,
लाल किले पर खूब तिरंगे झंडे का लहराना।

अब न रहे अँगरेज, देश पर अपना ही काबू है,
पहले जहाँ लाट साहब थे, वहाँ आज बाबू[1] हैं।

घूमूँगा दिन-रात, करूँगा बातें नहीं किसी से,
हाँ, फुर्सत जो मिली, मिलूँगा जरा जवाहरजी से।

गांधी-युग में कौन उड़ाये, अब चूहों की खिल्ली?
आजादी का जशन देखने मैं जाता हूँ दिल्ली।
चूँ-चूँ-चूँ, चूँ-चूँ-चूँ, चूँ-चूँ-चूँ।

पहन-ओढ़कर चूहा निकला चुहिया को समझाकर,
इधर-उधर आँखें दौड़ाईं बिल से बाहर आकर।

कोई कहीं नहीं था, चारों ओर दिशा थी सूनी,
शुभ साइत को देख हुई चूहे की हिम्मत दूनी।

चला अकड़कर, छड़ी लिये, छाते को सिर पर ताने,
मस्ती मन की बढ़ी, लगा चूँ-चूँ करके कुछ गाने।

इतने में लो, पड़ी दिखाई कहीं दूर पर बिल्ली,
चूहाराम भगे पीछे को, दूर रह गई दिल्ली।
चूँ-चूँ-चूँ, चूँ-चूँ-चूँ, चूँ-चूँ-चूँ।

(मिर्च का मजा, प्र.सं.)

1. राजेन्द्र बाबू, जिन्हें लोग आदर-प्रेम से सिर्फ बाबू कहते थे।

अंगद-कुदान

रामचन्द्र लंका से लौटे, आये जनक बुलाने को,
नर-वानर के साथ उन्हें ससुराल जरा ले जाने को।

पहुँचे जब सब लोग जनकपुर, बाहर कहीं पड़ाव पड़ा,
समय देखकर कहा राम ने—"लक्ष्मण, देना ध्यान जरा।

लिये बन्दरों की सेना ससुराल चले हम आये हैं,
ये वनवासी, मगर नगर की रीति सीख क्या पाये हैं।

मुझे सोच है, मिथिला में कुछ कौतुक नहीं दिखाएँ ये,
उछल-कूद कर कहीं हमारी हँसी नहीं करवायें ये।

आखिर है ससुराल, तरीके बतलाना बेचारों को,
भोज-भात के समय जरा बस में रखना इन प्यारों को।"

"जो आज्ञा"—कह चले लखन भाई का हुक्म बजाने को,
आये दौड़े हुए वानरों को सभ्यता सिखाने को।

कहा कि "अय भाइयो! अवध यह नहीं, नहीं पंपापुर है,
यह मिथिला विख्यात जनक की, रामचन्द्र का सासुर है।

खबरदार! बन्दरपन अपना यहाँ नहीं दिखलाना तुम,
और खासकर भोज-भात में हँसी नहीं करवाना तुम।

यहाँ लोग व्यंजन में रूई, काठ, धूल भर देते हैं,
थाली में पत्थर परोसकर जाँच अतिथि की लेते हैं।

समझे-बूझे बिना यहाँ पर जो भी कौर उठाता है।
खाता है धोखा जरूर, पूरा उल्लू बन जाता है।

पंघत में बैठना शान्ति से, ऊधम नहीं मचाना तुम,
जिस प्रकार अंगद खायेगा, वैसे कौर उठाना तुम।

मैं अंगद को पत्तल की हर चीज दिखाता जाऊँगा,
क्या खाये, क्या नहीं, इशारों से समझाता जाऊँगा।

तुम देखोगे सदा कि कैसे अंगद कौर उठाता है,
अंगद देखेगा कि उसे क्या लक्ष्मण भेद बताता है।''

कहा बन्दरों ने कि ''ठीक है; आपस में न लड़ेंगे हम,
पंघत में अंगद की देखादेखी सिर्फ करेंगे हम।''

अब आगे की सुनो कथा, पंघत में जब बन्दर आये,
पत्तल में आधी नीबू को कटी देखकर घबराये।

सोचा—''फल को काट दिया, यह भी क्या भला तरीका है?
हमें छकाने को, अवश्य ही, यह षड्यन्त्र किसी का है।''

पर, उपचार करें क्या इसका, समझ नहीं वानर पाये,
बड़ी समस्या देख सामने मन-ही-मन सब घबराये।

आखिर, हो लाचार लखन की ओर बालि-सुत ने देखा,
लक्ष्मण मन में हँसे, उगी अधरों पर मुस्की की रेखा।

फिर नीबू को उठा दबाया उसने यह दिखाने को,
कि है परोसा गया खंड यह रस निचोड़ कर खाने को।

तब तक एक बीज नीबू का छिटक पड़ा चट से बाहर,
उछल पड़े (संकेत जानकर) अंगद पंघत के ऊपर।

सोचा अंगद ने कि लखन ने अच्छा ढंग विचारा है,
उछला जो यह बीज, कूदने का वह एक इशारा है।

फिर क्या था? अंगद की देखादेखी सब कूदने लगे,
पंघत पर के और लोग, कुछ इधर भगे, कुछ उधर भगे।

हँसने लगे देखनेवाले दे-दे ताली-किलकारी,
बड़ी देर तक रही गूँजती मिथिला की वह पिहकारी।

जैसे-तैसे हुई शान्ति, जब पूरा हास्य-प्रवाह बहा,
कहा राम ने सकुचाकर—लक्ष्मण, यह कौतुक खूब रहा।

(मिर्च का मजा, प्र.सं.)

कर्र करो या कुर्र काला-काला एक न छोड़ूँगा

जामुन का था एक पेड़, थे खड़े पास दो रखवाले,
गुच्छों में थे झूम रहे फल पके-पके, काले-काले।

रस से भरे हुए फल रह-रह टपक-टपक कर गिरते थे,
रखवाले थे मौज मनाते, चुन-चुन खाते फिरते थे।

मोगल एक उधर से गुजरा, देख फलों को ललचाया,
गिरा हुआ फल एक उठाकर उस बेचारे ने खाया।

जब तक चुने और जामुन वह, मीठे फल मुँह में डाले,
दौड़ पड़े लाठियाँ उठाये तब तक दोनों रखवाले।

भाग चला मोगल चिल्लाते, जामुन और न खाऊँगा,
मगर, कहा मन-ही-मन, "अच्छा, इसका मज़ा चखाऊँगा।

"जी भरकर लाठियाँ घुमाओ, करो शाम तक रखवाली,
आज रात मैं साफ करूँगा जामुन की डाली-डाली।"

रखवाले जब लौट गये घर, अन्धकार जग में छाया,
सचमुच, मोगल पास पेड़ के चुपके चोरों-सा आया।

इधर-उधर देखा, कोई भी कहीं नहीं जब दीख पड़ा,
मोगल खूब खुशी से फूला, उस जामुन पर फाँद चढ़ा।

सोचा, ऊपर पहुँच पेट भर पहले तो फल खाऊँगा,
पीछे कच्चे-पके सभी जामुन को तोड़ गिराऊँगा।

यह विचार कर लगा पके जामुन चुन-चुन कर खाने वह,
और खुशी में भर कर गुन-गुन गीत अनोखा गाने वह।

अँधियाला था घना, नहीं कुछ साफ देख वह पाता था,
जो कुछ आता हाथ, उसे वह मुँह में देता जाता था।

काले-काले भ्रमर रात में जो पेड़ों पर सोते हैं,
जामुन के फल के समान ही गोल-गोल वे होते हैं।

फल के धोखे पकड़ उन्हें भी मोगल खाता जाता था,
खुशी-खुशी, दाँतों से उनको खूब चबाता जाता था।

कर्र-कर्र, कुर-कुर करते जब भौंरे दबकर दाँतों से,
और चार को पकड़ चबाता मोगल अपने हाथों से।

लेकिन, समझ नहीं पाता वह, कड़-कड़-कड़ क्या करता है;
कड़ा-कड़ा क्या है? जामुन क्यों मुँह के भीतर गड़ता है?

कहता, "जो जामुन शरीफ हैं, नहीं दाँत में गड़ते हैं;
पर जो हैं शैतान वही नाहक यों कड़-कड़ करते हैं।"

कई बार जब कर्र-कर्र की कल्ले में आवाज हुई,
बिगड़ उठा मोगल, आखिर तबियत उसकी नासाज हुई।

बोला, "चाहे कर्र करो या कुर्र, न मैं मुँह मोड़ूँगा,
काला-काला एक भी न फल किसी डाल पर छोड़ूँगा!"

(मिर्च का मजा. प्र.सं.)

मामा के लिए आम

मीठे-मीठे आम टपकते खाते चुन्नू-मुन्नू,
चुन-चुन कर कुछ अलग जुगाते जाते चुन्नू-मुन्नू।

भक्तराज का वेष बनाये
इतने में गीदड़जी आये।

बोले,—"पता नहीं क्या तुमको चुन्नू-मुन्नू प्यारे!
नदी—पार बैठे हैं आकर मामा बड़े तुम्हारे।

लम्बे तगड़े बड़े छबीले,
तन में नहीं कहीं से ढीले।

पूरे पहलवान हैं, मैं तो मुक्के से डरता हूँ,
जो देते हैं हुक्म, हमेशा वही किया करता हूँ।

अभी कहा, जाओ तुम जल्दी,
आम माँग लाओ तुम जल्दी।

मेरे दो भानजे पास ही कहीं बाग में रहते हैं,
बड़े सलोने हैं, सब उनको चुन्नू-मुन्नू कहते हैं।

इसीलिए, मैं भागा आया,
बरतन संग नहीं ले पाया,

अब, चाहो तो, झोले में तुम जल्दी-जल्दी आम भरो,
जैसे भी हो, तुरन्त यहाँ से भैया! मुझको विदा करो।

देर हुई तो मारेगा वह,
मेरी पूँछ उखाड़ेगा वह।

मुट्ठी भर का मैं प्राणी, वह पहलवान पक्का है,
पर्वत भी तो नहीं झेल सकता उसका धक्का है।

और देखना यह भी प्यारे,
ताजे हों सब आम तुम्हारे;

सड़े-गले आमों से तो वे और आग हो जाते हैं,
दोपहरी में मुझे डाँटकर रेती पर दौड़ाते हैं।''

सुन गीदड़ की बात निराली,
चुन्नू हँसा बजाकर ताली;

बोला—''मुन्नू, अजब नहीं, यह मामा वही हमारे हैं,
जिनकी मूँछें बड़ी-बड़ी हैं और नयन कजरारे हैं।

वही जो कि उस दिन आये थे,
पाँच सेर पेड़े लाए थे,

एक हाथ ऊँची रोटी थाली में भर जो खाते हैं,
वही जो कि खाने पर भी दस सेर दूध पी जाते हैं।

तब तो भाई! होश करें हम,
आमों से सन्तोष करें हम,

जो भी आम चुने हैं, लाओ, उनको झोले में भर दें,
और पीठ पर इस गीदड़ की वह सारा बोझा धर दें।

चुन्नू-मुन्नू ने मिल-जुलकर,
दिया एक पूरा झोला भर,

फिर उसको गीदड़ पांड़े पर धरकर उनको विदा किया,
गीदड़ ने भी बड़ी खुशी से बोझ पीठ पर उठा लिया।

कहा कि अच्छा, जाता हूँ अब,
देखो, फिर मैं आता हूँ कब?

मामाजी तो पलक मारते ही सब चट कर जाएँगे,
कल ही फिर झोली लेकर वे, निश्चय, मुझे पठायेंगे।

(मिर्च का मजा, प्र.सं.)

झब्बू का परलोक-सुधार

एक सेठ के गुरु आये, घर भर में छायी खुशियाली,
हुआ पर्व, नाचने लगे चुन्नू-मुन्नू दे-दे ताली।

बोला सेठ बड़े नौकर से–"झब्बू! जरा रहो तत्पर,
बड़ा भाग्य है, महाराज आये हैं मुझ पापी के घर।

पर, देखो, गर्मी के दिन हैं, बड़ी तेज लू चलती है,
आँगन में है आग बरसती, घर में भट्ठी जलती है।

ऐसा करो कि गुरु को छू भी पाये गर्म बतास नहीं,
धोखे से भी उन्हें कभी व्यापे गर्मी का त्रास नहीं।

खूब खिलाओ बर्फ और मिसरी दे छाली नरम-नरम,
पंखे चलते रहें, रहे खस की ट्टटी गीली हरदम।

रह-रह कर ठंडे गुलाब-जल की पिचकारी दिया करो,
जब तक रहें, खूब तन-मन से गुरु की सेवा किया करो।

गुरु-प्रताप से ही मनुष्य मरकर ऊँचा पद पाता है,
इसी तरह से तो अपना परलोक सुधारा जाता है।"

जैसा कहा सेठ ने, झब्बू ने वैसा ही काम किया,
गर्मी के दिन में गुरु को जाड़े का हर आराम दिया।

हुए बड़े खुश गुरु जाड़े का मजा गर्मियों में पाकर,
जी भर दे आशीष आखिर को लौट गए वे अपने घर।

अब, आगे की सुनो कहानी, किस्सा अद्भुत एक नया,
माघ मास छुट्टी लेकर झब्बू भी अपने गाँव गया।

और माघ में ही झब्बू के भी गुरु उसके घर आये,
हुआ धन्य झब्बू घर बैठे उसने चारों फल पाये।

लगा सोचने, मैं भी अपना परलोक सुधारूँगा,
गुरु-प्रताप से स्वयं तरूँगा, पुरखों को भी तारूँगा।

जो-जो किया सेठ ने अपने गुरु के पूजन की खातिर,
क्यों न करूँ मैं वही? सेठ का ही तो हूँ नौकर आखिर।

सोच-समझ झब्बू ने चारों ओर आदमी दौड़ाये,
खस की कुछ टट्टियाँ, ताड़ के पंखे भी कुछ मँगवाये।

बर्फ, ताल-मिसरी, गुलाब-जल औ' कद्दू की तरकारी,
गुरु घबराने लगे देख झब्बू की अद्‌भुत तैयारी।

पर करते क्या? चीज परोसी गई, उसे छोड़ें कैसे?
आखिर, मिसरी और मलाई से मुँह भी मोड़ें कैसे?

मरग, बर्फ में मिली मलाई दाँत हिलाए देती थी,
उतर कंठ से भीतर का हर तार कँपाये देती थी।

जाड़े का मौसिम, खस की टट्टी, पंखे दो-दो जारी,
उस पर भी शीतल गुलाब-जल-भरी दनादन पिचकारी।

'हू-हू' करके लगे काँपने जाड़े से गुरुवर 'थर-थर'
कहते हुए, "अरे बेटा! अब बहुत हुआ, कुछ देर ठहर।

मर जाऊँगा, हाय, बड़ा बूढ़ा हूँ, यह क्या करता है?
गुरु के वध पर तुला हुआ है, पापी! तनिक न डरता है।"

झब्बू बोला, "पाप-पुण्य मैं इस दम नहीं विचारूँगा,
मरो या कि तुम जियो नाथ! मैं तो परलोक सुधारूँगा।"

(मिर्च का मजा, प्र.सं.)

सूरज का ब्याह

उड़ी एक अफवाह, सूर्य की शादी होनेवाली है,
वर के विमल मौर में मोती उषा पिरोनेवाली है।

मोर करेंगे नाच, गीत कोयल सुहाग के गायेगी;
लता विटप मंडप-वितान से वन्दनवार सजाएगी।

जीव-जन्तु भर गये खुशी से, वन की पाँत-पाँत डोली,
इतने में जल के भीतर से एक वृद्ध मछली बोली–

''सावधान जलचरो, खुशी में सबके साथ नहीं फूलो,
ब्याह सूर्य का ठीक, मगर, तुम इतनी बात नहीं भूलो–

''एक सूर्य के ही मारे हम विपद कौन कम सहते हैं,
गर्मी भर सारे जलवासी छटपट करते रहते हैं!

''अगर सूर्य ने ब्याह किया, दस-पाँच पुत्र जन्मायेगा,
सोचो, तब उतने सूर्यों का ताप कौन सह पायेगा?

''अच्छा है, सूरज क्वाँरा है, वंशविहीन, अकेला है,
इस प्रचंड का ब्याह जगत् की खातिर बड़ा झमेला है।''

(सूरज का ब्याह, प्र.सं.)

मेमना और भेड़िया

एक मेमना फुदक-फुदक कर
नाच रहा था छत के ऊपर।

नीचे पकड़े राह भेड़िया एक चला जाता था,
कुत्तों के भय से बेचारा बहुत गला जाता था।

देख भेड़िये को भय खाते,
टाँगों-बीच पूँछ सटकाते,

हँसा मेमना ऊपर छत पर से देता यह ताना,
"चोरी-चोरी कहाँ भगे जा रहे बहादुर नाना?

जरा कूद कर ऊपर आओ,
कुश्ती में दो हाथ मिलाओ,

दूँगा झापड़ एक, तुम्हारी कनपट्टी झाड़ूँगा,
हाथ मिलाते ही छत से नीचे को दे मारूँगा।"

कहा भेड़िये ने, "हाँ बच्चे!
आज वीर निकले तुम सच्चे।

तुम होते तो लड़ लेता मैं, मगर, घड़ी बेघत है,
इस दम तो ललकार रहा मेमना नहीं, यह छत है।"

(सूरज का ब्याह, प्र.सं.)

चाँद का कुर्ता

हठ कर बैठा चाँद एक दिन, माता से यह बोला,
"सिलवा दो माँ, मुझे ऊन का मोटा एक झिंगोला।

सन-सन चलती हवा रात भर, जाड़े से मरता हूँ,
ठिठुर-ठिठुर कर किसी तरह यात्रा पूरी करता हूँ।

आसमान की सफर और यह मौसिम है जाड़े का,
न हो अगर तो ला दो, कुर्ता ही कोई भाड़े का।"

बच्चे की सुन बात कहा माता ने, "अरे सलोने!
कुशल करें भगवान, लगें मत तुझको जादू-टोने।

जाड़े की तो बात ठीक है, पर मैं तो डरती हूँ,
एक नाप में कभी नहीं तुझको देखा करती हूँ।

कभी एक अंगुल भर चौड़ा, कभी एक फुट मोटा,
बड़ा किसी दिन हो जाता है और किसी दिन छोटा।

घटता-बढ़ता रोज, किसी दिन ऐसा भी करता है,
नहीं किसी की भी आँखों को दिखलाई पड़ता है।

अब तू ही तो बता, नाप तेरी किस रोज लिवायें,
सी दें एक झिंगोला जो हर रोज बदन में आये?"

(सूरज का ब्याह, प्र.सं.)

खरहा और कुत्ता

वन में एक घनी झुरमुट थी जिसके भीतर जाकर
खरहा एक रहा करता था सबकी आँख बचाकर।

फुदक-फुदक फुनगियाँ घास की चुन-चुनकर खाता था,
देख दूर से लोगों को झुरमुट में छिप जाता था।

एक रोज आया उस वन में कुत्ता एक शिकारी,
लगा छानने सूँघ-सूँघ कर वन की झाड़ी-झाड़ी।

आखिर वह झुरमुट भी आई, जो खरहे का घर थी,
मगर, खैर, उस बेचारे की लम्बी अभी उमर थी।

कुत्ते की जो लगी साँस, खरहा सोते से जागा,
देख पीठ पर खड़ा काल को जान लिये वह भागा।

झपटा पंजा तान, मगर, खरहे को पकड़ न पाकर
पीछे-पीछे दौड़ पड़ा कुत्ता भी जोर लगाकर।

चार मिनट तक खुले खेत में रही दौड़ यह जारी,
इतने में आ गई सामने घनी कटीली झाड़ी।

भर कर एक छलाँग गया छिप खरहा बीहड़ वन में,
इधर-उधर कुछ सूँघ, फिरा कुत्ता निराश हो मन में।

एक लोमड़ी देख रही थी यह सब खड़ी किनारे,
कुत्ते से बोली, "मामा! तुम तो खरहे से हारे।

इतनी मोटी देह लिये हो, फिर भी थक जाते हो?
वन के छोटे जीव-जन्तु को भी न पकड़ पाते हो?"

कुत्ता हँसा, "अरी दीवानी! तू नाहक बकती है,
इसमें जो है भेद उसे तू समझ नहीं सकती है।

मैं तो दौड़ रहा था केवल दिन का भोजन पाने,
लेकिन, खरहा भाग रहा था अपनी जान बचाने,

कहते हैं सब शास्त्र, कमाओ रोटी जान बचाकर।
पर, संकट में प्राण बचाओ सारी शक्ति लगाकर।"

(सूरज का ब्याह, प्र.सं.)

ज्योतिषी तारे गिनता था

नहीं केवल बैठे-बैठे, टहलते, आते-जाते भी,
आँख ऊपर उठ जाती थी रात में पीते-खाते भी।
शुक्र से है गुरु कितनी दूर? आजकल मंगल उगता कहाँ?
कहाँ है सतभैया की खाट? और कचबचिया चुगता कहाँ?
नखत वह सारे गिनता था, ज्योतिषी तारे गिनता था।

एक संध्या की है यह बात, अँधेरी थी मावस की रात,
सिर्फ ऊपर उजियाली थी बिछी तारों की जाली थी।
लिये बाएँ कर में पोथी, सँभाले दाएँ से धोती,
ज्योतिषी घर से बाहर चले (रुके पंडित ऐसे में भला?)
न साँझ-सकारे गिनता था; ज्योतिषी तारे गिनता था।

गगन में मन जाकर अटका, रहा कोई न कहीं खटका,
गणित करता फूला-फूला, चला पंडित भूला-भूला।

कि अन्धा एक कुआँ आया, बिचारा देख नहीं पाया,
कदम जो खाली एक पड़ा, कुएँ में जा ज्योतिषी गिरा।
क्लेश मन मारे गिनता था, ज्योतिषी तारे गिनता था।

अरे, किस पर यह संकट घिरा? कुएँ में कौन बिचारा गिरा?
गाँव के जन दौड़े आये, ज्योतिषी को ऊपर लाए।
कहा फिर सबने, ''अजी प्रणाम, नहीं फिर करना ऐसा काम।
चलो मत आँखें मीचे ही, देख लो जब-तब नीचे भी।''
नखत वह सारे गिनता था, ज्योतिषी तारे गिनता था।

(सूरज का ब्याह, प्र.सं.)

चील का बच्चा

एक चील का बच्चा था बीमार पड़ा,
डैनों में होता था उसके दर्द बड़ा।

पड़ा-पड़ा दिन-रात चीखता-रोता था,
क्षण भर को भी नहीं नींद से सोता था।

कौए ने ला कर दी बूटी और जड़ी,
लेकिन, कल इससे भी बच्चे को न पड़ी।

कोयल ने आकर मीठा गाना गाया,
पर, इससे भी दर्द नहीं कम हो पाया।

नीलकंठ, मैना, फुदकी, कठफोड़े ने,
पढ़-पढ़ फूँका मन्त्र बाज के जोड़े ने।

कचबचिया ने मिलकर पूरा शोर किया,
फल उलटा हो गया, दर्द ने जोर किया।

तब बच्चें ने कहा, ''माँ! अब क्या होगा?
खोंते में अब कौन इलाज नया होगा?

अच्छा है, अब उड़ो, गाँव में जाओ तुम,
किसी देवता से आशिष ले आओ तुम।

चंगा होते ही दर्शन को आऊँगा,
गर्म-गर्म लड्डू का भोग चढ़ाऊँगा।''

माँ बोली, ''ऊधमी! कहाँ पर जाऊँ मैं!
कौन देवता है जिसको गुहराऊँ मैं!

किस चबूतरे पर न चोंच तू ने मारी!
चंगुल से तूने न ध्वजा किसकी फाड़ी!

किसकी थाली के प्रसाद का मान रखा?
तू ने किसके पिंडे का सम्मान रखा?

किसी देव के पास नहीं मैं जाऊँगी,
जाऊँ तो केवल उलाहना पाऊँगी।

रूठे हैं देवता, न कोई चारा है
ले ईश्वर का नाम कि वही सहारा है।''

(सूरज का ब्याह, प्र.सं.)

चतुर सूअर

बाघ बड़े डाकू होते हैं, सिंह राज-पद पाता है,
सच पूछो तो सूअर वन का पहलवान कहलाता है।

आसानी से मार न सकते उसे शेर के नाती भी
गों-गों करे अगर सूअर तो निकल भागता हाथी भी।

पतली होती पूँछ, देह होती काफी भारी-भरकम,
बड़ी शान से मस्ती में चलता है मचक-मचक, थम-थम।

पत्थर-सा माथा होता है, दाँत बड़े लम्बे-लम्बे,
निकल पड़े हों डाढ़ों से, मानो दो चाँदी के खम्भे।

ऐसा ही दन्तार एक वन की कठोर चट्टानों पर,
पजा रहा था दाँत, पजाते छुरियाँ जैसे शानों पर।

एक लोमड़ी ने पूछा, "है अभी निरा सुनसान यहाँ,
न तो यहाँ चीते-भैंसें हैं, न तो कहीं इंसान यहाँ।

मामा! तो फिर दाँत पजाने की मिहनत क्यों जारी है?
कौन शत्रु आया है जिससे लड़ने की तैयारी है?"

हँस कर कहा चतुर सूअर ने, "दुश्मन जब आ जाएगा।
दाँत पजाने की फुरसत तो मुझे नहीं दे पायेगा।

इसीलिए, जब तक खाली हूँ, दाँत पजा धर लेता हूँ,
पेट फाड़ने की दुश्मन का तैयारी कर लेता हूँ।"

(सूरज का ब्याह, प्र.सं.)

बर्र और बालक

सो रहा था बर्र एक कहीं एक फूल पर,
चुपचाप आके एक बालक ने छू दिया।

बर्र का स्वभाव, हाथ लगते ही उसने तो,
उँगली में डंक मार कर बहा लहू दिया।

छोटे जीव में भी यहाँ विष की कमी नहीं है,
टीस से विकल शिशु चीख मार, रो उठा।

रोटी को तवे में छोड़ बाहर की ओर दौड़ी,
रोना सुन माता का हृदय अधीर हो उठा।

उँगली को आँचल से पोंछ-ताँछ माता बोली,
मेरे प्यारे लाल! यह औचक ही क्या हुआ?

शिशु बोला, काट लिया मुझे एक बर्र ने है,
माता! बस, प्यार से ही मैंने उसे छुआ।

माता बोली, लाल मेरे, खलों का स्वभाव यही,
काटते हैं कोमल को, डरते कठोर से!

काटा बर्र ने कि तूने प्यार से छुआ था उसे,
काटता नहीं जो दबा देता जरा जोर से।

(सूरज का ब्याह, प्र.सं.)

बालक हम्मीर

[अलाउद्दीन खिलजी ने जब चित्तौर पर कब्जा कर लिया, तब राणा अजय सिंह अपने भतीजे हम्मीर और बेटों को लेकर अरावली पहाड़ पर कैलबारा के किले में रहने लगे। राजा मुंज ने वहीं उनका अपमान किया था, जिसका बदला हम्मीर ने चुकाया। उस समय हम्मीर की उम्र सिर्फ ग्यारह साल की थी। आगे चलकर हम्मीर बहुत बड़ा योद्धा निकला और उसके हठ के बारे में यह कहावत चल पड़ी कि 'तिरिया तेल हमीर हठ चढ़े न दूजी बार।']

उजड़ गया चित्तौर, आग बन धधका पहला साका,
कुछ दिन को झुक गई, राजपूतों की विजय-पताका।

कटे वीर क्षत्रिय लड़-लड़के
अमर भावना में भर-भरके,
लिये गोदियों में बच्चों को
जलीं नारियाँ जौहर करके।

लगा नहीं कुछ हाथ शत्रु के, नगर हुआ सब सूना,
खिलजी ने पाया केवल मरघट का एक नमूना।

राणा अजय सिंह कल-बल से,
बड़ी चतुरता से, कौशल से
नन्हें राजकुमारों को ले
निकल गए चुपचाप महल से।

अरावली पर्वत पर आकर छिपे देश निर्जन में,
जो थे राजमहल के वासी, बसे आन वे वन में।

लेकिन, दिन फिर जाता है जब,
नर को भाग्य सताता है जब,
लवा-बटेरों के हाथों भी
बाज अनादर पाता है तब।

कहते हैं, जब अजय सिंह वन में डाले थे डेरा,
एक रोज आ गया किले के भीतर बड़ा लुटेरा।

राजा मुंज नाम था उसका,
वन में कहीं धाम था उसका,
लूट-मार कर मौज मनाना
सबसे बड़ा काम था उसका।

लूट ले गया घर में थी जो बची सम्पदा थोड़ी,
बच्चों की भी कहीं एक भी चीज न उसने छोड़ी।

राणा बेचारे क्या करते?
अगर मारते तो खुद मरते;
दो हाथों से भला अकेले
दो सौ को किस भाँति पकड़ते?

खड़े रहे वे तब भी डाकू ने भाले को तान,
जाते-जाते बना दिया माथे पर एक निशान।

अजब बात मर्दों के मन की,
चिन्ता तनिक न होती धन की,
पर, जब आती बात आन की,
लग जाती बाजी जीवन की।

धन है तन का मैल, पसीने का जैसे हो पानी,
एक आन को ही जीते हैं इज्जत के अभिमानी।

भारी चोट आन की खाकर,
हँसी-खुशी-मुसकान गँवाकर,
राणा अजय सिंह बैठे थे
एक किनारे अलग लजाकर।

साँझ हुई, हम्मीर खेल कर बाहर से घर आया,
देख चचा की सूरत गम से भरी, बहुत घबराया।

कहने लगा—"चचा! यह क्या है?
सिर पर कैसा घाव लगा है?
बैठे हैं होकर उदास क्यों?
मन में क्या तूफान जगा है?

देख नहीं सकता उदास मैं कभी आपको ऐसे
तुरत मुझे कहिए कि शीश पर घाव लगा यह कैसे?"

असली भेद छिपाना चाहा,
कुछ का कुछ समझाना चाहा,
राणा ने कह इधर-उधर कुछ
बच्चे को बहलाना चाहा।

तब तक कहा किसी ने—"डाकू मुंज बड़ा भारी है,
उसी दुष्ट ने यहाँ पहुँचकर की हालत सारी है।

सुना नाम डाकू का जैसे,
भवें चढ़ी बालक की वैसे,
राणा सहम उठे घबराकर
रोकें बाल-सिंह को कैसे?

उठें-उठें जब तक राणा, बच्चे को धरें लपट कर,
तब तक तो हम्मीर कूद घोड़े पर चढ़ा झपट कर।

बोला—"चचा!! भीति मत मानें,
मुझे निरा बालक मत जानें,
बस, मैं तुरत फिरा आता हूँ
अभी मुंज को लगा ठिकाने।

लेकिन, हाँ, यदि कहीं शत्रु का शीश नहीं पाऊँगा,
शपथ धर्म की मुझे, नहीं यह मुखड़ा दिखलाऊँगा।''

सहम उठे राणा यह सुनकर
बैठ गए अपना सिर धुनकर,
फटने लगा हृदय पीड़ा से
बच्चे का साहस गुन-गुनकर।

लगे बिलखने, हाय विवश हम कब तक बने रहेंगे,
अगर अशुभ कुछ हुआ, दाह यह कैसे प्राण सहेंगे?

मंजु बड़ा अत्याचारी है,
निष्ठुर है, भट भी भारी है।
ग्यारह का भी नहीं हमारा
पुत्र, हाय, क्या लाचारी है!

अब जानें, क्या एकलिंगी वरदान हमें देते हैं,
लौटाते हैं याकि भतीजे की बलि ही लेते हैं।

कसक भोगते, आँखें मलते,
कटी रात करवटें बदलते,
भोर हुआ, दिन चढ़ा और फिर
साँझ हुई दिन ढलते-ढलते।

आँखें पथरा गईं, नहीं लेकिन, लौटा हम्मीर,
फूट-फूट कर लगे बिलखने राणा बहुत अधीर।

इतने में हिनहिना उठा हय,
बच्चे बोल उठे,—जय हो जय!
राणा ने बाहर जो झाँका,
हुआ दूर उनका सारा भय।

घोड़े पर हम्मीर खुशी में भर कर फूल रहा था,
औ' रिकाब से बँधा मुंज का मस्तक झूल रहा था।

(सूरज का ब्याह, प्र.सं.)

दिनकरजी की एक हास्य-विनोदपूर्ण रचना

[दिनकर जी सिमरिया के रहनेवाले थे। उसी इलाके का एक गाँव है बारो, जो अपनी बेवकूफी के लिए सारे उत्तर बिहार में प्रसिद्ध है। कहा जाता है कि उस गाँव के एक खेत में कौए बैठ गए, तो उसके किसान उन्हें भगाते-भगाते दूसरे गाँव तक चले गए और वहाँ के लोगों से लड़ने पर आमादा हो गए कि अपने कौओं को तुम क्यों नहीं रोकते? वे हमारी मकई खा जाते हैं। सब-रजिस्ट्रार के रूप में दिनकर जी का तबादला बेतिया में हुआ, तो उनके मित्र मजाक में उन्हें बारो का व्यक्ति कहने लगे। कहा जाता है कि उन मित्रों ने उस पर एक पूरी गजल बनाकर दिनकर जी को दी। दिनकर जी ने उसे पढ़ा और जवाब में उस गजल की पीठ पर यह रूबाई लिख दी। इसमें मझौआ का जिक्र है, जो कि बेतिया के पास का एक गाँव है। वह भी अपनी बेवकूफी के लिए बारो की तरह ही प्रसिद्ध है।]

यह ठीक है, बारो के वे हौआ चले गये,
जो हाँकते थे रात-दिन कौआ, चले गये,
पूछा जो चितरगुप्त से, बारो का क्या हुआ?
बोला कि सभी लोग मझौआ चले गये।

(असंकलित, आज के लोकप्रिय हिन्दी कवि : रामधारी सिंह दिनकर, सम्पादक मन्मथनाथ गुप्त, भूमिका)